D0708421

Bij jou of bij mij?

Vertaald door Titia Ram

Jennifer Weiner

Bij jou of bij mij?

Verhalen

2007 Prometheus Amsterdam

Voor Adam

Oorspronkelijke titel *The Guy Not Taken. Stories*
© 2006 Jennifer Weiner
© 2007 Nederlandse vertaling Uitgeverij Prometheus en Titia Ram
Omslagontwerp Marieke Oele, Almere
Foto omslag Rockworth
Foto auteur Casper Tringale
www.uitgeverijprometheus.nl
ISBN 978 90 446 0989 9

Geluk

Je kunt nooit rekenen op geluk,
of de manier waarop het er plotseling is, als een verloren
zoon
die terugkeert naar het stof onder je voeten
nadat hij ergens ver weg een fortuin over de balk heeft
gesmeten.

En hoe kun je niet vergeven?
Je organiseert een feest ter ere van wat
verloren was, en je haalt je mooiste kleding
uit de kast, die je hebt bewaard voor een speciale
gelegenheid
waarvan je je niet kon voorstellen wat die zou zijn,
en je huilt dag en nacht
nu je weet dat je niet was verlaten,
dat geluk zijn meest extreme vorm heeft bewaard
voor jou alleen.

Nee, geluk is de oom die je nooit
hebt gekend, die in een vliegtuig met één motor vliegt
en landt op een landingsbaan van gras, die lift
naar de stad, en bij elke deur aanbelt
tot hij je heeft gevonden, midden overdag in slaap
zoals je dat zo vaak doet tijdens de meedogenloze uren
van je wanhoop.

Het komt naar de monnik in zijn cel.
Het komt naar de vrouw die de straat veegt
met een berkenbezem, naar het kind
wiens moeder zich laveloos heeft gedronken.
Het komt naar de minnaar, naar de hond
die op een sok ligt te kluiven, naar de drugdealer,
de mandenmaker,
en de vakkenvuller die midden in de nacht blikken
worteltjes stapelt.
Het komt zelfs naar de rots
die in de eeuwige schaduw van barre gronden vol
pijnbomen ligt,
naar de regen die op open zee valt,
en naar het wijnglas, dat moe is van alle wijn.

JANE KENYON (1947-1995)

Alleen een toetje

Het was laat op een middag in juni. Ik zat met Jon en Nicole bij het zwembad in onze achtertuin toe te kijken hoe onze moeder baantjes zwom. Jon, bijna veertien, zat met het kanariegele koptelefoontje van zijn walkman op zijn hoofd ritmisch tegen de onderkant van zijn stoel te trappen. 'Doe niet,' snauwde mijn zusje. Ze was bijna zeventien en vond al sinds ons broertje haar met zijn komst uit haar wieg had verstoten dat ze het recht had de baas over hem te spelen, ondanks het feit dat hij langer was dan zij en heel gespierd was geworden sinds hij lacrosse speelde.

Jon begon harder te trappen. Nicki leunde met een razende blik in haar bruine ogen gespannen voorover, met haar magere schouders omhooggetrokken. 'Houd eens op, jongens,' mompelde ik terwijl onze moeder de rand van het zwembad aan de diepe kant aantikte en aan haar volgende baantje begon. Het gebloemde rokje van haar zwempak flapperde achter haar aan. Nicki liet zich tegen het smoezelige kussen van haar ligstoel zakken, die eruitzag alsof hij bijna bezweek onder de vochtige, grijze hemel. Zelfs de bomen vol bladeren en de grasvelden in onze buitenwijk in Connecticut zagen er wanhopig uit in de hitte. Het was al de hele maand meer dan dertig graden en het had niet één keer geregend, hoewel het wel elke nacht donderde.

Mama draaide weer en begon aan haar volgende baantje, ze schakelde van borstcrawl over op schoolslag terwijl haar natte hoofd in en uit het water bewoog. Ik kon door het ge-kleurde plastic van haar zwembril heen niet zien of ze haar ogen open of dicht had.

'Waarom trekt ze geen normaal badpak aan?' snauwde Nicki tegen niemand in het bijzonder. Nicki zelf droeg een minuscule gifgroene bikini met zwarte stippen, met een hoog opgesneden broekje en een diep decolleté.

Ik maakte met mijn smerige vingers de veters van mijn werkschoenen los en veegde met een mouw mijn voorhoofd af. Ik rook de benzinelucht die in mijn kleding was getrok-ken. Ik had dat voorjaar een college bij vrouwenstudies ge-lopen en was naar huis gekomen met de overtuiging dat ik geen stereotiep vrouwelijk baantje zou nemen. Ik had de kans als oppas te werken of parfum te verkopen in een over-dekt winkelcentrum laten voorbijgaan en werkte bij een ho-veniersbedrijf, waar ik zes dollar per uur verdiende door met een grote rode grasmaaier eindeloze grasvelden in kantoor-wijken te maaien. Het was een rotbaan en ik zou er niet eens een mooi kleurtje aan overhouden: een lange spijkerbroek was verplicht bij Levendige Landschapsarchitectuur, omdat de grasmaaier glas of steentjes – alles waar je maar overheen reed – kon lanceren en scherpe stukjes tegen je schenen kon spugen.

Ik trok mijn blouse over mijn heupen naar beneden en begon mezelf met mijn Levendige-honkbalpetje wat lucht toe te wapperen.

Nicki keek me razend aan. 'Ga eens uit de wind zitten,' commandeerde ze.

'Ik doe het allemaal omdat er gelijkheid tussen de seksen moet zijn.'

'Je stinkt in elk geval net zo erg als een man,' zei Nicki.

Jon hing zijn koptelefoontje om zijn nek. 'Mama's cheque voor de garage is geweigerd,' zei hij.

Nicki maakte een minachtend sissend geluid. 'O,' zei ik. Ik pulkte aan mijn blouse en voelde een mengeling van ver-driet en verontwaardiging. Verdriet dat mijn familieleden, met name mijn moeder, steeds maar in dit soort situaties te-rechtkwamen; verontwaardiging dat ik op de een of andere manier degene was geworden die er iets aan moest doen. Ma-ma's armen bewogen in het diepe stuk van het zwembad als zuigers in een langzame machine, op en neer, in het water borend zonder spetters te maken. We hadden toen ze het gat voor het zwembad hadden gegraven en er beton in hadden ge-stort alle vijf onze naam in de grijze smurrie geschreven. Ze stonden er nog, onder het water en de tegels.

Nicki porde met haar roze gelakte teennagels in het grind. 'Ik moet een baantje vinden,' zei ze.

'Je werkte toch als oppas?' Ik had alle baantjes die ik had afgewezen doorgeschoven naar mijn zusje, en ze werkte sinds die ochtend voor een gezin verderop in de straat.

Nicki schudde woordeloos haar hoofd, zodat ik zelf de de-tails in moest vullen: de vader had in haar billen geknepen, de moeder had tegen haar gezegd dat ze de afwasmachine moest uitruimen terwijl de kleintjes lagen te slapen; de kin-deren waren ettertjes; of een combinatie van A, B en/of C. Of, wat nog waarschijnlijker was, een van de ouders had haar te overdreven meelevend gevraagd: 'Hoe gaat het thuis?'

'Levendige Landschapsarchitectuur kan altijd mensen ge-bruiken,' bood ik aan. Nicki snauwde iets onverstaanbaars en legde de handdoek onder haar hoofd goed. Zelfs als ze kwaad was, zag ze er beeldschoon uit met haar bruine gepermanente pijpenkrullen en haar hartvormige gezichtje, dat een slank fi-guurtje completeerde. Alle schattige genen die er in ons gezin te verdelen waren geweest, waren naar Nicki gegaan, terwijl ik de hele voorraad breed gebouwd, grote boezem, onhandig en aanleg-voor-puisten toegewezen had gekregen.

'Geen lichamelijk werk!' pruilde ze.

Ik pakte de krant die onze moeder onder haar stoel had ge-legd en bladerde naar de vacatures. 'Verpleeghuis Avon. Dat kan niet moeilijk zijn. Oudjes voeren en een beetje met hen rondrijden.'

Nicki ging nog chagrijniger kijken. 'Josie,' zei ze op de ge-

veinsd rustige toon die waarschuwde dat er een flinke driftbui
aan zat te komen, 'je weet wat ik van oude mensen vind.' Ze
pakte haar flesje zonnebrandlotion en begon haar onthaarde
kuit in te smeren. 'Van mensen in het algemeen, nu we het
er toch over hebben.'

Ik wendde me weer tot de vacatures. 'De plantsoenen-
dienst zoekt plantsoenwachters.'

'Geen mensen!' zei Nicki huiverend. 'Ik heb geen zin om
de hele dag allerlei idioten te vertellen wanneer ze mogen
zwemmen of waar de wandelpaden zijn.' Ze greep de fles zonnebrand en begon vinnig lotion op haar borstkas te spuiten.

Ik hield aan. 'En ze zoeken medewerkers voor de bosbouw.'

'Wat moeten die doen?'

Ik deed mijn beste gok. 'Dat betekent dat je niet met mensen hoeft te werken, alleen met hun rotzooi.'

Nicki maakte een snoevend geluid.

'Misschien hoef je wel helemaal met niemand te praten.
Kun je gewoon de hele dag door het bos wandelen en troep
aan een stok prikken.'

Ze ging rechtop zitten, geïntrigeerd door het beeld van een
koel bos en een baantje waarbij ze zou worden betaald om in
dingen te prikken. 'Hmm.'

'Gemakhuisjes,' zei Jon.

'Pardon?' vroeg Nicki.

Ik legde uit: 'Nou, er zullen wel geen toiletten zijn in het
bos.'

Nicki trok een vies gezicht. 'Geen gemakhuisjes!' gilde ze.
Ze gooide haar fles zonnebrandlotion op het grind en draaide
razend op haar buik. 'Waarom moeten jullie me toch altijd zo
nodig martelen?' mompelde ze tegen het kussen. Milo, onze
buldog, kwam aanlopen om te onderzoeken waar we ons zo
druk om maakten. Hij liep onopvallend naar Nicki om aan
haar voet te snuffelen, maar zijn gesnuif verried hem. Nicki
zwaaide met haar arm. 'Wegwezen!' riep ze. Milo sjokte verdrietig het heuveltje naar de veranda achter ons huis af en
onze moeder stak haar hoofd uit het water.

'Je kunt bij Friendly's gaan werken,' zei ze.

Nicki was even met stomheid geslagen, alsof de ironie te groot voor haar was om direct tussen een van de mogelijke reacties te kunnen kiezen. Ze koos uiteindelijk voor: 'En wie heeft jou gevraagd mee te doen aan dit gesprek?'

Mama schudde glimlachend het water uit haar oren. 'Ik heb naar jullie geluisterd tijdens het zwemmen.'

Nicki snakte naar ruzie. 'Onder water hoor je niets.'

'Ik wel.' Ze dook opschepperig achterwaarts het ondiepe water in en kwam verderop weer omhoog met haar druipende hoofd. 'Je kunt bij Friendly's gaan werken,' herhaalde ze. 'Ze zoeken daar iemand om ijs te scheppen.'

Het werd aan mij overgelaten om iedereen te wijzen op het voor de hand liggende. 'Het probleem is dat Nicki niet bepaald vriendelijk is.'

Nicki draaide zich gretig naar me om. 'Ik ben hartstikke vriendelijk!' drong ze aan. Ze tuurde door de achtertuin tot ze Milo op de veranda zag, die in de schaduw onder de picknicktafel, met zijn poten gespreid, op zijn buik lag te snurken.

'Kom eens hier, lief hondje van me!' koerde ze. Milo snurkte verder. 'Milo!' riep ze. De hond tilde zijn grote kop op en staarde wantrouwig naar Nicki. 'Dag lieve Milo!' snorde ze. Mama keek toe vanuit het water, terwijl Milo besloot weer te gaan slapen en zijn kop liet zakken tot zijn kaken het hout raakten. Jon schoot in de lach. Nicki duwde zichzelf van haar ligstoel en stampte over het grind naar het hek tussen het zwembad en de tuin.

'Hond!' brulde ze. Milo trok zichzelf overeind en draafde opgewekt naar de achterdeur. Nicki wierp me een moordzuchtige blik toe. De draadloze telefoon die mama op haar handdoek had gelegd, begon te rinkelen. Het geluid sneed door de kleverige lucht en deed Jons lachen en Nicki's schreeuwen verstommen. Mijn zusje verstijfde. Jon wendde zich af en mama dook onder water, het hele zwembad door glijdend zonder naar water te happen.

Toen het rinkelen eindelijk was opgehouden, kwam mijn

zusje terugstampen over het grind, griste de telefoon van de handdoek, ging op haar stoel zitten, toetste wat cijfers in en vroeg: 'Mag ik het nummer van restaurant Friendly's, in Avon, Connecticut?'

Dat was in de zomer van 1988. Ik was negentien, met dikke bovenbenen en een zonverbrand gezicht, thuis voor de vakantie na mijn eerste studiejaar. Mijn ouders, die in de herfst nog, in elk geval voor de vorm, samen waren geweest, hadden me in september samen weggebracht naar de campus, maar toen het collegejaar was afgelopen, ging ik met de trein naar huis: met een treintje van de campus naar het station van Princeton, met een grotere trein naar het station in New York City, en met de Amtrak langs New Rochelle en van New Haven naar Hartford. Mijn zusje stond op de stoep op me te wachten en bracht me naar ons huis in Somersby, ons grote gele huis met de zwarte luiken aan Wickett Way.

Nicki had dat voorjaar haar rijbewijs gehaald, maar ze zag er achter het stuur van de groene stationwagen van onze moeder nog steeds uit als een kind dat doet alsof het autorijdt. 'Houd je vast,' zei ze terwijl ze de auto met piepende banden onze oprit op zwiepte. De verf op het huis bladderde, de tuin was verwaarloosd en het gras te lang. Het stond vol paardenbloemen en gele wortel. Iemand – Nicki, nam ik aan – was tegen de brievenbus aan gereden. De houten paal waarop hij stond, was geknakt en helde naar links. Hij zag eruit alsof hij het elk moment zou begeven en op straat zou vallen.

Binnen was het niet veel beter. Tijdens mijn eerste avond thuis drong het tot me door dat mijn broer min of meer was gestopt met praten; mijn zusje leek permanent op het punt te staan iemand te gaan slaan; en mijn moeder bracht meer tijd onder water door dan op het droge. Als ze geen baantjes trok, gaf ze een zomercursus wiskunde aan leerlingen die onvoldoende stonden en negeerde de telefoon.

Ik maaide me een weg door juni en juli en las in mijn vrije

tijd het hele oeuvre van Judith Krantz in de bibliotheek met airco, opgekruld op een stoel in een studiehokje tegen de achterwand in een poging mijn huidige buren en voormalige klasgenoten te ontlopen. Toen Jon werd uitgenodigd op een bal op de sportclub, las ik in een bibliotheekboek hoe ik een stropdas moest knopen. Toen de boiler ermee ophield, verzilverde ik de obligaties van de State of Israel die ik op mijn bat mitswa had gekregen, en gaf mijn moeder het geld om hem te laten repareren. Ik had een emotionele scène van dankbaarheid verwacht die niet zou onderdoen voor die in *Little Women*, wanneer Jo haar haar verkoopt zodat haar moeder naar haar zieke echtgenoot kan. Mijn moeder schoof in plaats daarvan het geld onder haar handdoek, knikte een bedankje en dook terug in het diepe deel van het zwembad.

Ze zwom, en het leek haar niet op te vallen dat de azuurblauwe tegeltjes van de rand van het zwembad los begonnen te laten en dat het water een vreemde kleur groen begon te krijgen nu we geen geld meer hadden om de onderhoudsdienst te betalen en zelf niet wisten hoe we de juiste verhouding chemicaliën moesten mengen. Ze zwom tot acht of soms negen uur 's avonds, wanneer de zon was ondergegaan en de zware avondlucht sidderde van de vuurvliegjes. Er was een keer een zwerm vleermuizen uit het veld achter ons huis komen vliegen en de dieren hadden flapperend en krijsend over het water gescheerd. Ze zwom baan na baan, kilometer na kilometer, terwijl de telefoon rinkelde en dan stil was, en wij met z'n drietjes op onze tuinstoel in onze vochtige handdoek gewikkeld naar haar zaten te kijken.

Nicki schokte ons allemaal diep door een afspraak te maken – en ernaartoe te gaan – voor een sollicitatiegesprek bij restaurantketen Friendly's, waar ze per direct werd aangenomen als ijsmeisje. Ze verzekerde ons ervan dat het de ideale baan voor haar was. Ze zou bij vriezers in de buurt werken, die haar zouden verkoelen, en achter een lange balie van roestvrij staal, om te allen tijde irritante mensen mee op afstand te houden. Serveersters gaven haar briefjes met bestellingen of riepen ze naar haar; Nicki maakte de gevraagde coupe en haalde dan een schakelaar over, waardoor er een nummer ging branden en de serveerster de coupes, sorbets en hoorntjes kon komen halen.

Ik ging tijdens de lunch tussen twee grasvelden in naar Nicki, die ik gekleed in een kort blauw-wit jurkje met een wit schortje met kant aantrof boven de bakken karamel- en aardbeienijs, de spieren in haar magere armen dapper aangespannen om het ijs uit de bakken te wrikken. 'Kom eruit!' snauwde ze binnensmonds tegen het ijs. Als ze het los had gekregen, rechtte ze met het schaaltje in haar hand haar rug en draaide zich snel om op haar kleverige gympies, op haar vaste plek tussen de karamelautomaat en de plastic bakken met nootjes, spikkels en kersen.

Ze had felgekleurde Friendly-buttons op haar borst gespeld, als eremedailles, waarvan ze er wekelijks een ontving, met uitroepen erop als: TWEE HALEN, ÉÉN BETALEN!, VRAAG MAAR!, of: PROBEER ONZE NIEUWE SMAKEN. De enige button die ze altijd had moeten dragen was de plastic rechthoek waar alleen op stond: HOI, IK BEN..., waar de werknemer zijn of haar naam op kon schrijven. Nicki schreef er elke avond een andere naam op. Op maandag was ze Wendy, op dinsdag Juanita, en de dag daarna Shakina. Ze haatte het als klanten haar zogenaamd vriendschappelijk bij haar voornaam noemden en genoot ervan als ze per ongeluk naar de balie kwamen in de veronderstelling dat ze hen zou bedienen, of hoe dan ook zou helpen, en worstelden met onbekende namen, waar Nicki nooit op reageerde als ze ze de eerste keer hoorde.

Nicki bespioneren als ze op haar werk was, werd een favoriet uitje voor Jon, mama en mij, een van de weinige pleziertjes die we die zomer hadden. Als we 's avonds hadden gegeten en *Jeopardy* hadden gezien, keek mama om zich heen in de zitkamer. Jon lag over het algemeen op de bruine leren bank in een korte broek en een te strak poloshirt met zijn koptelefoontje op een tennisbal naar het plafond te gooien. Milo lag te dutten op de vloer en ik zat in een hoekje van de bank met een boek of tijdschrift op schoot. Ik deed alle quizzen in *Cosmo*: DE MANIER WAAROP JE KUST, VERRAADT ALLES! ZEGT JOUW KUS 'SEXY'? BEN JIJ OP EEN FEESTJE DE GANGMAAKSTER OF DE SPELBREEKSTER?

'Oké, jongens,' zei mama dan, 'wie heeft er zin in een sorbet?' en dan stapten we in de stationwagen, rolden langs de opzijgezakte brievenbus, reden het kwartier naar Route 44, langs de winkels en fastfoodrestaurants, en parkeerden bij Friendly's.

Nicki's manager was een ex-nietsnut die God had gevonden. Hij heette Tim en de ravage die acne had aangericht was nog duidelijk zichtbaar op zijn net gedoopte voorhoofd. Hij kende ons goed. Hij gaf ons een menukaart en wees ons het tafeltje toe met het beste uitzicht op Nicki als ze ijs stond te scheppen, de servettendozen of zoutvaatjes bijvulde, een gezicht trok als ze de balie schoonveegde of verdwaalde gasten wees waar de toiletten waren.

Op een donderdagavond probeerde een oude, vogelachtige dame die bij de kassa stond te wachten haar aandacht te trekken terwijl Nicki slagroom op bananensplits stond te spuiten.

'Pardon,' riep de vrouw met een hoge, schrille stem naar Nicki. Nicki negeerde haar en pakte de karamel. De vrouw zette met bevende handen haar dubbelfocusbril aan een ketting op haar neus. 'Juffrouw?' riep ze terwijl ze met half-samengeknepen oogleden naar Nicki's naambordje tuurde. 'Esmeralda?'

Mama legde haar lepel neer. 'Esmeralda?'

De oude dame begon met haar rekening naar Nicki te zwaaien, die haar hoofd schudde. 'Ik doe geen rekeningen,' zei ze. 'Alleen toetjes.' De oude dame slaakte een geoefende zucht. 'Die jongelui van tegenwoordig...' begon ze, terwijl Tim, die aanvoelde dat er iets misging, gealarmeerd de keuken uit kwam rennen. Nicki draaide zich met de ijsschep in haar hand om en keek de oude dame ziedend aan.

'Wegwezen!' brulde ze. Er schoot een klodder hete karamel van de lepel, die recht op de verlepte boezem van de dame af vloog, toen de manager zichzelf behendig tussen het doel en het projectiel wierp. Hij griste de rekening uit de handen van de verwarde klant. 'U mag vanavond gratis eten, mevrouw. Excuses voor het lange wachten.'

Nicki boog zich schuldbewust over de natte walnoten terwijl Tim de karamel van zijn overhemd veegde. 'Gedraag je,' mompelde hij. 'Esmeralda.'

'Hé, Nicki,' riep mama, 'niet té vriendelijk, hè?' Jon wees met zijn lepel naar haar. 'Wegwezen!' zei hij, en ik schoot in de lach. 'Nicki Krystal, verdedigster van jongelui.'

Nicki klikte de karamelmachine aan, die met zo'n herrie tot leven kwam dat de muren ervan trilden.

'Weten jullie wie de macht heeft?' gilde ze boven het kabaal uit.

Dat wist ik wel. 'Degene met het geld.'

Nicki schudde haar hoofd. 'Nee, hoor. Degene die het eten maakt.'

Nicki hield het bijna de hele zomer uit bij Friendly's. Jon ging in augustus, toen hij veertien werd, ook werken. Dan stond hij voor dag en dauw op en fietste met zijn tennisracket achterop langs de perfect bijgehouden, gesproeide grasvelden en de net geverfde huizen. Er waren wat boerderijen in de buurt die veertienjarigen inhuurden om aardbeien, sperziebonen en maïs te plukken, en hij werkte op een daarvan. Om twaalf uur stond de zon hoog aan de heiige hemel. Dan inde Jon zijn loon van verfrommelde dollarbiljetten en ging op weg naar zijn vrienden.

Mijn werk was geen succes, niet vanwege mijn halfbakken feministische ideeën, maar door het weer. Er viel in heel juli en augustus geen druppel regen en mijn uren bij Levendige Landschapsarchitectuur droogden net zo uit als al die bedrijfsgrasvelden. Als ik ergens kon oppassen, deed ik dat. Als dat niet lukte, lag ik thuis door inertie en mijn eigen zweet aan de bank vastgeplakt in het briesje van twee ventilatoren, die ik op twee hoeken van het zware kleed in de zitkamer had gezet, te wachten tot mama thuiskwam. Als haar auto de oprit op reed, trok ik mijn benen van het leer los, deed mijn zwempak aan en zwom met haar tot mijn armen brandden en mijn benen verdoofd voelden. Dan deed ik het onderwaterlicht aan en zat met mijn voeten in het water te bengelen tot ze klaar was. Ik stelde voorzichtige, insinuerende vragen. Had ze al iets van mijn vader gehoord? Had de advocaat al gebeld? Ze gaf vage antwoorden zonder oogcontact te maken, zonder overstuur, verdrietig of bezorgd over te komen, of een andere emotie te tonen die mij in haar situatie gepast leek.

Zelfs als ze binnen was en rechtop stond, als ze kip en Italiaanse dressing in de groene gebarsten kom deed om te marineren, of wanneer ze tegen haar advocaat fluisterde achter de gesloten deur van de benauwde woonkamer met zware gordijnen waar nooit werd gewoond, hadden haar bewegingen en manier van praten iets verdoofds, iets afstandelijks, alsof ze de wereld door een duikbril en een meter kunstmatig verwarmd, vreemd groen water bekeek.

Ze had constant vriendinnen aan de telefoon, maar geen van hen kwam nog langs. De buren keken naar ons als we de stationwagen achteruit de oprit af reden of naar de straat liepen om de post uit de kapotte brievenbus te halen. Dan keken ze snel weg, alsof scheiden een besmettelijke huidziekte was die je enkel door kijken kon oplopen. De telefoon begon om zeven uur 's ochtends te rinkelen, een constante herinnering aan het feit dat onze vader er niet was, en hij bleef de hele dag rinkelen.

Mijn vader was niet vertrokken zoals andere vaders uit de buurt dat hadden gedaan: met spijt en een mooie toespraak over dat hij altijd van ons zou blijven houden, en een nieuw adres in een appartementencomplex aan de andere kant van de stad. Hij was na het Thanksgiving-diner gewoon van tafel opgestaan, had zijn servet in de gestolde jus op zijn bord gegooid en had drie woorden gesproken: 'Dat was het.' Mijn

moeder, die aan de andere kant van de tafel zat, was wit weg-
getrokken en had haar hoofd geschud. Er sprongen tranen in
haar ogen. Ik voelde mijn maag samentrekken. Ik had hen
's avonds wel ruzie horen maken, wanneer hij verwijten fluisterde en zij huilde, en ik wist dat hij al een maand laat thuiskwam, en die laatste week helemaal niet, maar ik had mezelf
voorgehouden dat ik me druk maakte om niets, dat ze het gewoon even moeilijk hadden en dat het allemaal goed kwam.

'Willen jullie een toetje?' had Nicki gepiept, en pap had
haar zo woedend aangekeken dat ze op haar stoel in elkaar
was gekrompen.

'Dat was het,' had hij nog een keer gezegd, en hij was opgestaan van de tafel, die was gedekt met het mooie witte kanten tafelkleed en het dure servies, die vol stond met gebraden
kalkoen met worstvulling, met asperges, maïsbrood en flessen wijn. Hij beende de keuken en de bijkeuken door naar de
garage en sloeg de deur achter zich dicht. We hadden er verbijsterd bij gezeten toen de garagedeur openging en zijn sport-
wagen bulderend tot leven kwam. 'Dat was het,' had hij gezegd... en dat was de laatste keer dat we hem hadden gezien.
Maar zijn post – en daarna de telefoontjes van zijn crediteuren – kwamen nog dagelijks naar het huis aan Wickett Way.

Die telefoontjes begonnen altijd op dezelfde manier. Dan
vroeg de persoon van het incassobureau of hij Gerald Krystal
mocht spreken. Dan zei ik: 'Die is er niet.'

'Wanneer verwacht je hem terug?' vroeg de beller dan.

'Niet.' Dan gaf ik het telefoonnummer van zijn kantoor,
wat geïrriteerd zuchten uitlokte.

'Dat nummer hebben we al. We hebben al meerdere boodschappen achtergelaten.'

'Het spijt me, maar hij is er echt niet en dit is het enige
nummer dat ik van hem heb.'

'Dat kan niet,' zeurde een man van Citibank op een ochtend in mijn oor. Hij had een jengelend New Yorks accent en
belde om tien over zeven. 'Hij is toch je vader? Je hebt vast
wel enig idee hoe we hem kunnen bereiken.'

'Dit is het enige nummer dat we hebben,' herhaalde ik mechanisch.

Citibank probeerde me tot een uitspraak te verlokken. 'Liegen heeft geen zin.'

'Ik lieg niet. Dit is het enige nummer dat we hebben.'

Citibank drong aan. 'Komt je vader nooit op bezoek? Belt hij nooit?'

Ik kneep mijn ogen dicht. Hij had niet gebeld. Niet één keer. Niet hier, niet op de campus, mij niet, Nicki niet, Jon niet. Ik dacht dat ik wel begrip kon opbrengen voor een man die geen echtgenoot meer wilde zijn... Ik had door de jaren heen genoeg vaders van schoolvriendinnen gezien die waren opgestapt, iets met de secretaresse waren begonnen, of, die ene memorabele keer, met onze schooldecaan. Wat ik niet begreep, was dat een man geen vader meer wilde zijn. In het bijzonder onze vader. Ik was al mijn herinneringen nagegaan, maar kon mezelf er niet van overtuigen dat hij nooit van ons had gehouden, dat de eerste zestien jaar van mijn leven een doorwrochte schijnvertoning waren geweest.

Hij had speciale uitjes met ons gemaakt, avonturentochtjes. Hij reed met me naar de bibliotheek drie stadjes verderop omdat de banken daar zo lekker zaten en ze er de beste fictiecollectie hadden. Hij ging met Nicki naar de speelgoedwinkel, waar ze uren zat te spelen met de marionetten en de Madame Alexander-poppen. Hij ging met Jon naar hockey- en footballwedstrijden, en hij ging met hem meneer Kleinman helpen, die verderop in de straat woonde en was verwikkeld in een oneindige, Don Quichot-achtige poging kabel te stelen. ('*Gendarmes!*' riep meneer Kleinman als hij dacht dat hij een politieauto zag, waarop Jon en mijn vader, die af en toe al op de derde sport van de telefoonpaal stonden, hun combinatietang en draad lieten vallen en naar de veiligheid van onze garage sprintten.) Mijn vader wist de namen van onze leerkrachten en vrienden, en hij wist die van de leerkrachten van onze vrienden ook. Hij zei tegen Nicki dat ze slim was. Hij zei tegen Jon dat hij een uitmuntend atleet was. Hij heeft tegen mij gezegd dat ik mooi was. En hij was degene die ons alle drie heeft leren zwemmen.

'Je zou ons een hoop ellende besparen als je gewoon zou zeggen waar hij is, meid.'

'Dit is het enige nummer dat we hebben.' Ik draaide het telefoonsnoer om mijn vinger en slikte de klont in mijn keel weg.

Citibank zuchtte. 'We vinden je vader wel,' beloofde hij.

'Als u hem vindt, wilt u hem dan de groeten van zijn kinderen doen?'

Mama zei tegen ons dat we ons geen zorgen hoefden te maken om die telefoontjes. 'Blijf vriendelijk, maar wees resoluut,' zei ze op een avond aan tafel, waarbij ze ons om de beurt in de ogen keek. Maar toen probeerde een gewiekste dame van een incassobureau in Delaware Jon ervan te overtuigen dat onze vader een gloednieuwe auto had gewonnen, die naar de volgende persoon op haar lijstje zou gaan als Jon haar niet onmiddellijk de contactgegevens van onze vader zou geven. 'Ik heb u alle informatie gegeven die we hebben,' zei Jon, zoals mama had geïnstrueerd.

'Wil je vader geen nieuwe auto?' vroeg de vrouw. Jon, die als enige thuis was geweest toen de vierdeurs Audi van onze vader in beslag was genomen, zei: 'Jawel', waarop de vrouw had gezegd: 'Heeft niemand jou geleerd dat je niet mag liegen?' Jon had opgehangen, was de keuken door gelopen, langs onze moeder ('Jon? Wie was dat? Gaat het wel?') en de garage in, waar hij op zijn fiets was gestapt. Mama bracht de daaropvolgende twee uur door in de wacht en voerde op lage, dreigende toon een gesprek met de baas van de baas van die vrouw. Toen het donker begon te worden, gooide ze de autosleutels naar me toe en wees naar de oprit. Nicki, die die avond vrij was, ging met me mee. We reden een uur rond en vonden Jon uiteindelijk bij de sportclub, waar hij met een geleend racket tegen een oefenmuur stond te tennissen. Het was donker en vochtig, maar de banen waren fel verlicht en op mijn broer na verlaten. We zetten de auto stil naast de baan. 'Jon?' riep ik door het open raampje. 'Gaat het wel?' Er klonk geen geluid, behalve het sjirpen van de krekels en het knallen van de bal tegen de houten muur.

'Stap in!' gilde Nicki. 'Dan krijg je een biertje van me!'

'Nicki!' zei ik. 'Je gaat hem geen bier geven!'

Jon rukte het achterportier open, liet zichzelf op de achterbank vallen en sloeg zonder een woord te zeggen het portier dicht. Hij heeft een week niets tegen ons gezegd.

Nicki daarentegen was verzot op dergelijke gesprekjes. 'Hallo-o-o?' begon ze dan met haar gestifte lippen in een glimlach en fladderende wimpers, alsof degene aan de telefoon een van de jongens was die die zomer om haar heen dromden. Haar gezicht betrok als de incassodame of -heer van de dag dan aan haar of zijn riedeltje begon. 'Zoals we u ongetwijfeld al eerder hebben laten weten, woont Jerry Krystal hier niet meer,' zei Nicki dan. 'Ik vind het onwaarschijnlijk onkies van u dat u ons zo blijft maltraiteren!' Ze genoot ervan het woord langzaam en nadrukkelijk uit te spreken. Jon en ik gingen erbij staan om ons te verwonderen over Nicki's aanpak, wat haar aanspoorde er nog een schepje bovenop te doen. 'Het is werkelijk een grof schandaal dat u, gezien het onfortuinlijke en overijlde vertrek van onze vader, onschuldige kinderen zo blijft achtervolgen... Bent u bekend met de recente uitspraak in de zaak-Sachs-Engledorf?'

Over het algemeen was de beller dat niet.

'Daarbij kreeg een groot incassobureau een schadeclaim van zeven triljoen aan zijn broek voor het bijdragen aan het crimineel maken van een minderjarige, nadat het het kind zo'n schuldgevoel had aangepraat omdat het zijn vaders telefoonnummer niet wist dat het zich in een vreselijk leven van misdaad heeft gestort... Ja, inderdaad... En waag het eens om nog een keer te bellen!', waarna Nicki demonstratief de hoorn op de haak gooide.

'En ik heb weer gewonnen!' verklaarde ze dan, gevolgd door een uitbundig vreugdedansje, met haar magere ellebogen gestrekt opzij en haar magere benen dansend op de vloer.

'Nicki,' zei mama dan streng, 'die mensen doen ook maar hun werk.'

'En ik,' zei Nicki luchtig terwijl ze in haar minirok met ruches en met haar uniform van Friendly's over haar arm de trap op liep, 'doe dat van mij.'

Half augustus was het nog steeds droog. Er schoten elke avond hitteflitsen door de lucht en we werden regelmatig wakker van het geluid van donder, maar er kwam maar geen regen. Op een maandagavond zaten Nicki en Mike, haar vriendje sinds twee weken, in de zitkamer naar de video van *Jaws II* te kijken. Ik zat in mijn gebruikelijke hoekje op de bank, opgekruld onder het licht van de leeslamp met een beursaanvraag, die ik die ochtend per post had ontvangen, in een poging een manier te bedenken waarop mijn vaders blauwe maandag bij de reservisten de *Veterans of Foreign Wars* zover zou krijgen de boeken voor mijn tweede studiejaar te bekostigen.

'Kijk, Miguel, daar is de haai!' Nicki wees naar het scherm terwijl de violen op de achtergrond krasten. Ze schudde haar hoofd en nam een lepel Swiss Miss-pudding uit een plastic bekertje. 'Ik begrijp sowieso niet waarom die mensen daar zijn gaan waterskiën. Hebben ze deel één niet gezien?'

Jaws kwam boven water en verslond een piramide schaars geklede dames op waterski's. Milo legde zijn kop tegen mijn blote been en Mike, wiens vakantiebaantje als bouwvakker om zes uur 's ochtends van start ging, liet zijn hoofd met blonde stekels tegen een stapel kussens zakken. Zijn lippen gingen een beetje van elkaar en hij begon, bijna onhoorbaar, te snurken. Nicki staarde naar het bloedbad, haar gezicht blauw verlicht door het televisiescherm, haar lepel in haar hand en de pudding vergeten.

'Wauw,' fluisterde ze terwijl het water rood kleurde van bloed. Ze greep de afstandsbediening, spoelde de band een stukje terug en speelde de slachtpartij nogmaals, in slowmotion, af, elke gil en afgerukte ledemaat geconcentreerd bestuderend.

'Nep,' concludeerde ze vol afgrijzen. 'Josie, kijk... Je zie
dat dat bloed gewoon op dat been is gesmeerd, kijk dan... H\
blafte ze toen ze zag dat mijn ogen op mijn beursaanvraag gericht waren. 'Je kijkt niet eens!'

Ik zei dat de scène realistischer was dan ik aankon en wees
haar erop dat haar vriendje in slaap was gevallen.

'Nee, hoor,' zei Nicki. Ze leunde achterover tot haar hoofd
tegen Mikes borst lag en begon met haar elleboog in zijn ribben te porren. Zijn ogen vlogen open en zijn handen bewogen
eerst naar zijn zorgvuldig met gel bewerkte haar en daarna
naar Nicki's schouders.

'Au, hou daarmee op!' smeekte hij.

Nicki keek hem engelachtig aan. 'Wakker worden,' spin-
de ze, 'anders laat ik de hond je gezicht likken. Jij,' zei ze terwijl ze naar mij wees. 'Slapjanus. Ga eens popcorn voor ons
maken.'

Mama kwam in een badpak en in een handdoek gewikkeld
de kamer binnen lopen. Ze fronste en rook naar chloor. Ze
had een stapeltje post in haar hand en hield één brief tussen
twee vingers geknepen. 'Nicki,' zei ze terwijl ze naar de brief
tuurde. 'Heb je tegen iemand van Chase gezegd dat papa in
het ziekenhuis ligt met terminale teelbalkanker?'

'Misschien,' gaf Nicki toe.

'Je mag niet liegen,' zei mama.

'Zij liegen ook,' zei Nicki.

'Wil je niet beter zijn dan een stelletje onderbetaalde incasso-
medewerkers?' vroeg mijn moeder.

Nicki trok een gezicht en wendde zich weer tot het televisiescherm, waar een aantrekkelijke man naast een vrouw in
bikini op het strand lag en haar arm streelde. Mike kon de
kans mijn zusje, dat bijna boven alles een hekel aan huid-op-
huidcontact had, te plagen niet weerstaan: 'Kijk eens, Nicki.
Onnodige aanraking!'

'Ze wordt zo opgegeten,' snauwde Nicki. Ze wees weer
naar mij. 'Popcorn!' Ik rende naar de keuken om die te gaan
maken, terwijl mama de achterdeur uit slenterde. Ik had net

de popcorn en de grote rode schaal gepakt toen Jon op zijn fiets de oprit op kwam rijden. Hij stapte af, liep de garage in, beende naar de keuken en bleef voor de koelkast staan om zijn mogelijkheden te overwegen.

'Ik heb mama vandaag horen bellen,' zei hij. Hij haalde een pakje boter uit de koelkast en gooide het naar me toe. Ik maakte het open en deed het in de kom, die ik in de magnetron zette om de boter te laten smelten. Mama had het licht in het zwembad aan gelaten en de groenige gloed van het water filterde door het raam boven de gootsteen naar binnen. De familie Henderson van twee huizen verderop had zo'n elektrische insectendoder en het knetterende geluid doorbrak de hete, stille avond.

'Waar ging het over?'

'Dat ze in de herfst het huis te koop moet zetten. Ze kan het zich niet veroorloven.'

Ik pakte de kom met dampende boter uit de magnetron. Ik had uit het onophoudelijke bellen van crediteuren en de afwezigheid van zwembadonderhoud, tuinmannen en schoonmaaksters al opgemaakt dat het slecht ging. Ik werd 's nachts wel eens wakker van een nachtmerrie en dan hoorde ik hoe mijn moeder beneden rondliep, van kamer naar kamer, langs het schilderij dat mijn vader voor hun tiende trouwdag had gekocht, langs de keukentafel waar we samen honderden keren aan hadden gegeten, tot en met die noodlottige Thanksgiving, en langs de foto's aan de muur: Jon in zijn kinderstoel, Nicki en ik op de schommel, Milo met een babymutsje op voor Halloween.

'Het komt wel goed,' zei ik. Het klonk zelfs in mijn eigen oren als een leugen. Jon keek me razend aan. Hij was die zomer gegroeid, en hij was bruin van het werken op de boerderij, maar op dat moment zag hij eruit als een jongetje van vijf dat net naar zomerkamp is gebracht en zijn best doet niet in huilen uit te barsten.

'Voor jou wel, ja. Jij gaat weg. En Nicki ook. Jullie hoeven hier niet te wonen met...' Hij keek richting de trap, liet zijn gezicht zakken en schudde zijn hoofd. 'Ik ben weg,' mompelde hij, en hij sloeg de achterdeur zo hard dicht dat de kasten rammelden.

Toen ik met de schaal popcorn de verduisterde zitkamer binnen kwam lopen, was Mike weer in slaap gevallen; hij lag met uitgestrekte ledematen op de bank. Nicki stond in een spijkerrokje met haltertopje voor de televisie, met haar gezicht op onweer en haar vinger op de knop om door te spoelen. 'Ik wil bloed!' zei ze terwijl de scènes voorbijflitsten. 'Dit is belachelijk! Waar is die stomme haai?'

Het scherm vulde zich, alsof er werd gereageerd op haar woorden, met het beeld van een haai. 'Ja!' riep Nicki enthousiast. 'Eindelijk!' Maar de haai zwom, begeleid door dreigende vioolklanken, weg zonder schade aan te richten. Nicki drukte weer op vooruitspoelen. 'Waardeloos,' mompelde ze. Ik gaf haar de popcorn. Mike verried met een harde snurk dat hij sliep. Nicki draaide wild haar hoofd om en staarde razend naar zijn gezicht.

'Ik heb hem gewaarschuwd,' zei ze. Ze deed een greep in de dampende, boterachtige popcorn en begon voorzichtig stukjes op Mikes slappe lippen aan te brengen. 'Milo!' riep ze zacht. Milo kwam aandraven, zijn gecoupeerde staart draaide woest rondjes en er droop kwijl uit zijn gerimpelde kaken. Hij zette zijn korte pootjes tegen de rand van de bank en hees toen met een grom zijn hele lichaam erop, maakte een paar luidruchtige snuifgeluiden en begon aan Mikes lippen te likken. Mike werd proestend wakker en keek recht in Milo's snuit, alsof de hond hem net wilde gaan zoenen.

'Gadver!' was het enige wat hij kon uitbrengen voordat hij naar het toilet vluchtte. Milo staarde hem verdrietig na. Mama kwam in een flets geworden roze badjas met gerafelde kanten biesjes en de telefoon in haar hand de zitkamer binnen.

'Wat gebeurt hier?'

'Sst,' siste Nicki. 'We zitten naar de haai te kijken.'

Mama kneep haar oogleden half samen in de donkere

ruimte en tuurde naar Nicki. 'Heb jij de telefoon eruit getrokken?' vroeg ze op eisende toon.

Nicki deed haar gepermanente haar goed, legde haar blote voeten op het bijzettafeltje en negeerde haar.

'Nicki?'

'Rot op,' snauwde mijn zusje.

'Luister,' zei mama. 'Ik heb ook een hekel aan die bellers. Maar we kunnen de telefoon er niet uit trekken.' Ze keek streng naar Nicki. 'Wat als er nu een noodgeval was geweest? Wat als iemand ons probeert te bereiken?'

'Hij belt toch niet,' zei Nicki met haar blik op het televisiescherm gericht.

Onze moeder slaakte een zucht, alsof ze leegliep. 'Ik wil dat je hem er weer in doet.'

'Prima!' zei Nicki. 'Miguel!'

Mike kwam uit het toilet strompelen. 'Het spijt me, mevrouw Krystal, maar...'

'Je moest het van haar doen,' maakte mama zijn zin af. 'Nicki...' begon ze.

'Rot op,' herhaalde Nicki. De monsterlijke witte haai was op het beeldscherm bezig wat eruitzag als de hele bevolking van een strand in New England te verorberen. De camera kwam dichterbij voor een close-up en het oog van de haai, overduidelijk van plastic, glinsterde in het veranderlijke onderwaterlicht. Ik liet me met mijn pen en mijn aanvraagformulier weer op de bank zakken. Onze situatie was zo duidelijk dat het net zo goed boven de open haard gegraveerd had kunnen staan: papa kwam niet meer terug. Mama moest het huis verkopen. Ik zou nooit die twaalf kilo gaan afvallen die ik was aangekomen van te veel pizza en ijs in de cafetaria. Die heerlijke jongen met wie ik een college filosofie had gevolgd zou me nooit gaan zien als meer dan een meisje dat hem een keer een pen had geleend, en die beurs kon ik ook wel op mijn buik schrijven. Ons gezin viel uit elkaar en geen goede bedoelingen en State of Israel-obligaties konden daar iets aan veranderen.

Nicki zette het beeld stil en griste de kom popcorn onder Milo's zoekende neus vandaan.

'Nep,' zei ze met de kom tegen de nauwelijks zichtbare welving van haar heup geduwd. 'Nep, nep, nep.'

Het waren niet de valse namen en haar wangedrag die Nicki uiteindelijk de kop kostten bij Friendly's. Het waren de satanische toetjes.

Nicki had altijd een hekel aan die toetjes gehad. 'Ze zijn heel moeilijk om te maken,' klaagde ze over het kindertoetje, een 'hoofd' dat bestond uit een bolletje ijs met slagroom en een omgekeerd ijshoorntje erop. Ze vertelde iedereen die wilde luisteren hoe zorgvuldig ze de slagroom op het ijs moest spuiten om er een kapsel mee te suggereren en hoe ze in de bak moest spitten naar twee dezelfde m&m's om als ogen te gebruiken, hoe voorzichtig dat hoorntje erop gezet moest worden om het allemaal op een heksenhoed te laten lijken. 'Mijn hoorntjes glijden er altijd af,' klaagde ze, 'dus het lijken net heel slordige heksen. Of ik doe er te veel karamel onder, waardoor het lijkt alsof het gezicht smelt.'

Maar Nicki moest er dagelijks tientallen maken, aangezien de kinderen van Farmington Valley gek waren op die ijsjes. Tot de laatste twee weken van augustus 1988, tenminste.

Het begon allemaal heel onschuldig. Er was tijdelijk geen karamel, dus besloot Nicki te experimenteren en het ijshoofd in een poel kersensaus te leggen.

'En wat zal ik zeggen dat dit... geval is?' vroeg de serveerster, die in de dertig was, twee kinderen had en niet erg veel geduld voor de vakantiehulp.

Nicki reageerde snel. 'Een ijshoofd met een doorgesneden strot,' stelde ze voor. 'Misschien kun je het een ont-hoofd noemen?'

De serveerster haalde haar schouders op, slenterde naar het tafeltje en zette het ijshoofd voor de neus van een vijfjarige die met zijn moeder uit eten was.

De moeder staarde naar het toetje en toen naar de serveerster. 'Juffrouw,' zei ze, 'dat toetje ziet er heel anders uit dan op de foto.'

'Er komt bloed uit!' zei haar zoon.

'Nee, hoor,' zei de moeder kortaf. Ze stak, alsof ze wilde bewijzen dat het ijshoofd onschuldig was, haar lange zilverkleurige lepel in het hoofd en nam een grote hap vanille-ijs met kersensaus. 'Heerlijk!' zei ze opgewekt. Het jongetje begon te huilen, misschien omdat – wat de serveerster en de moeder niet zagen – Nicki het grote, levensgevaarlijk uitziende mes waarmee ze de bananen sneed had gepakt en met een maniakale grijns op haar gezicht achter de toonbank stond. Niemand kon haar zien, behalve mijn moeder, Jon en ik aan ons gebruikelijke tafeltje en het jongetje met zijn onthoofd, wiens gekrijs door het restaurant sneed.

'Stop daarmee,' zei ik geluidloos. Nicki haalde haar schouders op en legde het mes neer.

'Wat is er nou?' vroeg de geïrriteerde moeder op eisende toon.

'Het is echt kersensaus, hoor,' drong de serveerster aan.

Het jongetje was niet overtuigd. 'Bloed!' gilde hij.

'Prima,' zei zijn moeder. 'Dan eet je maar geen toetje.'

Dat vond de kleine klant geen enkel probleem. Hij sprong van zijn stoel en rende naar de deur, een smeltend ijsje en een geïnspireerde Nicki achterlatend.

Nicki Krystals creatieve kinderijsjes werden het gesprek van de stad gedurende de twee weken dat ze ze maakte. Nicki begon zichzelf een ijsartieste te noemen en was met die hoorntjes als haar doek en een palet van zevenendertig smaken heel inventief. Haar speciale coupes, die ze op handgeschreven bordjes toevoegde aan de 'Specialiteiten van de Dag' werden steeds gruwelijker, waardoor ze onnoemelijk populair werden bij de plaatselijke tienerbevolking.

Ze maakte het Gestikte Hoofd met blauwebessenijs; het Apoplectische Hoofd met aardbeienijs; en het Huidaandoeninghoofd met after-eightijs. Het Luizenhoofd had witte vlekjes in zijn slagroomhaar. Het Bloedhoofd was gemaakt van aardbeienijs met aardbeiensaus; bij het Kwijlhoofd droop karamel over de kin.

Nicki's vrienden vonden het geweldig. Ze stonden in de rij bij de balie en zaten met zes of zeven aan een tafeltje voor vier gepropt allerlei zieke, mismaakte en amechtige ijsjes te bestellen: Verkouden Hoofd (met druipende slierten marshmallow waar de neus had moeten zitten); Cycloophoofd (met één kersenoog); Misselijk Hoofd (opengesperde mond van chocoladesiroop die grote hoeveelheden m&m's en slagroom uitspuugt). De zaken gingen fantastisch. De fooien waren enorm. De manager, Tim, wist niet wat hij ermee moest, maar hij wist wel dat de uitvindingen van mijn zusje niet binnen het Friendly's-protocol pasten.

Op een vrijdag ging hij voordat haar dienst begon met haar aan een tafeltje zitten voor een late lunch. Tim zat aan een hamburger met een dubbele portie friet. Nicki, een kritische eter, had een portie tonijn, een augurk, zes olijven, een paar crackers en een van haar eigen ijsjes als toetje.

Ze kwam naar het tafeltje lopen in de verwachting lof toegezwaaid te krijgen, misschien zelfs een promotie. 'Zeg, Tim,' zei ze terwijl ze met haar vork een olijf spietste, 'ik heb gehoord dat we tot Friendly's van de Maand in de regio Farmington Valley worden uitgeroepen.'

'Nicki,' zei Tim, 'hoe zit dat met die ijshoofden?'

Nicki haalde nonchalant haar schouders op.

'Maak je ze zoals in het handboek staat dat je ze moet maken?'

'Ik heb me misschien wat vrijheden veroorloofd,' zei ze.

Tim schudde zijn hoofd. 'Vrijheden.' Hij pakte Nicki's toetje en draaide het langzaam in zijn handen om: een Satanisch Hoofd, met borstelige zwarte wenkbrauwen van drop en '666' in chocolade onder zijn hoorntjeshoed geschreven. Tim keek een lang, stil moment naar het hoofd en bestudeerde het vanuit elke hoek. 'Dit is geen christelijk toetje.'

'Ik,' verklaarde Nicki terwijl ze haar toetje uit zijn handen griste, 'ben geen christen.' Ze nam een grote hap ijs met saus. 'Hmm. Heerlijk!'

Tim zuchtte. 'Van nu af aan maak je alleen nog gewone hoofden, afgesproken? Zoals ze in het handboek staan.'

Nicki schudde haar hoofd. 'Dat zou me in mijn creativiteit beknotten.'

Tim strengelde zijn handen ineen alsof hij wilde gaan bidden. 'Nicki,' zei hij, 'misschien moet je eens gaan uitkijken naar een baan waar je creativiteit meer wordt gewaardeerd. Zolang je hier werkt,' voegde eraan hij toe, 'maak je gewone ijshoofden. Begrepen?'

Nicki stond op, knoopte haar schort los en gooide het op de vloer. 'Weet je wat? Ik pas voor die onzin. En ik heb die baan helemaal niet nodig. Ik neem ontslag.'

Nicki bracht de laatste weken van haar zomer door met televisiekijken en wist al snel weer alles over het doen en laten van de bewoners van Santa Barbara, Springfield en General Hospital. Als de zon onderging en de temperatuur daalde, liep ze naar de keuken om aan haar magnum opus te gaan werken: Portret van een IJshoofdengezin.

Toen ze naar Friendly's was gegaan om haar laatste loon te innen, had ze een ijsschep en een slagroomspuit mee naar huis genomen. Ze had wat nieuwe speeltjes aan haar arsenaal toegevoegd: een serie tubetjes met kleurpasta: rood en bruin, gifgroen en metallicblauw.

Er stonden al vier ijshoofden in de vriezer. Jons hoofd had bruine M&M-ogen en een hoopvol vleugje karamelsnor op zijn bovenlip. Mijn hoofd droeg een groene bril en had puntige stukken banaan die als boezem dienden. Het mama-ijsje had sliertjes kokoshaar en dreef op waterige golven blauw glazuur, terwijl Nicki's zelfportret, het Schoonheidskoninginnenhoofd, een glinsterend siroopkapsel had met een tiara van stukjes toffee. Er moest nog maar één ijshoofd worden gemaakt en Nicki nam de tijd om de bril te maken en selecteerde zorgvuldig chocoladesnippers voor de baard.

Uiteindelijk riep ze het hele gezin bijeen in de ,
we stonden met z'n vieren rond het werkeiland naar
meest recente creatie te staren.

Mama, die haar badpak aanhad, vond het een perfecte ge-
lijkenis.

'Hij is echt heel goed,' zei ik terwijl ik wat overgebleven
chocoladesnippers aan een vingertop liet kleven, die ik in
mijn mond stak.

'Niet slecht,' gaf Jon toe, die met zijn tennisracket in zijn
hand tegen de muur geleund stond.

We stonden naar het ijshoofd te staren tot het begon te
smelten.

'We zouden het in de vuilnisbak moeten gooien,' zei ik.

'We moeten het naar die incassobureaus sturen,' zei Jon.

'Of we kunnen het aan Milo voeren,' zei ik.

Nicki deelde glimlachend lepels uit. 'We mogen geen goed
ijs verspillen.' Ze pakte een schep ijs met saus en stak de
lepel omhoog om te toasten. 'Op ons,' zei ze. Vier lepels klonken boven het beeld van mijn vader in ijs tegen elkaar. Mam,
Nicki en Jon namen allemaal een ceremoniële hap voordat
ze wegliepen – mijn moeder terug naar het zwembad, Nicki
terug naar de televisie en Jon terug naar zijn fiets, waarop hij
de nacht in reed. Ik bleef in de keuken, met de lepel in mijn
hand en de hond hoopvol bij mijn voeten, en at lepel na lepel
ijs, sneller en sneller, terwijl een ijspriem van pijn tussen
mijn wenkbrauwen naar beneden zakte. Ik lepelde door het
haar, de ogen, de neus en de mond, en at tot ik misselijk was,
tot ik elke hap had doorgeslikt.

/akantie met Nicki

Ik stond op het vliegveld van Newark bij gate c-12 op Nicki te wachten. Ik had de trein uit Princeton genomen. Mijn zusje zou zo uit Boston komen en we zouden na een tussenstop van een uur, die we van plan waren door te brengen in de lounge voor vaste klanten, op weg gaan naar Fort Lauderdale, voor een vakantie, in eerste instantie met onze oma en daarna ook met onze moeder en ons broertje, Jon.

Ik keek vanaf mijn positie bij de kamerhoge ramen toe hoe het vliegtuig waarin mijn zusje zat naar de gate taxiede. Er stapten passagiers uit, die worstelden met bagage of probeerden vervelende kleine kinderen in het gareel te krijgen. Ik hing mijn rugzak van mijn ene aan mijn andere schouder en keek op mijn horloge. Toen ik weer opkeek, paradeerde Nicki de hal in. Ze zeulde haar plunjezak achter zich aan en zag er vreselijk ontevreden uit.

Nicki kon met haar negentien jaar waarschijnlijk nog best doorgaan voor een twaalfjarige, met haar versleten canvas gympies, witte tuinbroek, flets geworden Run-DMC-T-shirt en te grote limegroene windjack, dat om haar middel was geknoopt. Haar tasje, van zwarte zijde met gouden lovertjes, dat ik herkende als een van de stokoude afdankertjes van onze moeder, hing voor haar borst, en aan een leren koordje om haar nek hing een plastic vaasje met nepbloemen in blauw plastic water. Haar donkerbruine krullen waren slordig op haar hoofd gestapeld en haar mondje stond in de gebruikelijke ontevreden hoek.

Ik boog me voorover om haar te omhelzen. 'Hoi, Nicki.'

Ze deed een stap opzij om mijn omhelzing te ontwijken, gaf me een luchtkus bij mijn wang en duwde haar plunjezak in mijn armen.

'Ik heb nierontsteking,' zei ze bij wijze van begroeting. Ze trok haar rugzak van haar schouders en legde hem op de plunjezak. 'Hier, sukkel,' zei ze, en ze paradeerde de lounge in.

De lounge voor vaste klanten, een studie in smaakvol beige tapijt met grijze banken, was gevuld met zakenmannen die zaten te telefoneren of met elkaar in gesprek waren. Er was een gratis bar, waar ik mijn zusje snel vandaan sleurde, en in het midden van de ruimte stond een tafel met hapjes. Nicki liet zich tegenover twee in een blauw pak geklede zakenmannen op een bank vallen terwijl ik een bord eten voor mezelf ging halen.

Nicki keek er smachtend naar. 'Mag ik die pruim?' vroeg ze op vleiende toon.

'Ga er zelf maar een halen,' zei ik terwijl ik naast haar ging zitten en naar de fruitschaal wees. 'Nierontsteking!' zei Nicki zo hard dat de twee zakenmannen ophielden met praten en haar aanstaarden. Ze zwaaide vriendelijk naar hen en keek betekenisvol naar mijn eten. Ik gaf haar mijn bord. Ze nam het aan met een nauwelijks merkbaar hoofdknikje, verslond met luidruchtig genot de pruim en greep toen mijn hand om de pit in mijn open handpalm te spugen.

'Jezus!' verzuchtte ik. De pakken grepen hun koffertje en vertrokken naar een rustigere bank. Nicki zwaaide nog een keer naar hen terwijl ik de pit weggooide en mijn hand afschrobde met papieren servetjes. 'Ga eens wat zoute amandelen voor me halen, Josie,' droeg ze me op. 'Ik ben misselijk.'

Mijn moeder had me nooit een plausibele verklaring gegeven voor waarom Nicki en ik maar een luttele elf maanden scheelden. 'Ik vond het heerlijk om zwanger te zijn,' zei ze tegen me toen ik veertien was en we zij aan zij watertrappelden in het zwembad.

'Mam, niemand houdt zoveel van zwanger zijn.'

'Ik wel.' Ze stak haar armen boven haar hoofd en begon pompende bewegingen te maken. Haar borsten, ingeperkt door haar praktische zwempak met brede bandjes, gingen op en neer in het water en creëerden miniatuurwaterkolkjes. Ik probeerde niet te kijken; ik wist dat die van mij exact hetzelfde deden. 'Ik vond het heerlijk om zwanger te zijn en ik vond het heerlijk om moeder te zijn.' Ze glimlachte dromerig. 'Ik kon na jouw geboorte niet wachten tot ik meer kinderen zou krijgen.'

Ik zei maar niet dat er bijna vier jaar tussen Nicki en Jon zat. Hoe sterk haar moederlijke gevoelens ook waren geweest en hoezeer ze ook van haar baby'tjes had genoten, Nicki's peutertijd had haar daar blijkbaar voorgoed van genezen.

Mijn zusje en ik deelden tot ik naar de universiteit ging een kamer, die ons in elk geval een kans op vriendschap had moeten bieden. We leken in niets op elkaar. Ik was stil, een boekenwurm en zo verlegen dat ik in de schoolbus een keer helemaal naar de terminus mee ben gereden omdat ik niet tegen de chauffeur durfde te zeggen dat hij mijn halte had overgeslagen. De meesten van mijn vrienden waren denkbeeldig. Ik was al zo sinds mijn babytijd. 'Je sliep met twee weken al de hele nacht door,' zei mijn moeder tegen me. 'In plaats van je midden in de nacht te voeden, maakten we je elke twee uur wakker om te controleren of je nog leefde. Je was niet echt communicatief,' concludeerde ze. 'Maar je was wel dol op je mobile.'

Nicki daarentegen rukte haar mobile van het plafond voordat ze een halfjaar oud was en lanceerde zichzelf uit haar wiegje voordat ze haar eerste verjaardag had gevierd. Zij was wel communicatief: hoe gewelddadiger, energieker en mogelijk gevaarlijk, hoe beter. Het verhaal deed in onze familie de ronde dat haar eerste woordje niet 'mama' of 'papa' was, maar 'geef'. Onze gelamineerde fotoboeken laten een fragiel meisje met lange wimpers en kuiltjes in haar wangen zien dat bijna altijd in beweging was. De gespannen, vermoeide uitdrukking in de ogen van de ouder of volwassene die met haar op de foto stond spreekt boekdelen.

Nicki en ik gingen op onze plaatsen achter in het vliegtuig zitten. Ik maakte mijn veiligheidsgordel laag en strak om mijn heupen vast en haalde *Madame Bovary* uit mijn rugzak. Nicki sloeg het uit mijn handen. 'Vakantie!' zei ze terwijl ze me een exemplaar van *People* gaf. 'Ik heb zo'n zin om Jon te zien.'

'Zodat je hem kunt terroriseren,' mompelde ik, en ik boog me voorover om mijn boek te pakken. De passagiers in de rij voor ons gingen ook zitten: een moeder met een rood aangelopen, boze peuter. Het kind had een ongelooflijk diepe rochelhoest en Nicki begon hem binnen een paar minuten nadat we waren opgestegen de Exorcistpeuter te noemen. Elke keer dat hij moest hoesten, huiverde ze eerst, en dan begon ze te giechelen. De moeder keek ons met een vermoeide glimlach aan. 'Jullie zitten vast te wachten tot er iets uit zijn mond komt spuiten,' zei ze.

'Nee,' fluisterde Nicki tegen mij. 'Ik zit te wachten tot zijn hoofd rond gaat tollen.'

Ik duwde mijn boek in haar handen. 'Alsjeblieft,' zei ik. 'Doe eens wat aan je algemene ontwikkeling.'

Nicki stak het boek in het net aan de achterkant van de stoel voor haar, en trok toen haar comfortabele shirt en de bandjes van haar tuinbroek goed. 'Er is niets mis met mijn algemene ontwikkeling,' zei ze. Ik haalde zuchtend *Heart of Darkness* uit mijn rugzak. Vijf bladzijden later hing Nicki met een opengezakte mond tegen mijn schouder; haar wimpers vormden een donkere krans op haar wangen. Toen de stewardess langskwam, vroeg ik haar om een deken, die ze kwam brengen. Ik dekte mijn zusje toe en klikte het licht boven haar hoofd uit.

Nicki schrok wakker zodra we aan de afdaling begonnen, wreef energiek in haar ogen en deed het luikje voor het raampje open om naar de auto's te kijken die heel langzaam over de snelweg bewogen. 'Moet je kijken,' zei ze. 'Je kunt zelfs op deze hoogte zien hoe slecht ze allemaal rijden. De stewardess heeft me trouwens geen drankje naar keuze aangeboden.'

'Volgens mij willen ze tegenwoordig *cabin attendant* worden genoemd. En ik heb toen je sliep een drankje voor je besteld,' lichtte ik haar in. 'Cola light.'

'Dat is het drankje van jouw keuze. Niet dat van mij. Ik wilde chardonnay.' Ze zocht in het netje aan de stoel voor haar naar een evaluatieformulier en gaf de bediening een onvoldoende. Ze schreef bij het commentaar: 'Heb geen drankje aangeboden gekregen.' Er stond een foto van de oprichter van Northwest Airlines op de voorkant van het formulier. Nicki tekende er hoorns en een baard op, en een tekstballon die de lezer aanspoorde tot een anatomisch onmogelijke handeling. 'Nicki,' zei ik, 'ik denk niet dat ze dat serieus zullen nemen.' Ze keek me kwaad aan, met samengeperste lippen, haar geëpileerde wenkbrauwen gefronst, en duwde met een vinger met een roze gelakte nagel venijnig op het knopje om de stewardess te roepen, zodat ze die haar formulier kon geven.

Oma, de moeder van onze moeder, begroette ons bij de bagageband. Ze was met haar zesenzeventig klein en slank, met zorgvuldig gekapt grijs haar, en ze droeg een van haar vele broekpakken, die ze bezat in een kleurenspectrum van lichtgeel tot beige en weer terug. Ze stak haar tasje zorgvuldig onder haar arm – een voorzorg tegen de dieven van wie ze dacht dat ze de wereld buiten haar ommuurde bejaardengemeenschap onveilig maakten – en bestudeerde ons snel. 'Hoe is het?' vroeg ze ons, en ze kuste ons allebei op de wang. 'En hoe is het met je moeder?'

'Prima,' zei ik. Dat was niet helemaal waar. Toen ik thuis was geweest voor Thanksgiving had er een TE KOOP-bordje in de tuin gestaan, maar Nicki had me verteld dat er nog niemand een bod had gedaan. Mijn moeder had mijn vader in de acht maanden sinds hun scheiding al twee keer voor het gerecht gedaagd. Hij had haar elke keer beloofd de alimentatie te betalen die hij verplicht was. Dan stuurde hij een maand of twee geld, dan weer niet, en dan begon de hele scène weer van voren af aan, compleet met gerechtelijke bevelen, dagvaardingen en verbijsterend hoge advocatenrekeningen. Hij had dat najaar mijn collegegeld voor Princeton niet betaald. Mijn moeder en ik hadden een lening aangevraagd, als laatste redmiddel tot mijn aanvraag voor studiefinanciering erdoor zou zijn. Ik weet nog hoe afwezig ze keek toen we in een filiaal van onze Connecticut-bank zaten te wachten, de manier waarop haar lippen onrustig hadden bewogen onder een ongebruikelijk laagje lippenstift terwijl ze uitdrukkingsloos naar de stapel documenten had gestaard tot de beambte haar een pen had gegeven en haar had gewezen waar ze moest tekenen.

Oma streek haar korte haar glad. 'Ik hoorde van je moeder dat je nierontsteking hebt,' zei ze tegen mijn zusje. Nicki rolde met haar ogen en greep theatraal naar haar rug. 'Ik ga dood,' kreunde ze. Oma wierp me een verwijtende blik toe. 'Hoe kun je haar hiernaartoe slepen terwijl ze nierontsteking heeft? Pak haar bagage!' Ik deed volgzaam wat me werd opgedragen, hing ons beider rugzakken aan mijn schouders en worstelde met de banden van Nicki's plunjezak. Nicki grijnsde naar me, maar ze werd al snel afgeleid door een oude dame in een golfwagentje.

'Kunnen wij er ook zo een regelen?' vroeg ze.

'De auto staat aan de overkant,' zei oma. Nicki woog haar mogelijkheden af en besloot te gaan lopen. 'Ik heb mijn huisarts gebeld,' ging oma verder. 'We kunnen morgenochtend terecht. Hoe gaat het met je studie?' vroeg ze terwijl ze door haar dubbelfocusbril naar Nicki staarde.

Nicki trok een gezicht. 'Het is daar gruwelijk,' riep ze, en ze begon gedreven de tekortkomingen van haar college op te

sommen: slecht eten, lelijke jongens, achterlijke kamergenote, bibliotheek te ver weg van haar afdeling, onaardige men-
tor, meisje aan de andere kant van de gang draait de hele dag
Janet Jackson, ziekenzaal waardeloos. We liepen de glazen
deuren door de inktzwarte nacht van Florida in en de lucht-
vochtigheid sloeg als een vuist in ons gezicht. Ik hing Nicki's
tassen anders aan mijn schouders en voelde het zweet over
mijn rug gutsen.

Oma leidde ons naar haar enorme crèmekleurige vierdeurs
Cadillac. De auto was van mijn opa geweest, die in 1985 was
overleden, en rook nog steeds een beetje naar zijn sigaren.
Het was niet echt een praktische auto, aangezien hij nog geen
één op twaalf reed, maar oma hield hem en reed er minstens
één keer per week in, helemaal naar de autowasstraat ander-
halve kilometer van haar appartementje vandaan, om hem in
de was te laten zetten en te laten stofzuigen.

Ze maakte de portieren open en keek Nicki fronsend aan.
'Wat is er dan mis met de ziekenzaal?' vroeg ze.

'Nou, om te beginnen moest ik twee uur wachten voordat
ik werd geholpen,' zei Nicki. 'En toen zeiden ze dat er niets
mis was met mijn nieren. Ze hebben niet eens een bloedtest
gedaan! Ze hebben me niet eens de goede vragen gesteld!'

Oma perste haar lippen op elkaar. 'Dus je hebt geen nierontsteking?'

Nicki liet zich niet van de wijs brengen. 'Ik zou het kunnen hebben,' zei ze. Ik veegde mijn gezicht af en tilde Nicki's
rugzak in de brandschone kofferbak, naast de EHBO-trommel
en de tweeënhalve liter water voor noodgevallen. 'Ze hebben
vergeten te vragen of ik pijn heb bij het plassen.'

'Heb je dat dan?' vroeg ik.

'Nee, maar daar gaat het niet om.'

Oma wierp wanhopig haar handen in de lucht. 'Nicki,
Nicki, Nicki,' zei ze. 'Wat moeten we toch met jou?'

Maar Nicki luisterde niet. De pijn in haar nieren was vergeten; ze opende het zware achterportier en plofte op de achterbank, achter het gewrongen, magere, kale, in een comfor-

tabele pantalon geklede vriendje van oma, Horace. 'Laat de wedstrijd beginnen!' schreeuwde ze. Ik propte de rest van onze bagage in de kofferbak en sloeg de klep dicht.

De vroegste herinneringen van mijn zusje waren aan marteling. Ze had het regelmatig, nostalgisch, over de gelukkige dagen in haar jeugd dat ze Jon een badje gaf en om en om kannen heet en koud water over zijn rug goot... nooit zo heet dat hij er brandwonden aan overhield, maar wel heet genoeg om extreem onaangenaam te voelen. 'Ik vond de geluiden die hij erbij maakte zo leuk,' zei ze. Ze verstopte mijn boeken, stal mijn dagboek, luisterde mijn telefoongesprekken af en bemachtigde uiteindelijk, toen ze iets rustiger was geworden, een plaats als stuur van de schoolploeg, waar ze zelfs werd aangemoedigd beledigingen naar mensen te roepen. Dan zat ze op het piepkleine plekje op de achtersteven van de roeiboot, haar knobbelige knieën tegen haar kin getrokken, een hoofdband met een microfoontje over haar krullen, met een rood gezicht inventief vloekend, en helemaal in haar element (vooral toen ik slagroeier was en ze haar vloeken en dreigementen onze moeder te vertellen over het exemplaar van Anaïs Nins *Venusdelta*, dat ze onder mijn matras had gevonden, specifiek op mij kon richten).

Maar de middelbare school was verleden tijd, ons team bestond niet meer en ik had het gevoel dat mijn zusje het op de universiteit lang niet zo naar haar zin zou gaan krijgen als ze het op de middelbare school had gehad. We hadden tijdens haar eerste jaar een schokkend hoge telefoonrekening, toen ze al haar opdrachten interlokaal afhandelde. Ze mailde me elke paar weken een essay dat ik voor haar moest lezen (vertaling: herschrijven), maar toen we thuis waren voor Thanksgiving haalde ze toen ik vroeg hoe het met haar studie ging alleen haar schouders op. Ze had al een tijd niets opgestuurd en als ze belde, was dat over het algemeen om over haar gesjeesde kamergenote te klagen, die haar haarmousse gebruikte en met een beugel en een nachtlampje sliep. 'Prima,

prima,' zei ze elke keer als ik vroeg naar haar colleges, haar werkgroepen en of ze haar introductie in de sociologie nu al had gehaald. 'Het gaat prima.'

'Horace!' kraaide Nicki. Ze wierp haar armen om zijn nek en kuste hem luidruchtig op zijn gebruinde schedel. 'Mijn beste vriend!'

'Hoi, Nicki!' bulderde Horace. Hij worstelde zich zijn stoel en de auto uit zodat hij het portier kon openhouden voor mijn grootmoeder. Hij gaf me op de terugweg naar zijn plek een knuffel, en ik ademde zijn geur van mottenballen en eucalyptushoestbonbons in. Horace had twee echtgenotes, meerdere beroertes, een hartaanval en een vierdubbele bypassoperatie overleefd en had ergens onderweg zijn gehoor, zoals zijn artsen en mijn grootmoeder het beleefd noemden, 'grotendeels' verloren. Met andere woorden: Horace was, ondanks de beste gehoorapparaatjes die er zijn, zo doof als een kwartel. Maar hij was een lieve man, die dol was op mijn grootmoeder en het heel goed uithield met mijn zusje (misschien omdat hij haar niet echt kon verstaan).

'Hoe is het met je?' vroeg hij Nicki toen hij weer in de auto zat.

'Ik laat me ombouwen!' schreeuwde ze.

'Fijn!' antwoordde hij.

Oma hief een waarschuwende vinger naar Nicki, die daarop reageerde door haar tong uit te steken.

'Jullie moeder heeft er hard voor gewerkt om jullie een fijne vakantie te bezorgen,' zei oma, die zich niet van haar stuk liet brengen. 'Ik wil dat jullie je gedragen.' Ik rolde met mijn ogen. Niemand hoefde mij te vertellen dat ik me moest gedragen; Nicki was een ander verhaal.

Mijn zusje hing haar kettinkje goed, voelde aan haar krullen en kneep in mijn dijbeen terwijl ze onder me greep op zoek naar haar gordel. 'Doe niet!' zei ik.

'Ik weet dat je het lekker vindt,' zei ze.

'Wat?' vroeg Horace.

'Niets!' riep ik. Ik gaapte en draaide mijn raampje open. Ik had niet goed geslapen, dankzij mijn kamergenote, die noch met een beugel, noch met een nachtlampje sliep, maar wel met een roulerende bezetting van onze jaargenoten, onder wie sinds kort mijn verliefdheid van het college filosofie uit mijn eerste jaar. Ik had na tweeënhalf jaar staren eindelijk de moed verzameld hem aan te spreken. Ons eerste en laatste gesprekje had jammer genoeg op de binnenplaats voor onze afdeling plaatsgevonden. Sally, mijn kamergenote, was voorbij komen slenteren, en dat was dat. We gingen met z'n drieën uit eten, waar het tweetal tijdens de karbonaadjes met sperziebonen had ontdekt dat ze samen een college geschiedenis liepen. Ze hadden het toetje overgeslagen en waren samen naar de bibliotheek gegaan om te studeren, mij achterlatend. Ze kwamen om twee uur 's nachts giechelend onze kamer binnen, klommen op het bovenste bed en begonnen luidruchtig hun relatie te consumeren, schijnbaar niet op de hoogte van, of niet gestoord door, mijn aanwezigheid een meter onder hen. Ik gaf Sally de volgende ochtend een strenge preek. Ze propte nuffig haar tasje vol met een tandenborstel en een handjevol satijnen ondergoed en vertrok, ik nam aan op weg naar de eenpersoonskamer van de filosofiestudent aan de andere kant van de campus. Ik had sinds die avond vrijwel geen nacht goed geslapen en werd elk uur wakker van het geluid van lachende stemmen of een slaande deur, wanneer ik dacht dat het het tweetal was om een toegift te geven.

Horace vertelde terwijl we door de straten vol palmbomen in Fort Lauderdale reden met een bulderende stem over de bezienswaardigheden die we passeerden. 'Hemelse Heerlijkheden,' las hij voor toen we langs een aanplakbord reden. 'Elke Avond Naakt Olieworstelen. Vacatures.'

'Daar kan ik gaan werken!' zei Nicki.

Horace, die alleen het laatste woord had opgevangen, knikte goedkeurend. 'Werken is fantastisch.' Oma perste haar lippen op elkaar.

'Ik begrijp niet waarom ik me door je moeder heb laten overhalen,' zei ze. Ze keek ons verwijtend aan via het achteruitkijkspiegeltje. 'Jullie zullen samen op de bedbank moeten, en ik wil geen klachten.'

'Mooi niet,' zei Nicki. 'Straks schopt ze me per ongeluk tegen mijn nieren.'

Oma stuurde de snelweg op. 'Jammer dan.'

Oma's logeerkamer was niets veranderd in de vijftien jaar dat ze in Florida woonde. Hij was ingericht in tinten zeegroen en koraal, met foto's van familieleden in lijstjes op de boekenplanken en geborduurde merklappen aan de muren. Tegen een van de muren stond een slaapbank en tegen een andere een piepkleine televisie op een ladekastje. Ik klapte het bed uit en legde de kussens netjes in een hoek. Nicki ritste haar plunjezak open, stapelde haar kleren op oma's kaarttafeltje, legde haar make-up en walkman op het nachtkastje en confisqueerde op weg naar de badkamer alle drie de handdoeken. Na wat plichtmatig gemopper of dit nou echt het slechtste bed was waarin we ooit hadden geslapen (ik vond van wel, maar mijn zusje vond dat in Camp Shalom erger) deed ik de luxaflex dicht en gingen we slapen.

Nicki porde me om drie uur die nacht in mijn zij. 'Josie?'

Ik draaide me grommend om. Ze porde nog een keer. 'Josie, word eens wakker!'

Ik deed mijn ogen open. 'Wat is er?'

'Kun je doodgaan aan nierontsteking?'

Ik ademde uit en draaide mijn kussen om. 'Nee.'

Ze begon aan me te schudden. 'Als ik een niertransplantatie nodig heb, zou jij me dan een van je nieren geven?'

'Nicki, het is drie uur...'

'Nou?'

'Als je me nu alsjeblieft laat slapen, krijg je morgenochtend meteen een nier van me.'

Het was stil tot 03:02. Toen vroeg Nicki: 'Zouden er alligators in de vijver zitten?'

Ik deed het licht aan en staarde mijn zusje woedend aan, de hele zevenenveertig kilo lastpost in boxershort met een topje met de tekst WAAR IS HET VLEES? erop. 'Nicki, we zijn op de eerste verdieping.'

'O.'

Ik deed het licht weer uit, liet me hard op bed vallen, dat kraakte in protest, en sloot mijn ogen. Het was me net gelukt in te doezelen toen Nicki fluisterde: 'Ik ben voor al mijn tentamens gezakt.'

Ik ging met bonkend hart rechtop zitten in de duisternis, ik had het gevoel dat ik nog sliep, dat dit een nachtmerrie was. 'Wat?'

'Het maakt niet uit. Papa heeft geen collegegeld gestuurd voor het volgende semester. Ik moet toch stoppen.'

Ik deed het licht weer aan. 'Doe uit!' snauwde Nicki, en ze draaide zich om zodat ik tegen haar rug praatte. Er vielen strepen licht en schaduw van oma's luxaflex op haar boxer en shirt en ze had als een schildpad haar hoofd tussen haar schouders getrokken.

'Nicki, heb je het er met iemand over gehad? Weet mama het?' Ik huiverde bij de gedachte aan hoe onze moeder op het nieuws zou reageren nu het haar net was gelukt eindelijk haar leven weer een beetje op de rails te krijgen. Ze had een vakantie gepland, en hoewel die maar naar het huis van haar moeder was en oma de vliegtickets wel zou hebben betaald, zei dat toch wel iets. 'Je kunt een lening aanvragen, wist je dat? Of een voorschot voor noodgevallen.'

'Ik stop ermee,' zei ze. 'Het maakt niet uit. Ik vind er toch niets aan.'

'Nicki...'

'Ik meen het,' zei ze, en ze reikte over me heen om het licht uit te doen.

'Je kunt niet zomaar met je studie stoppen.'

'Jawel, hoor.' Haar knokige schouderbladen bewogen naar elkaar toe. 'Niet iedereen hoeft te studeren. Niet iedereen is zoals jij.' Ze trok de deken naar haar kin. 'Kun je even wat eten voor me gaan halen?' Al die jaren training hadden me goed geconditioneerd. Ik stapte uit bed, liep naar de keuken, vond crackers en sap, een glas en een servet. Tegen de tijd dat ik terug was in de logeerkamer lag Nicki te slapen. Ik zette het eten en drinken op het tafeltje, dekte haar toe en gleed zachtjes naast haar in bed.

Toen we de volgende ochtend om acht uur wakker werden, stond Nicki te trappelen van ongeduld alsof ons nachtelijke gesprek nooit had plaatsgevonden. Ze rukte de dekens van me af en begon commentaar te leveren op mijn saaie katoenen nachtpon tot ik mijn zwempak greep en naar de badkamer strompelde. 'Hoe is het met je nieren?' vroeg ik onderweg.

'Veel beter, dank je,' antwoordde ze. Ze was met haar rug naar me toe gaan staan en wrong zichzelf in de knalgele strookjes lycra die haar bikini moesten voorstellen. 'Volgens mij gaat het zo goed dat ik wel even in de zon kan.'

Oma bracht ons om tien uur naar het strand, bewapend met een vooroorlogse thermosfles met ijswater, een strandlaken en een fles zonnebrand. 'Gedraag je,' zei ze toen we op de stoep stonden met onze zonnebril van de braderie en onze slippers, en allebei een zonnehoed die ooit van onze grootvader was geweest. Nicki trok zodra oma's Cadillac de hoek om was haar strakke roze topje uit en liep energiek over het zand in haar afgeknipte korte broek en bikinihesje, genietend van de zon en de bewonderende blikken terwijl ze op zoek ging naar het perfecte plekje. Ik moest, beladen met het strandlaken, de thermosfles, mijn eigen tas en die van mijn zusje, mijn best doen haar bij te houden. 'Daar?' vroeg ik terwijl ik met mijn kin gebaarde naar een streepje schaduw onder een palmboom.

Nicki wees de plek af. 'We moeten interessante mensen zien te vinden.'

Ik zette de tassen neer en veegde het zweet van mijn gezicht. 'Waarom?'

Ze staarde me aan alsof ik gek was geworden. 'Zodat we hen kunnen afluisteren, natuurlijk.' Na tien minuten vond ze drie strandgasten die haar bevielen: een broodmager blond meisje in een witte bikini, dat een strandlaken deelde met twee kleine, getaande, zwaar gebouwde mannen met hun hals en polsen vol goud en vreselijk veel haar op hun borst en rug.

'Jasses,' fluisterde ik. Nicki maande me met een gebaar tot stilte en hielp me het strandlaken neer te leggen.

'Drama!' zei ze met glinsterende bruine ogen.

'Veel plezier,' zei ik tegen haar. Ik smeerde zonnebrand op elk lichaamsdeel dat niet bedekt werd door mijn extra ruime T-shirt en slenterde langs de palmbomen naar de kustlijn. Misschien kon ik namens Nicki financiële steun voor haar aanvragen, bedacht ik terwijl het blauwgroene water schuimde en de golven gruis en zeewier tegen mijn enkels duwden. Of misschien kon ik de bank bellen waar ik zelf een lening had afgesloten en er ook een voor mijn zusje regelen. Of misschien zou ik gewoon met mijn studie stoppen, haar mijn lening geven en volgend jaar opnieuw beginnen. Mijn kamergenote zou het ongetwijfeld geweldig vinden om onze kamer voor zichzelf te hebben.

Toen ik terugkwam bij ons plekje deden mijn kuiten en dijen pijn. Nicki had een heleboel nieuws. Ze rolde om om me aan te kijken en de woorden stroomden uit haar mond terwijl ze me op de hoogte bracht van het wel en wee op het laken naast ons. 'Dat meisje, ze heet Dee Dee,' fluisterde ze uit haar mondhoek alsof er paparazzi van *People* in de bosjes verschanst zaten die elk woord van haar wilden horen. 'Nou, ze ging net naar hun hotelkamer om een zak Cool Ranch Dorito's te halen en zodra ze weg was, begonnen ze te praten over de seks die ze kregen. Niet van haar.'

Ik keek met hernieuwde interesse naar de harige kerels. Een van hen lag op zijn rug te slapen, zijn mond opengezakt en zijn handen losjes op zijn behaarde buik. De andere lag lui in een *Playboy* te bladeren. Dee Dee zat tussen hen in, haar benige borstkas vol kruimels van de Dorito's, en smeerde haar armen met zonnebrand in. 'Je had moeten horen hoe ze *bain de soleil* uitspreekt!' fluisterde Nicki. Ze viste de tien dollar die we van oma hadden gekregen uit het zakje in haar korte broek. 'Ga eens een hotdog voor me halen.'

'Wil je niet mee?' vroeg ik. Nicki gebaarde ongeduldig met haar handen en wuifde me weg. 'Had ik maar een verrekijker' waren de laatste woorden die ik van haar opving toen ik de boulevard op liep.

Toen ik terugkwam met de lunch had mijn zusje een bladzijde achter uit *Madame Bovary* gescheurd, waar ze op zat te schrijven. 'Beste Dee Dee,' las ik. 'Je vriendje doet het met andere vrouwen. Bain de soleil wordt niet exact uitgesproken zoals je het schrijft. Je bent veel te goed voor Richie.'

'Hoe weet je dat hij Richie heet?' vroeg ik. Nicki knabbelde kieskeurig aan haar hotdog.

'Omdat ik een briljante spionne ben.'

'Natuurlijk,' zei ik. Ik trok mijn T-shirt uit en legde mijn hoofd neer om een dutje te gaan doen.

Toen ik twee uur later wakker werd, zat mijn gezicht met kwijl aan mijn arm geplakt en stond mijn rug in brand. Ik keek om me heen op zoek naar Nicki, die een ongezond donkerbruin kleurtje had. 'Je moet zonnebrand gebruiken,' zei ik, en ik pakte de fles.

'O, nee,' zei ze terwijl ze naar het uiterste randje van het strandlaken bewoog. 'Geen onnodige aanraking!'

'Het is niet onnodig. Je verbrandt, en ik ook, en we zijn zusjes!' Ik gooide de fles naar haar toe. Ze gooide hem terug.

'Vergeet het maar.'

Ik wist wanneer ik had verloren. Ik smeerde mezelf zo goed ik kon in en strekte mijn handen zo ver mogelijk over mijn rug uit. Toen deed ik mijn T-shirt weer aan, trok het laken over mijn benen en las tot we werden opgehaald.

Toen oma om vier uur arriveerde, was ze zeer ontstemd. 'Ik heb nog zo gezegd dat jullie niet te lang in de zon moesten gaan liggen!' berispte ze ons vanonder haar eigen breed gerande zonnehoed. Ze wees met een gemanicuurde vinger naar me. 'En schud al het zand uit dat laken voordat je het in mijn auto legt!'

Ik schudde het laken wild uit. 'Nicki wilde me niet insmeren.'

Oma was verbijsterd. 'Maar ze is je zusje.'

'Dat doet er niet toe,' snauwde Nicki, terwijl haar benen het crèmekleurige leer van de achterbank raakten.

'Mesjokke!' snoof oma.

'Attenoje!' antwoordde Nicki.

We gingen laat eten – kwart over vijf – in het favoriete Italiaanse restaurant van oma en Horace, de Olijventuin. Oma en Horace bestelden allebei aubergine met Parmezaanse kaas. Ik nam kip met rozemarijn, een uitgedroogd borststuk met de afmetingen en structuur van een ijshockeypuck, midden op een enorm bord. 'Je had de aubergine moeten nemen,' bulderde Horace. Nicki prikte lusteloos in haar gehaktbal.

'Eet!' zei Horace.

'*Ess*,' zei oma.

'*Mangia*,' zei de ober, die langs kwam rennen met een bord pasta.

Nicki peuterde de gehaktbal met haar vork uit elkaar en vroeg om een doggybag. 'Ze heeft geen hap gegeten!' fluisterde Horace zo hard dat de mensen in de belendende restaurants het ook konden horen.

'Ze houdt niet van eten,' legde ik uit.

'Ik houd niet van kauwen,' verhelderde Nicki.

'Ik begrijp het niet,' zei Horace.

'Ze is gek,' zei oma. De gehaktbal werd in een piepschuimen bakje gedaan en daarna in een zakje, en toen gingen we naar de bioscoop, Nicki met haar restjes in haar hand voor het geval ze tijdens de film honger zou krijgen.

We gingen aan het pad zitten (vanwege de lange benen van Horace), ongeveer op de derde rij van voren (vanwege oma's slechte ogen), met genoeg ruimte links en rechts van ons (omdat Nicki niet wilde dat er mensen naast haar zaten, of eerlijk gezegd, legde ze aan Horace uit, omdat ze hoe dan ook niet van mensen hield). Toen het licht werd gedimd, probeerde een stel voor ons langs naar de stoelen naast Nicki te lopen. 'Pardon,' zei de man, die eerst over Horace en daarna over oma heen stapte. Hij struikelde over mijn voeten en ging vervolgens boven op mijn zusje zitten, dat hij in het geheel niet had opgemerkt.

'Hé!' gilde Nicki.

De man sprong geschrokken op. 'Het spijt me verschrikkelijk!'

'Sst!' zei Horace.

Nicki, diep geschokt door deze zeer heftige, onnodige aanraking, gaf de in korte broek geklede kont van de man een klap met het zakje waar haar gehaktbal in zat. 'Viezerik!'

De halve zaal draaide zich om om te kijken. De man liet zich met een uitstraling van ellendige vernedering in de stoel naast Nicki zakken terwijl de lichten eindelijk, godzijdank, helemaal uitgingen.

De eerste tien minuten van de film was het rustig, maar toen begonnen Nicki en ik iets vreemds op te merken. Terwijl de acteurs op het scherm hun tekst opzegden, herhaalde ongeveer de helft van de mensen in de zaal die hard fluisterend tegen hun slechthorende metgezellen, waardoor er een soort driehoeksverhouding ontstond.

'Ik ga ervandoor,' zei de aantrekkelijke hoofdrolspeler.

'Wat zegt hij?' fluisterde de halve zaal.

'Hij zegt dat hij ervandoor gaat,' zeiden hun partners. Oma zat druk te vertalen voor Horace. Nicki's ogen glinsterden in het licht van het scherm. Ze liet het zakje van haar gehaktbal op de vloer vallen, boog zich voorover en begon Horace verkeerde informatie te voeren.

'Ik heb goed nieuws,' zei de hoofdrolspeelster.

'Wat?' vroeg Horace.

'Ze zegt dat ze blauwe schoenen wil,' fluisterde Nicki.

Horace fronste in verwarring zijn wenkbrauwen terwijl Nicki harder begon te fluisteren.

'Ik houd van je,' mompelde de hoofdrolspeelster.

'Wat?' fluisterde Horace.

'Ze krijgt een liefdesbaby van hem,' zei Nicki. Oma, die ineens begreep wat er gebeurde, perste haar lippen op elkaar en
boog zich naar Nicki toe om haar in haar arm te knijpen. In
plaats daarvan kneep ze in de mijne. 'Au!' piepte ik. Iedereen
op de twee rijen voor ons riep tegelijk: 'Sst!' Nicki pakte haar
zakje op en sloeg me pijnlijk hard op mijn verbrande been. 'Je
verstoort het vermaak,' zei ze.

De volgende ochtend gingen we naar een braderie. Het was
om acht uur 's ochtends een graad of dertig en we hadden zo
veel zwarte koffie in Nicki gegoten dat ze ermee had inge-
stemd zich aan te kleden en het appartement te verlaten.
Oma opende een portier van haar Cadillac, wankelde twee
stappen naar achteren en gilde de naam van mijn zusje.

Nicki sloeg defensief haar handen voor haar gezicht. 'Wat
heb ik gedaan?' vroeg ze op eisende toon. Toen trok ze haar
neus op en zei: 'Jezus, wat is dat voor stank?'

'Mijn auto!' jammerde oma. Ik keek over haar schouder de
auto in en het drong tot me door dat haar onberispelijke Cadillac niet meer naar de sigaren van wijlen haar echtgenoot
rook. In plaats daarvan stonk hij overweldigend naar oregano
en rottend vlees, de geur die uit het zakje met Nicki's achtergelaten gehaktbal kwam, dat midden op de achterbank lag.

'Komen er maden uit?' vroeg Nicki terwijl ze gretig de
auto in tuurde.

Dat had ze beter niet kunnen vragen. Oma draaide zich
naar haar om, perste haar lippen op elkaar en balde haar handen tot vuisten op haar in capribroek geklede heupen. 'Hoe
kun je zo onachtzaam zijn? Wat is er mis met jou, Nicki?' Ze
stampte met een in een Easy Spirit geschoeide voet op de
stoep. 'Ik krijg die lucht nooit meer uit de bekleding!' Ze
gooide haar portier open, stak de sleutel in het contact en
boog zich voorover terwijl ze alle vier de raampjes openzette.
'Waar gebruik jij je hoofd voor? Kun je niet nadenken?'

Nicki's onderlip begon te beven. Ze trok haar hoofd tussen haar schouders en staarde naar haar knalrood gelakte teennagels. Ik griste snel de aanstootgevende gehaktbal van de achterbank en gooide hem in een prullenbak met de tekst HOUD ONZE BUURT SCHOON! erop.

'Het spijt me,' mompelde Nicki terwijl ze achterin ging zitten zonder ook maar een poging te doen de voorstoel te bemachtigen. Oma zette de airco helemaal open en zei geen woord meer tegen ons tot we de parkeerplaats op reden.

Het uitje naar de braderie was niet bijzonder, op het uitmuntende gedrag van mijn zusje na. Ze droeg zonder mopperen haar zonnehoed, gaf tips over leuke horloges en t-shirts, beloofde dat als oma ons nog een keer naar het strand zou brengen ze mijn rug met zonnebrand zou insmeren en ging maar door over het geweldige effect van het weer in Florida op haar zieke nieren. Ze stelde zelfs voor die middag naar het vliegveld te rijden om onze moeder en Jon op te halen.

'Vergeet het maar,' zei oma terwijl ze haar aankopen bij elkaar raapte in hun dunne plastic tasjes. 'Ik ga met jullie ontbijten, breng jullie naar het strand, laat de auto schoonmaken en draag jullie onmiddellijk over aan jullie moeder als ze er is. Geen wonder dat ze...'

Ze perste haar lippen op elkaar.

'Geen wonder dat ze wat?' vroeg Nicki. Oma schudde alleen haar hoofd.

'Het is niet Nicki's schuld,' zei ik zo zacht dat niemand anders in de Cadillac me hoorde boven het geluid van de motor uit.

'Wat?' vroeg oma. 'Josie, ik versta je niet.'

Ik schudde mijn hoofd. Nicki sloot op de achterbank haar ogen en wreef met haar handpalmen over haar roze wangen. 'Gaat het wel?' vroeg ik zacht, waarop ze nog een keer over haar wangen wreef en haar gezicht naar het raam draaide.

'Ja, hoor.'

Nicki leefde op weg naar het ontbijt helemaal op en begon te kletsen over haar kamergenote, de feestjes waar ze was geweest en de jongens die ze de bons had gegeven. Toen we er eenmaal waren, bestelde ze het houthakkersontbijt en at bijna alles op: eieren, spek, zelfgemaakte patat en pannenkoeken. Toen legde ze misselijk geworden haar vork neer, en was voor het eerst sinds het vliegtuig was geland even stil. 'Buh.' De serveerster leefde met haar mee. 'Zal ik de rest voor je inpakken, meid?' vroeg ze terwijl ze naar Nicki's bagel wees. Oma klikte haar portemonnee dicht.

'Waag het niet,' zei ze.

Een uur later waren we terug op het strand. De zon scheen. Gezinnen zaten te picknicken of gooiden met een frisbee; in bikini geklede meisjes smeerden zichzelf in met olie en gingen op rieten matjes liggen. Ik lag in mijn zwempak op het strandlaken terwijl Nicki, die haar shirt en korte broek nog aanhad en haar zonnehoed nog droeg, ellendig ineengedoken onder een palmboom zat te kreunen dat ze buikpijn had. 'Dat lijkt me je minst grote probleem,' zei ik.

'Zo erg was ik toch niet?' vroeg ze.

Ik duwde mezelf omhoog op een elleboog. 'Hmm. Eens even kijken. Je veinst een ernstige ziekte, laat overal kleren en natte handdoeken slingeren, hebt gezorgd dat we allebei als kreeften zijn verbrand, hebt Horace ervan overtuigd dat *Working Girl* een film over Elvis en prostituees is, en opa's auto ruikt tot in lengte van dagen naar een in oregano gemarineerd rottend lijk.' En je bent voor al je tentamens gezakt, die onze vader sowieso niet van plan was te gaan betalen, en daarmee ga je het hart van onze moeder breken.

Nicki haalde haar schouders op. 'Dan heeft oma tenminste een aandenken aan me.' Ze legde helemaal opgevrolijkt haar handdoek naast me neer op het strandlaken en liep behoedzaam de zon in.

Alles was al snel weer bij het oude. Ik lag weer over madame Bovary en haar eindeloze onvrede te lezen, terwijl Nicki onophoudelijk probeerde het boek uit mijn handen te trekken om me te onthalen op de meest recente gebeurtenissen in haar favoriete soap, waarnaar ze consequent verwees als 'het Emmy-winnende *Santa Barbara*'. 'Dus Gina's huis is afgebrand, maar het is officieel van Abigail en die weigert haar geld van de verzekering te geven omdat ze weet dat Gina een verhouding met Chris heeft gehad... Dat is Abigails ex, of eigenlijk haar broer, maar dat wist ze toen nog niet...'

Nicki hield ineens op met vertellen. 'O, jee,' zei ze.

'Wat is er?' vroeg ik, maar toen zag ik het ook. Oma, Jon en onze moeder kwamen door de siddering boven het witte zand op ons af marcheren als soldaten in vrijetijdskleding. Aan oma's verontwaardigde gebaren en mama's snelle tred te zien, was oma haar elk detail over ons bezoekje aan het vertellen. 'Mama heeft de hele weg van het vliegveld in de gehaktballenauto gezeten,' fluisterde ik. Nicki griste mijn boek uit mijn handen en duwde *Madame Bovary* tegen haar borst terwijl haar blik naar de waterkant dwaalde op zoek naar strandwachten.

'Ik ben er geweest.'

De twee vrouwen kwamen dichterbij en keken met een onverzoenlijke blik in hun ogen naar Nicki. 'Zo heb ik haar niet meer gezien sinds de laatste keer dat ze pa voor het gerecht had gedaagd,' merkte ik op.

'Ze zal wel gehoord hebben wat ik met Horace heb gedaan,' zei Nicki.

'Ze zal wel gehoord hebben dat ik levend ben verbrand,' zei ik terwijl ik zo ging zitten dat het meest roze deel van mijn huid te zien was. Oma parkeerde zichzelf op een bankje naast de palmboom terwijl onze moeder door het zand naar Nicki ploegde, die werd overvallen door een nieuwe angst. 'O, god,' fluisterde ze, 'wat als ze mijn cijferlijst hebben opgestuurd?'

'Onderga je straf als een soldaat,' zei ik tegen mijn zusje. Nicki keek me wanhopig aan, gooide mijn enorme t-shirt over haar hoofd, trok haar hoofd tussen haar schouders en slenterde over het zand naar mijn moeder.

Ik sloeg een handdoek om mijn schouders en haastte me naar het water terwijl ik luisterde hoe Nicki's stem zich verontwaardigd verhief. Mijn voeten hadden geen grip in het hete zand en de zon scheen fel in mijn gezicht terwijl de woorden 'gehaktbal', 'nieren' en 'ondankbaar nest' me naar het water volgden.

Het bruidsbed

Het was de avond voor mijn bruiloft en ik had van alles moeten voelen: zenuwen, voorpret, geluk, hoop, angst voor het onbekende. Maar het enige wat ik echt voelde, was honger. In een laatste wanhopige poging een sprookjesbruid uit duizenden en uit honderdduizenden advertenties in de bruidsbladen te zijn, volgde ik al een halfjaar het Weight Watchers-dieet en leefde sinds vijf dagen op koolsoep en mineraalwater. Het goede nieuws was dat ik slanker was dan op mijn bat mitswa dertien jaar daarvoor. Het slechte nieuws: ik was zo prikkelbaar dat het grensde aan psychotisch. En ik kon niet stoppen met scheten laten.

'Wat is hier doodgegaan?' vroeg mijn zusje toen ze met twee enorme koffers en mijn moeder op sleeptouw de bruiloftssuite binnenkwam. Nicki parkeerde de koffers bij de deur, marcheerde de woonkamer door en plofte midden op het kingsize hemelbed.

'Dus dit is het?' vroeg ze terwijl ze op en neer lag te wippen op de groen-gouden zijden beddensprei. 'Het bruidsbed? De plek waar je Davids laatste wens zult vervullen?' Ze voelde aan het hoekje van een kussensloop. 'Mooie kwaliteit. Jammer dat je de lakens gaat verzieken met je maagdelijke bloed.'

'Ga je even van het bed?' vroeg ik. 'En wat doe je hier trouwens? Is je eigen kamer nog niet klaar?'

Mijn moeder zette de koelbox die ze voor de reis van Connecticut naar Philadelphia had ingepakt op het bijzettafeltje en liep naar het raam. Het was mijn favoriete tijd van het jaar. Er dwarrelden rode en gouden bladeren door de lucht, schitterend tegen de helderblauwe hemel. In de etalages van de winkels aan Walnut Street lagen pompoenen, en de lucht voelde fris, met een scherpe zweem.

'Eh,' zei Nicki. 'O, ja. Even over die kamer.'

Mijn hart zakte samen met mijn bloedsuiker in mijn schoenen. 'Is je kamer nog niet klaar?'

'Op dit moment nog niet,' zei Nicki, die een berg kussens onder haar hoofd stapelde.

'Maar je hebt wel een kamer?'

Mama zat in de crèmekleurige leunstoel. Ze maakte de koelbox open en de zwavelachtige geur van gekookte eieren vulde de kamer. 'Wie wil er iets eten?'

'We hebben geen honger,' zei ik. 'Nicki, wat is er? Ik heb je de informatie maanden geleden opgestuurd! Je moest bellen en Davids achternaam opgeven...'

'Ik had het druk,' snauwde mijn zusje.

'Je kunt hier niet blijven!'

Ze staarde me aan, haar bruine ogen groot onder onberispelijke wenkbrauwen en laagjes mascara. 'Dat snap ik ook wel, hoor. Ik ga heus je huwelijksnacht niet verzieken.' Ze sprong van het bed, boog zich over de grootste van haar twee koffers en begon een rits open te maken. 'Het is alleen voor vannacht.'

'Ja, vast. Niet dus. Vergeet het maar.' Ik keek wanhopig naar mijn moeder. Ze zat druk aan de koelbox te friemelen, en toen trok ze haar groene linnen jasje uit, dat ze over de stoel bij het bureautje hing. 'Doe wat!'

'Ik meen het,' zei Nicki, die haar koffer openmaakte en er een bruidsmeisjesjurk uit haalde die veel korter en veel lager uitgesneden leek dan toen we hem een paar maanden daarvoor samen hadden uitgezocht. 'Doe een raam open. Steek een lucifer aan. Doe iets.'

Ik liep achter mijn zusje aan het marmeren halletje van de

suite in. 'Je kunt hier niet blijven. Ik ben de bruid. Ik hoor de nacht voor mijn bruiloft alleen te slapen.'

'Nee,' zei Nicki, die een onzichtbare kreukel in haar rok rechtstreek voordat ze hem een laatste keer uitschudde en in de kast hing. 'Dat is niet waar. Ik heb het opgezocht in het etiquetteboek. Je hoort je aanstaande echtgenoot niet te zien op de avond voor de bruiloft. Er staat niets in over zussen, of broers.'

'Zussen of broers?' vroeg ik zwakjes. Precies op dat moment kwam Jon, met zijn brede schouders en gemillimeterde haar, in een camouflagebroek met een zwart T-shirt, de deur door banjeren. Hij gooide zijn legerplunjezak naast Nicki's bagage en nam met een geoefende blik de kamer in zich op voordat hij naar de bank wees.

'Ik hoop maar dat dat een bedbank is.'

'Nee, we krijgen een verrijdbaar uitklapbed,' zei Nicki.

Ik sloeg mijn handen over mijn oren. 'Nee. Nee. Nee, nee, nee, nee...'

'Steen, papier, schaar,' zei mijn zusje.

'Mooi niet,' zei Jon. 'Jij speelt vals.'

'Mam!' schreeuwde ik.

Mijn moeder stond met haar rug naar ons toe en haar handen in haar zakken bij het raam. 'Ja, lieverd?' vroeg ze zacht.

'Regel een kamer voor hen!'

'Als dat zou kunnen, zou ik het doen, Josie. Maar het hele hotel is volgeboekt.'

'Nou... Nou, dan gaan ze maar bij jou slapen.'

'Jakkes,' zei Nicki op exact hetzelfde moment dat Jon zei: 'Negatief.'

Mijn moeders serene glimlach werd breder. 'Ze kunnen niet op onze kamer. Leon komt vanavond.'

'Jezus Christus,' mompelde ik terwijl ik terugliep naar het halletje, waar ik ongestoord een scheet kon laten. Dat dacht ik tenminste.

'Die heb ik gehoord!' schaterde Nicki.

'Ik ga niet bij moeder en haar speeltje op de kamer liggen,' zei Jon.

'Hij is een oude ziel,' zei Nicki.

'Wie zegt dat?' vroeg Jon.

'Leon,' zei Nicki. 'Hij heeft me er álles over verteld tijdens de seitantaco's vrijdagavond.'

'Kunnen jullie alsjeblieft...' begon ik.

'Echt alles,' herhaalde Nicki met een grijns op haar gezicht waarbij die van de Cheshire-kat verbleekte. Mijn moeder begon er een tikje wanhopig uit te zien.

De bank in de zitkamer was een gevalletje op gammele pootjes, met een gestreepte satijnen hoes en een stel kussens met opzichtige kwastjes eraan. Jon legde de kussens op de vloer en begon in de koelbox te rommelen. 'Rantsoen,' zei hij goedkeurend, en hij stak een heel ei in zijn mond.

'Dit is ongelooflijk,' mompelde ik. Ik deed de badkamerdeur achter me op slot, zocht in mijn tasje, pakte mijn mobieltje en belde David. Maar zelfs terwijl ik mijn beklag deed en wanhopig naar begrip zocht, wist ik met absolute zekerheid dat ik mijn laatste nacht als ongehuwde vrouw in het gezelschap van mijn broer en zus zou doorbrengen.

Drie uur later tikte mijn toekomstige schoonmoeder, gehuld in mokkakleurige zijde, veel slanker en eleganter dan een leven lang koolsoep mij zou kunnen maken, tegen haar champagneglas en bracht een beetje aangeschoten en stralend naar de honderd gasten een toost uit in de met kaarsen verlichte achterkamer van haar favoriete Franse restaurant, waar de muren versierd waren met schilderingen van de Seine in het voorjaar en waar het goedkoopste voorafje twintig dollar kostte. 'Ik wil iedereen bedanken voor zijn aanwezigheid op het oefendiner voor David en Josie,' zei ze. Ik nam een slokje uit mijn eigen glas. Lillian had de taille van een kind en de huid van haar wangen was strak en glanzend. Ik vroeg me, voor de zoveelste keer, af hoeveel werk ze daaraan had gehad. 'En ik wil even zeggen hoe geweldig ik het vind om Josie en haar familie...' Ze was even stil en toverde een glimlach voor mijn moeder op haar gezicht (die aan mijn linkerzijde hand

in hand zat met een stralende Leon met baard en paardenstaart) en mijn broertje en zusje (die stonden te fluisteren bij
de bar, handig naast de keukendeur opgesteld zodat ze de
hapjes konden onderscheppen wanneer die langs zouden komen) '...welkom te heten bij de onze. We vinden het geweldig om David zo gelukkig te zien!'

David glimlachte naar Lillian en boog zijn hoofd om iets
in mijn oor te fluisteren. In plaats van 'Ik houd van je' hoorde ik: 'We moeten je zusje bij de champagne vandaan houden.' Ik knikte mijn hartgrondige instemming, kneep in zijn
hand, en liet een scheet – onhoorbaar, hoopte ik – in mijn
stoel met kussen. Davids moeder glimlachte bevallig de veel
te hete, slecht verlichte ruimte in, waar het rook naar twaalf
verschillende parfums en de lelies uit het bloemstuk op tafel.
'Wil iemand van Josies familie iets zeggen?'

Mijn moeder en Leon zaten nog tegen elkaar aan, verzon-
ken in elkaars blikken, onwetend over wat er zich om hen
heen afspeelde. Ik zag dat Leon een groen elastiekje in zijn
paardenstaart had dat precies de kleur van mijn moeders jasje
had. Wat schattig. Ik trok mijn wenkbrauwen op, maar geen
van beiden merkte dat op. Jon, die nooit van spreken in het
openbaar had gehouden, haalde zijn schouders op en mompelde: 'Gefeliciteerd, jongens.'

'Waar is haar vader?' hoorde ik Davids oudoom Lew hard
fluisteren. Nicht Daphne snoerde hem onmiddellijk de mond
door hem de lobby in te trekken, waar ze hem ongetwijfeld
de dertig-secondenversie van het verhaal over mijn niet zo
conventionele familie zou vertellen (vader er negen jaar geleden vandoor gegaan, moeder sinds kort met een veel jongere
man, broertje met een militaire beurs, zusje aanstootgevend
maar wel erg aantrekkelijk). Ik slikte hard en voelde maagzuur door mijn slokdarm omhoogkomen. Ik besloot dat ik
geen koolsoep meer zou eten. En ook niets anders tot we de
gelofte hadden afgelegd.

David kneep in mijn hand terwijl zijn moeder nerveus van
haar ene been op haar andere ging staan en toen weer ging zit-

ten. Ik haalde bijna onzichtbaar mijn schouders op en glimlachte dankbaar naar hem. Ons huwelijk zou in de *Times*
worden aangekondigd. Het bericht zou er de volgende dag in
staan: 'David Henry Epstein en Josephine Anne Krystal treden hedenavond in het Rittenhouse Hotel in Philadelphia in
het huwelijk.' David had de informatie op verzoek van zijn
ouders opgestuurd. 'Je kent mijn vader. Alle publiciteit is
goede publiciteit. Vind je het goed?' Ik zei tegen hem: 'Natuurlijk.' Ik had hard gewerkt voor mijn titel. Dan kon ik er
net zo goed van genieten de woorden 'summa cum laude' en
de namen van de topuniversiteiten die ik de rest van mijn
leven zou moeten afbetalen in de krant naast mijn naam te
zien staan.

Maar dat was niet het enige. Ik dacht heimelijk aan die
aankondiging, met de zwart-witfoto van David en mij, pose-
rend met onze wenkbrauwen exact op dezelfde hoogte, op
verzoek van de *Times*, de paar regels biografie ('de bruid en
bruidegom hebben elkaar in Philadelphia leren kennen, waar
de bruidegom bedrijfskunde studeerde aan de Wharton
School en de bruid als correspondent voor de Associated
Press werkt') als vlag. Soms was het een rode vlag, zo een
waarmee een matador naar een stier wappert; soms was het
een witte vlag, een van een zinkend schip of waarmee je aan-
geeft dat je je overgeeft; maar meestal was het zo'n vlag waarmee je zwaait als je bent verdwaald in het bos en hoopt dat
een overvliegend vliegtuig je ziet. Hier ben ik. Hier ben ik.

Mijn vader las *The New York Times*. Dat deed hij tenminste toen hij nog bij ons woonde. Dan liep hij zondagochtend
vroeg naar het eind van onze oprit, magistraal gekleed in zijn
zwarte badstoffen badjas, met Milo log achter zich aan dra-
vend, en slenterde met de krant naar de woonkamer, waar hij
de deur achter zich dichtdeed zodat hij het nieuws van die
dag rustig tot zich kon nemen. Ik weet niet of hij de huwelijksannonces ook las, maar ik fantaseerde sinds mijn verlo-
ving dat hij op mijn trouwdag voor mijn neus zou staan om
me te vertellen wat een beeldschone en succesvolle jonge

vrouw ik was geworden; dat het hem zo speet dat hij de laatste acht jaar van mijn leven had gemist; dat David het had getroffen dat hij mij had. Hij kreeg soms in mijn dagdroom een brok in zijn keel als hij tegen me zei dat hij het niet verdiende, maar of hij me alsjeblieft mocht weggeven? Ik huilde nooit in mijn dagdroom. Ik zei zelfs wel eens nee.

Toen de in een smoking geklede obers mijn onaangeroerde bord met in boter gebakken tong met hazelnootboter, asperges en *pommes Anna* meenamen en vervingen voor een flûte met cassissorbet, gaf David me een kus. Toen maakte hij met gefronste wenkbrauwen een snuivend geluid. 'Ben jij dat?'

Ik ging anders zitten terwijl Nicki aan kwam huppelen van de bar en met haar glas in haar hand aan het hoofd van de tafel ging staan. 'Ik wil graag wat zeggen.'

'Aha,' zei Lillian. 'Het zusje van de bruid!'

'Shit,' fluisterde ik op hetzelfde moment dat David verzuchtte: 'O, nee.' Te laat. Nicki ging op haar ongetwijfeld duur beklede stoel staan en keek de gasten, voor het overgrote deel Davids familie van buiten de stad en de belangrijkste cliënten van zijn vader, verwachtingsvol aan. Ze had een strak suède rokje aan met een nauw aansluitend chocoladebruin truitje. Haar haar, glanzend bruin, zwiepte om haar schouders; haar strakke laarzen met hoge hakken kwamen tot aan haar knieën en maakten haar acht centimeter langer.

'Hallo, ik ben Nicki Krystal. U kent me misschien van het thuiswinkelkanaal op televisie,' opende ze. Davids moeder knipperde met haar ogen. Ik slikte een hap ijs door en dwong een glimlach op mijn gezicht. Na jaren van plotseling verhuizen van stad naar stad, overstappen van het ene op het andere college, de ene op de andere baan en het ene op het andere vriendje, was mijn zusje, dat nu vijfentwintig was, eindelijk enigszins gesetteld en werkte als sieradenmodel voor de kabeltelevisie. Ze was met stip ons beroemdste familielid. Of in elk geval dat met de beroemdste polsen en handen.

'Ik heb zeventien jaar lang een kamer met Josie gedeeld. Ik

ken haar beter dan wie ook. En er zijn wat dingen over mijn zus die ik met haar nieuwe familie wil delen.'

Ik kromp in elkaar op mijn stoel, streek mijn zwart-witte piqué plooirok strak over mijn knieën en bedacht dat hoe minder mijn nieuwe familie van Nicki zou horen, des te beter het zou zijn.

'Ten eerste,' zei Nicki, die dramatisch haar wijsvinger omhoogstak, 'is ze normaal gesproken lang niet zo dun.'

Davids vader barstte in lachen uit. Lillian strekte haar hals om me met haar chirurgisch verbeterde profiel aan te staren. Ik grijnsde zenuwachtig naar haar en voelde dat het zweet me onder mijn zwarte zijden blouse uitbrak.

'Ik heb geen idee hoe ze het voor elkaar heeft gekregen,' zei Nicki, 'maar David, als je tijdens jullie huwelijksreis ergens een buffet ziet, houd haar er dan vandaan, want ik weet niet hoeveel calorieën het menselijk lichaam in één maaltijd kan verwerken.'

Ik deed alsof ik mijn lippen bette en kreunde zacht in mijn servet.

'Ten tweede!' zei Nicki. 'Over het algemeen houdt ze meer van boeken dan van mensen. Ik neem aan dat ze best dol op jou zal zijn...' – ze glimlachte naar David, die zwakjes terug lachte – 'maar de rest van de mensheid raakt haar in het geheel niet. Als ze u ooit op een feestje uitnodigt, wat ze waarschijnlijk niet zal doen, aangezien ze niet van sociale bijeenkomsten houdt, maar als ze dat toch doet, is de kans groot dat ze een kwartier na aanvang is verdwenen en in de slaapkamer een boek ligt te lezen.'

Meer nerveus gegrinnik van de gasten. Ik keek mijn moeder smekend aan, wat ze óf niet zag, óf besloot te negeren.

'Maar,' zei Nicki. Ze stak haar kin in de lucht, ging op haar tenen staan en bleef roerloos staan, waarmee ze volledige stilte afdwong van haar publiek. 'Mijn zus Josie...' Ze liet haar hoofd even zakken, en toen ze weer opkeek, glinsterden haar ogen. 'Mijn zus Josie is loyaal. Ze heeft er alles voor over de mensen van wie ze houdt te helpen, zelfs als dat ten koste van haarzelf gaat. Ze...' Nicki haalde adem, keek naar de mensen en daarna naar mij. 'Ze is de beste mens die ik ken en ze verdient het om gelukkig te zijn.' Haar blik bleef rusten op mijn nog-net-niet-echtgenoot. 'Zorg goed voor haar,' zei ze, en toen stapte ze van de stoel en paradeerde terug naar de bar.

'Mag ik nu blijven?' teemde Nicki terwijl ze achter me aan liep naar de damestoiletten met een fles champagne in haar hand die ze bij de bar had weten af te troggelen. 'Het wordt hartstikke gezellig! Dan bestellen we roomservice en gaan enge verhalen vertellen!'

Een meisje in het roze kwam met haar moeder achter zich aan een hokje uit. 'Ik draag al een grote-meisjesonderbroek!' meldde ze. Ze keek op naar mijn zusje. 'Draag jij ook een grote-meisjesonderbroek?'

Nicki staarde naar beneden. 'Nee, ik loop over het algemeen in evakostuum.'

De moeder zette grote ogen op. 'Jezus, Nicki,' zei ik, en ik sleepte haar het rolstoelhokje in. ('Wat is een evakostuum?' hoorde ik het meisje vragen terwijl de deur dichtging.)

'Wat?' vroeg Nicki. 'Wat? Van ondergoed krijg ik striemen! Wil je dan dat ik lieg tegen kleine kinderen?' Ze wendde zich van me af, ademde geïrriteerd uit en begon met haar voet op de grond te tikken terwijl ik zat te plassen.

Jon stond op-de-plaats-rust bij de liften, met zijn voeten recht onder zijn heupen en zijn armen achter zijn rug. Toen de deuren opengleden, liepen we alle drie de lift in, samen met een piepklein dametje met wit haar en een lichtblauwe geplooide jurk... een oudtante of achternicht van de bruidegom, dacht ik.

'Maar goed,' zei Nicki op een toon alsof het hele oefendiner niet meer was geweest dan een korte onderbreking van haar verhaal, 'die kabelzender is geweldig. Had ik al verteld dat ze erover denken me ook schoenen te laten doen?'

Ik knikte.

'Maar volgens mij moet ik dan naar Los Angeles.'

'O, Los Angeles is geweldig,' bood de oude dame aan. 'En als je echt actrice wilt worden, is dat waar je moet zijn.'

Jon trok een gezicht. Ik hield mijn adem in. Nicki's wenkbrauwen zakten naar beneden terwijl ze zich langzaam omdraaide om het oude dametje aan te staren. 'Neem me niet kwalijk, maar ik had het tegen mijn broer en zus,' zei ze. 'Ik kan me niet herinneren dat u was uitgenodigd deel te nemen aan het gesprek.'

'Nicki,' zei ik, en ik legde een hand op haar schouder. Ze schudde hem van zich af.

De kin, parels en plooien van de vrouw begonnen een beetje te beven. 'Nou, ik bedoelde niet...'

De lift stopte op de tweede verdieping. De bruidssuite was op de twintigste en de vrouw had op 23 gedrukt. Bewijs, als ik dat nog nodig had, dat God niet bestond.

Nicki was ondertussen gedreven aan een monoloog begonnen. 'Waarom,' vroeg ze aan het spiegelplafond, 'denken mensen als ze toevallig een gesprek opvangen dat ze zijn uitgenodigd er deel aan te nemen?'

De arme mevrouw in het blauw stond in elkaar gedoken in een hoekje van de lift.

'Misschien komt het door Oprah,' zei Jon in een poging van onderwerp te veranderen.

'Nee, het komt door mij,' snauwde Nicki. 'Iedereen denkt iets te zeggen te hebben. Iedereen denkt iets toe te kunnen voegen. Me te kunnen vertellen hoe ik mijn leven moet leiden, wat ik verkeerd doe en wat ik beter zou moeten doen. Jij, mama, iedereen!'

'Het spijt me verschrikkelijk als ik je onbedoeld heb gekwetst,' zei de vrouw.

Nicki deed haar mond open om iets terug te snauwen toen de deuren op de vierde verdieping opengleden en een ouder echtpaar – de man in smoking en de vrouw in een jurk met zilverkleurige kraaltjes – instapte. Ik pakte mijn zusje bij haar linkerelleboog, Jon greep haar bij haar rechter, en ik glimlachte vriendelijk naar de dame terwijl we de gang op liepen. 'Wij gaan met de trap,' zei ik.

De kamermeisjes hadden in de suite beddengoed en kussens op het uitklapbed gelegd. 'Stel de omgeving veilig!' blafte Jon, die een ronde door de twee kamers deed en uit de ramen naar de gebouwen aan het park tuurde alsof er sluipschutters zaten die het op onze kamer hadden gemunt. Ik ging op mijn tenen staan om aan zijn stekeltjes te voelen. 'De meisjes vinden het een geweldig kapsel,' kondigde hij aan, en hij gooide een deken over zijn bed. 'Is de drank gratis?'

'Natuurlijk,' zei ik. Davids familie had kosten noch moeite gespaard.

Jon grijnsde triomfantelijk. 'Ik heb de bruidsmeisjes voor het kiezen.'

'Ik ben het enige bruidsmeisje,' riep Nicki vanaf het bruidsbed.

Jon keek haar aan en zijn glimlach verstarde. 'Balen,' zei hij terwijl hij de glazen deuren met gordijntjes tussen de zitkamer en de slaapkamer dichtdeed.

Nicki trok in de slaapkamer haar rokje en truitje uit en deed een hemdje met een roze flanellen pyjamabroek aan, waarna ze zich tevreden op het bed liet vallen met haar champagne en de telefoon. 'Hallo, roomservice?' vroeg ze. Ik raapte haar kleren van de vloer en hing ze netjes in de kast. 'Twee cheeseburgers, patat, ijs met karamelsaus, met de saus apart, en, eh, één Heineken...' Ze legde haar hand over het microfoontje. 'Josie, wat wil jij?'

'IJswater.'

'Een chocolademilkshake en twee Heineken,' zei Nicki, en ze verbrak de verbinding. Ze pakte de afstandsbediening van het nachtkastje. Ik kleedde me uit en trok een badjas van het hotel aan; ik voelde me nerveus, gespannen en vreemd verdrietig. Ik had niets meer te doen. Mijn jurk hing gestoomd aan de achterkant van de kastdeur, mijn kousen, schoenen en diverse stuks insnoerende onderkleding lagen zorgvuldig op een bankje gedrapeerd. Mijn poriën waren geadstringeerd en mijn bikinilijn was gewaxt. Mijn appartementje was schoon en afgesloten en mijn kat was tien dagen uit logeren. Het enige wat ik moest doen, was op tijd verschijnen, mezelf in de enorme witte jurk hijsen, op het goede moment 'ja' zeggen en de pasjes onthouden van de dans die David en ik hadden geoefend.

'We moeten praten,' zei Nicki. Ze greep mijn handen en trok me naar het bed. 'Josie,' zei ze, 'ik wil je niet bang maken, maar er is iets wat je vóór morgen moet weten.'

Ik trok me van haar los om mijn koffer uit de kast te trekken, die ik op het bed zette om de inventaris op te nemen. Badpak, zonnebrand factor 45 voor mijn lichaam, zonnebrand factor 30 voor mijn gezicht, zonnehoed, slippers... 'O, ja? Wat dan?'

'David heeft een slang.'

'Pardon?'

'Een slang,' herhaalde ze. 'En die slang wil zich in jouw grotje verstoppen.'

'O, god,' mompelde ik terwijl ik met mijn toilettas naar de badkamer liep. Tandpasta, tandenborstel, mondwater, floss...

'Je hoeft nergens bang voor te zijn!' riep Nicki. 'Die slang bedoelt het goed!' Ze nam een grote slok champagne uit de fles. 'Als je een goede echtgenote wilt zijn, moet je die slang binnenlaten.'

'Dat zal ik doen,' zei ik. Ik pakte mijn scheermesje bij de douche vandaan. Toen ik me weer omdraaide, stond Nicki recht achter me naar me te glimlachen via de spiegel.

'Die slang zal in je grotje gaan en er weer uit, erin en eruit, erin en eruit, erin en eruit...' Ze zwaaide de fles heen en weer om haar woorden kracht bij te zetten.

'Oké,' zei ik, en ik stak mijn handen uit om de champagne over te nemen. Nicki negeerde me.

'En dan,' zei ze giechelend, 'gaat hij spuiten!'

Ik pakte de telefoon. Roomservice begroette me met: 'Goedenavond, mevrouw Epstein!', en het duurde even voor het tot me doordrong dat ik daarmee werd bedoeld. 'Hallo, kunnen we ook nog een pot koffie bestellen?'

Roomservice zei dat dat geen probleem was. Nicki giechelde nog even door en hees zichzelf op het bed.

'Ik vertel je alleen maar wat je moet weten,' zei ze.

'Ik ben je eeuwig dankbaar. Echt.' Ik ritste de koffer dicht en ging naast mijn zusje liggen, die op haar buik was gedraaid en lag te zappen.

'Ben je zenuwachtig?' vroeg ze.

'Nee, joh,' loog ik. 'Het stelt niets voor.'

Het eten werd gebracht. Nicki legde een handdoek op het bed, zette de borden erop en haalde theatraal de zilveren deksels eraf. 'Een prenuptiale picknick!'

Ik zei dat ik geen honger had. Ze duwde haar cheeseburger onder mijn neus en haar vingers zonken in het zachte broodje met sesamzaad. 'Eén hapje maar,' probeerde ze me te verlokken zoals mijn moeder haar had proberen over te halen toen ze klein was. Ik haalde mijn schouders op, probeerde het kleinst mogelijke hapje te nemen en kreunde hard toen mijn tanden door de donkere korst van de burger beten en het sap in mijn mond liep.

'O, god,' verzuchtte ik, en ik propte snel een handvol knapperige frietjes met kruidenmayonaise in mijn mond. 'Als ik morgen niet in die jurk pas...'

'Je past er wel in,' beloofde mijn zusje. Ik dronk in één teug eenderde van een biertje, liet een boer, veegde mijn lippen af en likte zout en gesmolten kaas van mijn vingers. Vijf minuten later had ik de hele burger verslonden en zat ik langzaam karamel over het vanille-ijs te scheppen, mezelf belovend dat ik de volgende dag het ontbijt en de lunch zou overslaan.

'Hoe is het op je werk?' vroeg Nicki.

'Prima,' zei ik met een mond vol ijs. Ik stond helemaal onder aan de ladder bij de Associated Press, waar ik per woord werd betaald en 's nachts en in de weekenden moest werken, wanneer ik me naar branden, auto-ongelukken en instortingen haastte, gewoonlijk in slechte buurten waar de getuigen maar al te graag kleurrijke, met scheldwoorden doorspekte ooggetuigenverslagen gaven van wat ze net hadden zien gebeuren, maar geen woord meer zeiden als je naar hun naam vroeg. 'Noem me maar Little Ray,' had iemand die een week daarvoor als enige een kettingbotsing met zes auto's op de Roosevelt Boulevard had overleefd, gezegd.

Ik had rustig uitgelegd dat de AP zowel een voor- als achternaam wilde, liefst zijn echte. ('Maar iedereen noemt me Little Ray!' had hij aangedrongen.)

Ik vond het toch een leuke baan en ik hield van schrijven, maar toen ik er twee weken werkte, rekende ik uit hoeveel ik precies per uur verdiende en kwam tot de conclusie dat ik als ik vijfhonderd dollar per jaar minder zou binnenhalen, in aanmerking zou komen voor voedselbonnen. Dat was een probleem, gezien de studieschuld die ik nog moest afbetalen. Ik droomde van meer geld verdienen, maar het enige wat ik tot dusverre had kunnen bedenken, was stoppen met journalistiek en in de reclamewereld gaan werken, waar je een heel aardige boterham kon verdienen, als je het niet erg vond om je talent en creativiteit te vergooien om tampons aan de man te brengen (ik was er om de een of andere reden van overtuigd dat, los van in welke stad ik zou gaan werken of door welk bureau ik zou worden ingehuurd, het woord 'absorberend' een prominente rol in mijn toekomst zou gaan spelen).

Ik zou binnenkort natuurlijk een getrouwde vrouw zijn, en David zou als financieel adviseur gaan werken, wat een stuk lucratiever zou zijn dan mijn carrière als beginnend verslaggeefster. Misschien zou ik wel promotie krijgen. Misschien zou David wel een enorme slag slaan. Misschien kon ik mijn lening wel op tijd afbetalen. Of te vroeg. Op mijn vijftigste, bijvoorbeeld.

Nicki lag naar meisjes in hotpants te kijken die op de maat van rapmuziek waarbij elk derde woord werd weggepiept hun lichaam in allerlei standjes kronkelden terwijl ik het laatste ijs opat. Toen reikte ze over me heen naar de telefoon. 'Hallo, roomservice? We hebben nog een hamburger nodig,' zei ze op dezelfde toon waarmee de kapitein in *Jaws* als hij de grote witte haai ziet, zegt: 'We hebben een grotere boot nodig.'

'Ik wil niet meer,' protesteerde ik terwijl ik de laatste chocolade van de lepel likte. 'Echt niet. Straks explodeer ik nog.'

'Prima,' zei Nicki. 'Dan eet ik hem op.'

Ik nam in de badkamer een douche van twintig minuten in een cabine waar zes stralen tussen de tegels vandaan spoten. Ik waste mijn lichaam met citroenzeep en mijn haar met shampoo met rozemarijn en munt. Ik poetste en floste gehuld in een badjas van het hotel mijn tanden, spoelde en spuugde, smeerde crème en adstringerende lotion op mijn gezicht en bekeek mezelf in de spiegel. Mooier zou ik niet worden. Mijn wenkbrauwen stonden niet scheef, mijn huid was schoon, mijn tanden en haar glansden. Als ik een paard was geweest, zou ik een mooi bedrag opleveren op de veiling.

Ik trok mijn lelijkste, oudste, heerlijkste flanellen nachtpon aan, liep op mijn tenen de donkere slaapkamer door, controleerde of er geen eten en borden meer op de sprei stonden en gleed naast mijn zusje in bed.

Ze draaide zich meteen om en wierp zich op me.

'Houd op!' fluisterde ik terwijl ik me van haar losmaakte.

'O, Josie,' giechelde ze met haar magere armen om mijn hals, 'die nachtpon maakt me gek!'

'Jij blijft aan je eigen kant van het bed of je gaat maar in de kast slapen,' zei ik.

Nicki was een halve minuut stil. 'Denk je dat Leon nog maagd was toen hij mama leerde kennen?' vroeg ze.

'Nicki,' zei ik, 'dat is niet echt een onderwerp waar ik nu aan wil denken.'

Mijn zusje ging onverstoorbaar verder. 'Hij zat nota bene bij haar in de klas.'

'Hij was haar klassenassistent,' zei ik. Dat was een onderscheid dat ik al vele malen had gemaakt in de twee jaar sinds onze zesenvijftigjarige moeder het had aangelegd met een vierentwintigjarige.

'Hij is zo jong,' zei Nicki. 'Te jong.'

'Houd je mond,' zei ik.

'Prima,' snauwde ze, waarna ze zich omdraaide en vrijwel meteen in slaap viel.

Ik lag te woelen in het grote, hoge bed. Het was drie minuten over elf. Nog zestien uur tot mijn afspraakje met de witte, strakke, nauw aansluitende satijnen, belachelijk dure jurk die als een spook aan de kastdeur hing.

Om zes over halftwaalf kreeg ik last van brandend maagzuur. Om acht over halftwaalf begon ik te twijfelen. Om middernacht had ik mezelf ervan overtuigd dat trouwen in het algemeen en met David in het bijzonder geen goed idee was en dat Craig Patterson mijn echte grote liefde was. Ik had met Craig op de middelbare school gezeten, maar we hadden geen woord tegen elkaar gesproken tot de reünie vijf jaar na de diploma-uitreiking, toen hij me naar de garderobe was gevolgd en me beschonken had toevertrouwd dat ik de mooiste tieten van de hele klas had. Toen had hij zijn telefoonnummer in mijn zak geduwd en was naar de danszaal gezwalkt, waar hij, zo hoorde ik later, had overgegeven in een plantenbak.

Om kwart over twaalf stond ik op om naar de lege straten aan Rittenhouse Square te staren, waar het eenzame verkeerslicht de stoep groen, oranje, rood en weer groen kleurde. De boomtoppen bewogen in de wind en er spatte regen tegen de ramen. Bracht regen op je trouwdag geluk? Of ongeluk? Of betekende het niets? Ik wist het niet meer.

Om halfeen pakte ik de telefoon. Craigs nummer zat nog in mijn portemonnee, op het servetje waarop hij het had geschreven. Ik hield mijn adem in en toetste zijn nummer in. De telefoon ging twee keer over en werd toen opgenomen door een vrouw. 'Hallo?'

Mijn tong voelde als van lood. 'Hall-ooooo?' riep de vrouw in de hoorn. 'Is daar iemand?'

'Sorry, ik heb het verkeerde nummer,' zei ik. Ik hing op en had een paar minuten nodig om mijn hartslag weer rustig te krijgen. Toen kroop ik terug in bed en lag naar de opzichtige draperieën van het hemelbed te staren terwijl ik me een gelukkige afloop probeerde voor te stellen. Kende ik iemand die een gelukkige afloop had gehad? Mijn ouders niet, hoewel mijn moeder tegenwoordig behoorlijk in de wolken leek met de jonge Leon. Ik vermoedde Davids ouders ook niet. De blik van zijn vader bleef hangen bij elke vrouw die ouder was dan veertien en jonger dan veertig, en zijn moeder begon elke middag om vier uur aan de sancerre, die ze bleef drinken tot het avondeten, wanneer ze overstapte op wodka, met haar eten zat te spelen en heimelijk in de huid onder haar kin of van haar bovenarmen begon te knijpen, alsof ze haar volgende cosmetische ingreep zat te plannen.

Desalniettemin was ik naar het vijfendertigjarige huwelijksfeest van Davids ouders geweest, waar ze hadden gedanst op 'Fly Me to the Moon'. Zijn vader had haar moeder achterovergezwiept op haar hoge hakken en had iets in haar oor gefluisterd, waarop zij lachend haar hoofd in haar nek had gegooid en ik had gedacht, misschien een beetje sentimenteel, dat dat ware liefde was. Zelfs mijn ouders hadden, voor mijn vader was opgestapt en mijn moeder jaren in chloormist had doorgebracht voordat ze daar aan Leons arm uit was gekomen, hun momenten gehad. Ik herinnerde me hoe mijn vader als hij uit zijn werk kwam, onberispelijk gekleed in een pak met stropdas, zijn koffertje bij de deur zette en zijn armen spreidde. 'Schat!' riep hij dan, waarop mijn moeder alles liet vallen wat ze aan het doen was en hem ging begroeten. Dan stonden ze in de hal, naast de wasmachine en de droger, soms maar heel even en soms veel langer, in een omhelzing.

Ze hielden van elkaar. Ik streek mijn kussens glad, bedacht dat ze ook van ons hadden gehouden en dacht terug aan hoe we met het hele gezin aan de picknicktafel in de achtertuin hadden gezeten en kip van de barbecue met aardappelsalade aten van de rode plastic borden die mijn moeder in de zomer gebruikte. Mijn zusje was bruin in haar witte shirt, Jon aantrekkelijk met zijn honkbalpetje op, en mijn vader en moeder hielden elkaars hand vast terwijl ze om mijn grapjes zaten te lachen. Onze vader was nu weg. Niemand van ons had in jaren van hem gehoord. Mama leek om niets anders te geven dan zwemmen en Leon. Ik draaide me weer om en trok de dekens naar mijn kin. Wat als een gelukkige afloop helemaal niet bestond? Wat als Walt Disney en elke romantische komedie die ik ooit had gezien en al die romans die ik zo geweldig vond het verkeerd hadden? Wat als...

'Weet je waarom ik zo kwaad ben?' vroeg Nicki met een hol klinkende stem. Ik slaakte een gil en viel bijna uit bed, wat mijn zusje volledig ontging. 'Omdat we zijn bedrogen,' zei ze.

'Omdat pa is weggelopen?'

Ze gaf geen antwoord, maar ik hoorde haar 'wat denk jij dan?' in de lucht hangen, net onder de ruches van het hemelbed.

'Dat was moeilijk, maar we hebben het allemaal gered. We zijn allemaal naar school gegaan. Het gaat goed met ons.'

'Mam heeft een relatie met een tiener en Jon praat niet.'

'Nou ja, Jon is altijd, je weet wel... Hij is een man. Die zijn anders. En mama...' Mijn stem ebde weg. Ik wist nog steeds niet wat ik over onze moeder moest zeggen. 'En ik ben er ook nog,' zei ik. 'Met mij gaat het toch goed?'

Nicki zei niets.

'En met jou gaat het ook prima.'

'Het gaat met geen van ons prima, Josie.'

Haar woorden klonken in de duisternis als een profetie. De wind sloeg tegen de grote ruiten en ik hoorde de regen op de lege straten tikken.

'Hoe bedoel je?' vroeg ik.

Geen antwoord.

'Hoe bedoel je dat het met geen van ons prima gaat?' Ze draaide zich zuchtend om. Ik hield mijn adem in en reikte toen naar haar uit, pakte haar bij haar magere schouders. Ze liet heel even haar hoofd tegen mijn borst zakken en stond een moment toe dat ik haar vasthield.

'Ga maar slapen,' zei ze chagrijnig terwijl ze van me weg bewoog.

'Morgen is de grote dag,' antwoordde ik, en ik rolde terug naar mijn kant van het bed. Ik sloot mijn ogen en luisterde naar de regen, en ik dacht dat ik de digitale klok de seconden tot mijn huwelijk hoorde wegtikken.

Ik herinner me alles tot aan de geloften in fragmenten: het bloemenmeisje dat stond te huilen omdat ze haar wang had gebrand aan de krultang; mijn moeder en Leon die hand in hand op een bankje zaten terwijl de cateraars om hen heen renden; David die naar me glimlachte terwijl ik met moeder links van me en niemand rechts van me naar het altaar liep. Op dat moment, met tweehonderdtwintig gasten die naar me keken vanaf hun met kant versierde stoelen, met de tranen die over mijn moeders wangen rolden en onze huwelijksaankondiging in de *Times* van die dag, dacht ik niet aan liefde of geluk, of aan hoe dit het gelukkige eind was dat sprookjes beloofden, de beloning voor de prinses die de betovering, de slechte stiefmoeder of honderd jaar slaap heeft overleefd. Ik dacht: als dit niet werkt, kunnen we altijd nog scheiden.

Onze eerste dans – op verzoek van David Eric Claptons 'Wonderful Tonight' – ging uitstekend. De toost van Davids vader was oprecht, hoewel een beetje afgezaagd. De salade werd geserveerd en gevolgd door het hoofdgerecht. David en ik maakten aan elke tafel een praatje, glimlachten, namen felicitaties en beste wensen in ontvangst, sneden de taart aan. Toen was het middernacht. De laatste gasten pakten hun jas en paraplu, de cateraars ruimden de tafels af en de bandleden pakten hun instrumenten in. Ik liet me op een beige fluwelen bank in de lobby zakken, trapte mijn schoenen uit en staarde de straat over naar de lege bankjes en verlaten fonteinen in het park. Het had de hele dag met tussenpozen geregend en nu goot het, een koude, felle regen die de straten leeg had gemaakt, op een drietal joggers in reflecterende regenpakken en een stel in vuilniszakken gehulde daklozen na. Wind sloeg tegen de bomen en deed de gesnoeide heggen deinen in de regen.

'Ben je zover?' vroeg David, die naar me glimlachte, aantrekkelijk in zijn smoking. Hij had zich zo zorgvuldig geschoren dat zijn wangen nog roze waren; zijn vlinderdasje zat een beetje scheef.

'Ja,' zei ik, en ik stond op. We waren op weg naar de lift toen ik iets door de dubbele glazen deuren zag wat mijn hart, evenals mijn voeten, deed stokken. David, die achter me liep, botste tegen me aan.

'Josie, wat...'

'Wacht even,' zei ik, en ik draaide me om, rende de lobbydeuren door en naar buiten de ijskoude duisternis in, in mijn bruidsjurk, op mijn blote voeten over 19th Street. Regen sloeg op me neer, verwoestte mijn zorgvuldig vastgespelde en met haarlak gefixeerde kapsel, deed mijn make-up over mijn gezicht uitlopen, plakte het satijnen lijfje van mijn jurk tegen mijn huid. De man die ik had gezien stond midden in het park voor de met bladeren bedekte fontein. Het licht van de koplampen van passerende auto's reflecteerde in zijn brillenglazen en op zijn handen.

'Pa?' riep ik, en ik veegde de regen van mijn gezicht.

Het was hem natuurlijk niet. De dakloze man in zijn gescheurde jas leek van dichtbij niet eens op mijn vader. Zijn dreadlocks hadden me een hint moeten geven.

De man begon te glimlachen toen hij me aankeek: doorweekt, op blote voeten en rillend van de kou.

'Kijk jou nu toch eens!'

'Ja,' zei ik, en ik begon te huilen. 'Moet je mij nu eens kijken.'

Hij hield zijn hoofd een beetje scheef en zei dat ik een mooie bruid was, waardoor ik alleen nog maar harder moest huilen.

'Heb je geld, meid?'

Dat had ik niet. Maar ik had een stuk bruidstaart in mijn hand, een stuk in papier ingepakte taart met de namen van

David en mij er in gouden letters op. We hadden de vertrekkende gasten een stuk meegegeven. Alleenstaande meisjes, had ik ergens gelezen, konden dat onder hun bed leggen en dromen over de man met wie ze zouden trouwen.

Ik gaf de dakloze man mijn stuk taart. Hij bedankte me en wenste me het beste. Ik tilde mijn kletsnatte rok op en liep met alle waardigheid die ik in mezelf kon vinden terug naar het hotel.

'Wat ging jij nou doen?' vroeg mijn kersverse echtgenoot bezorgd.

'Ik dacht dat ik iets had laten vallen,' zei ik. 'Tijdens de fotosessie.' Ik liep naar hem toe, tilde mijn hoofd op voor een kus, en toen Davids warme lippen mijn koude raakten, had ik het gevoel dat elk verhaal dat ik de rest van mijn leven zou vertellen op de een of andere manier hierover zou gaan: over de man die vertrok en nooit meer terugkwam. Behalve, misschien, de verhalen over mannen die zichzelf Little Ray noemden... maar die zelfs misschien ook wel.

'Ik houd van je, Josie,' fluisterde mijn echtgenoot. Hij streek een lok nat haar van mijn wang, veegde met zijn mouw mijn gezicht af, en het lukte me te glimlachen.

'Het gaat wel weer,' zei ik.

Zwemmen

Ze heette Caitlyn. Het leek die herfst wel of ze allemaal Caitlyn heetten, of een variant op die naam. Afgaand op de manier waarop ze haar lange benen in spijkerbroek maar over elkaar bleef slaan en ze dan weer naast elkaar zette, en hoe ze keer op keer haar zilverkleurige mobieltje openklapte om te kijken hoe laat het was, wilde ze overal zijn behalve in de Coffee Bean and Tea Leaf aan Beverly en Robertson aan een tafeltje voor twee met mij en mijn laptop.

'Dus wat betreft mijn specialisatie? Ik dacht aan internationale betrekkingen? Ik wil diplomaat worden?'

Ik knikte en typte het in. Elke zin die van haar glanzend roze zeventienjarige lippen kwam, klonk als een vraag. Ik zag haar al helemaal voor me aan tafel met een potentaat uit de derde wereld, spelend met het zilveren ringetje door het kraakbeen in haar linkeroor: we willen graag dat u uw wapens inlevert? Omdat biologische oorlogvoering? Slecht is?

Geduld, Ruth, zei ik tegen mezelf. 'Hobby's?' vroeg ik terwijl mijn vingers boven het toetsenbord zweefden en de vrouw aan het tafeltje naast dat van mij, met borstelige wenkbrauwen en een verbitterde mond, me vals aankeek. Ik negeerde haar. Ik ging elke zaterdagochtend om zeven uur naar de koffiebar, vroeg genoeg om het beste tafeltje aan het grote raam te kunnen confisqueren, het verst weg van de blenders en toiletten, en recht naast de enige wandcontactdoos in de hele bar. De mensen die later kwamen – scenarioschrijvers en mensen die scenarioschrijver wilden zijn – waren gedwongen tot een stoelendans, waarbij ze steeds een stukje dichter naar mijn tafeltje kwamen, over de brede hardhouten planken stampten of demonstratief bij de melk en suiker bleven hangen, steeds razender kijkend naarmate hun accu verder leegliep. Ik zat er elke zaterdag zes uur lang met mijn tienerklanten, die naar dure privéscholen gingen en nóg maar weer een keer werden geholpen door hun ouders, die een loopbaanbegeleider voor hen inhuurden om hen toegelaten te krijgen op een prestigieus college.

Caitlyn liet haar oorbel los en begon aan een lok glanzend bruin haar te friemelen. Ze rook sterk naar kokosnoot – haar shampoo, nam ik aan – en de fruitige geur die bij de knalroze klodder kauwgom hoorde die ik elke keer dat ze haar mond opendeed zag.

'Eh, tennis?'

'Zit je in een tennisteam?' vroeg ik. Alsjeblieft, dacht ik. Iets. Wat dan ook. Haar pagina met buitenschoolse activiteiten was tot dusverre pijnlijk leeg.

'Eh, nee? Maar ik vind tennissen leuk? Vroeger tenminste?'

Ik typte tennis in. 'Zit je op een club? Speel je een instrument?' Ik staarde haar hoopvol aan. Ze keek uitdrukkingsloos terug. 'Pianoles?'

Caitlyn trok een gezicht en haar roze lippen trilden een beetje boven haar lieflijk gevormde ronde kin. 'Toen ik een jaar of... zes was?'

'Vrijwilligerswerk?' Ja, vast, zei ik tegen mezelf. Caitlyn stopte met kauwen op haar kauwgom, klapte haar telefoon dicht en streek haar haar glad.

'Ik heb een vriendin? Ze wordt geopereerd?' Ze ging zachter praten. 'Een borstverkleining? En ik ga voor haar hond zorgen terwijl ze, je weet wel, herstelt?'

Jezus weende. Ik typte het toch maar in.

'Of tenminste, niet echt. Ze hebben namelijk een hondenuitlaatservice? Maar ik ga ernaartoe, je weet wel, om met hem te spelen?' Ze trok het plukje haar naar haar lippen en begon erop te kauwen. 'Of was het nou een zij?'

Ik maakte een aantekening, direct onder die over haar kauwgom, om haar eraan te helpen herinneren dat ze tijdens een toelatingsgesprek niet op haar haar moest kauwen. Toen sloeg ik haar bestand op, deed mijn laptop dicht, nam een grote slok van het drankje dat ik had besteld voordat deze ellende was begonnen en deed een poging vriendelijk naar haar te glimlachen. Ze was een en al lange ledematen in een strakke spijkerbroek en een piepklein roze t-shirt, met ouders die geen enkele moeite hadden gehad met mijn honorarium van vijfduizend dollar. Daarvoor mocht de jonge Caitlyn drie maanden lang gebruikmaken van mijn diensten, kreeg ze een gesprekstraining op video van een uur en commentaar op een maximum van vijf oefenessays die ze voor haar toelating moest schrijven. Ik was nog lang niet van haar af. Dan kon ik net zo goed iets in haar zien te vinden wat ik leuk vond.

'Nou!' probeerde ik enthousiast te zeggen. 'Daar kan ik wel wat mee!'

Ze zat met haar papieren koffiebekertje te spelen en veegde met haar pink de roze lippenstift van de rand. 'Waar heb jij gestudeerd?' vroeg ze.

'In Connecticut. Aan een klein alfacollege, Grant. Je zult het wel niet kennen.' Caitlyns ouders hadden me verteld dat ze geen colleges buiten Californië overwoog en dat ze naar Berkeley wilde. Dat was nogal een wens, gezien haar gemiddelde van een zeven en haar zeer gemiddelde testscores. Maar pa en ma waren er allebei afgestudeerd en de kans was groot dat ze, gezien de chique goudkleurige Lexus waarin hun dochter reed, het college al spekten met giften toen Caitlyn nog niet eens was verwekt.

'Vond je het leuk?' Ze hield haar hoofd een beetje scheef, keek me recht in de ogen en liet haar blik toen opzijdwalen terwijl ze haar wang op haar handpalm legde. Mijn eigen hand ging onwillekeurig naar mijn gezicht. Mijn oma had me gezworen dat je het litteken niet zag als ik er Dermablend op smeerde. Met haar ogen, zei ik tegen haar, was het een wonder dat ze hoe dan ook iets zag.

'Ja. Ik vond het heerlijk.' Leugen. Ik was tijdens de eerste week dat ik studeerde naar een studentenfeest in een kelder geweest. Het was er heet, vol en lawaaiig, en ik was mijn kamergenote kwijtgeraakt toen we ons een weg door het woud van lichamen hadden gebaand op weg naar het bier. Ik was naar boven geglipt om me te verstoppen in de bibliotheek van de studentenvereniging, waarvan ik – terecht – had aangenomen dat die leeg zou zijn. Ik lag opgekruld in een leunstoel in een donker hoekje te bedenken dat ik terug naar beneden zou gaan als het wat rustiger was toen er een stelletje was binnengekomen in de donkere ruimte, dat zich op de bank liet vallen.

'Jezus,' zei de jongen. 'Heb je die meid met die krater in haar gezicht gezien?'

Mijn handen vlogen naar mijn wang. Het zag er inderdaad uit als een krater. Een glanzend roze krater met de afmetingen van de bodem van een blikje frisdrank, een beetje gedeukt, alsof iemand het vlees eruit had geschept. Het litteken trok het hoekje van mijn rechteroog naar beneden en liep over mijn wang naar mijn mondhoek. Ik had mezelf ervan weten te overtuigen dat ik er die avond prima uitzag. Ik had een leuk topje aan, roze sandalen, een spijkerbroek van mijn kamergenote, ik droeg parfum, lippenstift, en eyeliner op mijn goede linkeroog en mijn hangende rechteroog.

'Wat zou er zijn gebeurd?' vroeg het meisje zich hardop af.

Wat denk jij, idioot? Ik heb een ongeluk gehad! wilde ik zeggen. Ik wachtte tot ze te veel door elkaar in beslag waren genomen om me op te merken. Toen sloop ik de bibliotheek en het studentenhuis uit, over de stoep en de heuvel de sportschool in, die vierentwintig uur open was en een van de redenen dat ik aan Grant studeerde.

Het zwembad was leeg en schitterde turkoois in het gedempte licht. De bekende geur van chloor en het gevoel van het water dat me omhoogduwde maakten mijn heimwee en schaamte iets minder. Ik had mijn geleende kleren uitgetrokken, waste onder de douche de make-up van mijn gezicht, wreef extra hard over de schijf roze die geen cosmetica ooit kon verhullen en die geen chirurgie kon herstellen en trok twee uur lang baantjes. Toen ik me weer had aangekleed, staarde ik naar mezelf in de spiegel. Mijn natte haar kleefde aan mijn schedel en het litteken stak blauwig af tegen mijn door het water gebleekte huid. Lachen! zei mijn grootmoeder altijd tegen me, waarbij haar eigen gezicht bij wijze van demonstratie opklaarde. Als je glimlacht, zien ze je glimlach en niet je litteken! Ik probeerde vriendelijk te glimlachen naar de spiegel. Flirtend. Een charmante, leuk-je-te-leren-kennen-glimlach. Ik zag de bleke huid met sproeten die mijn moeder ook had, op foto's, en dezelfde helderblauwe ogen; een rechte neus, volle lippen en wenkbrauwen die weigerden een boog te vormen, hoe ik ook mijn best deed ze te geleiden. Een goed gebit, dankzij een beugel; geen puistjes, dankzij Accutane. Een leuk gezicht, of dat had het kunnen zijn, als die krater er niet in had gezeten. Ik draaide me zuchtend van de spiegel af en slenterde terug de heuvel op naar mijn studentenhuis.

'Het was hartstikke leuk op college,' zei ik tegen Caitlyn, en toen legde ik, ik kon mezelf er niet van weerhouden, mijn hand over mijn wang.

Ze klikte haar telefoon open en dicht, open en dicht. 'Ik weet het niet,' zei ze. 'Berkeley is zo... groot? Elke keer als ik er met mijn ouders naartoe ga, voel ik me zo...' Haar stem stierf weg. Ze deed de telefoon in haar roze tasje en schoof haar bekertje over tafel, van haar linkerhand naar haar rechter en weer terug. 'Verloren?'

'Je krijgt daar heus wel vrienden,' zei ik.

Ze haalde haar schouders op.

'Heb je andere mogelijkheden overwogen? Misschien een andere campus?'

'Mijn ouders,' zei ze. De verzuurde grijns om haar roze lippen maakte dat ze er veel ouder uitzag dan zeventien. 'Ze hebben er allebei gestudeerd.'

'Dat hebben ze verteld, ja,' gaf ik toe.

Caitlyn liet haar hoofd zakken en begon aan een nijnagel te kluiven. 'Ik weet het niet,' zei ze nog een keer.

'Misschien moet je op school eens met je studiebegeleider gaan praten. We zijn er vroeg bij. Je kunt nog iets anders kiezen.'

Ze knikte, maar ze zag er niet overtuigd uit. 'Ik geef je volgende week zaterdag je aanvraag terug. Dan nemen we hem samen door en dan kun je nog even naar je persoonlijke motivatie kijken.'

'Mag ik iets vragen?' Ik voelde mijn schouders verstijven. Ik had zo langzamerhand een goed gevoel ontwikkeld voor wanneer vreemdelingen het gingen vragen.

'Ja, hoor.'

Ze sloeg haar benen over elkaar. 'Toen je naar vrijwilligerswerk vroeg? Ik zorg wel eens voor mijn broertje? Maar dat is geen officieel werk.'

'Dat is lief van je, maar ik denk niet dat oppassen indruk gaat maken op de toelatingscommissie,' zei ik zo vriendelijk als ik kon.

Er kroop een roze vlek van haar nek naar haar kaaklijn. 'O. Oké.'

'Maar we kunnen het wel opschrijven. Dat kan nooit kwaad.'

Ze knikte, kort, als een prinses die een lijfeigene wegstuurt. Toen stak ze haar tasje onder haar arm en beende de koffiebar door naar haar chique auto met het Berkeley-logo rond de kentekenplaat. Ik vroeg me af of haar ouders haar betaalden voor de onredelijke opdracht voor haar broertje te zorgen. Ik durfde te wedden van wel.

'En?' riep mijn oma die avond vanuit haar slaapkamer. 'Hoe was je dag?'

'Prima,' zei ik, en ik zette mijn laptop neer en stapelde

mijn mappen naast de mand met nepfruit op onze keukentafel, een zwaar ding van mahoniehout dat in onze koloniale vierkamerwoning in Massachusetts veel beter op zijn plaats was dan in ons tweekamerappartementje in Hancock Park. Ik had die dag vijf mensen gesproken, inclusief, een uur lang, een jongen die ervan overtuigd was – naar mijn mening ten onrechte – dat hij aan Tufts zou worden aangenomen, ondanks het feit dat hij gemiddeld een zeven stond en in zijn tweede jaar was geschorst voor het verkopen van oregano aan goedgelovige medescholieren op een schoolfeest. Ik rolde met mijn schouders om wat spanning los te laten en mijn grootmoeder kwam de kamer binnen schuifelen in haar gebruikelijke avondtenue: een met kant afgezet perzikkleurig negligé, muiltjes met luipaardprint en een moddermasker waarvan ze zei dat het zorgde dat ze er geen dag ouder uitzag dan zestig. Ze zag eruit als Charles Dickens' Miss Havisham, maar dan met een zwart gezicht. Of eigenlijk was het meer groen.

Ze trippelde over het linoleum naar het fornuis. 'Vanglap?'

'Ik haal onderweg terug van het zwembad wel wat,' zei ik. We woonden ondertussen al jaren in Los Angeles, maar mijn oma kookte nog steeds alsof het Kerstmis in New England was en we een hockeyteam – of twee – voor het avondeten verwachtten. Ze maakte regelmatig vanglap met geroosterde boekweit en farfalle, of bouillabaisse en pittige kaaskoekjes met peper en cheddar. Ze vulde minstens eens per maand een hele lamsbout met knoflook en rozemarijn en propte die in het steenkolenoventje op ons piepkleine betegelde balkon.

Ik liep naar mijn slaapkamer om mijn sporttas te pakken. Oma liep achter me aan met een bord in haar hand. Ze zag er bezorgd uit.

'Ruthie, wanneer ga je weer schrijven?'

'Ik schrijf nu al,' protesteerde ik terwijl ik een spijkerbroek en een zwarte coltrui zonder mouwen in mijn tas deed.

'Aanvraagformulieren invullen voor verwende rijkeluiskinderen is niet schrijven, Ruth Anne.' Voor- en tweede naam.

Ze meende het. Toen ze het bord naast mijn bed zette, vermengde de geur van haar muntmasker zich met die van boekweit, uienjus en geroosterd ̇vlees.

'Ik kan ervan leven,' zei ik.

'Het is niet wat je wilt,' zei zij.

'En wie heeft er gezegd dat ik krijg wat ik wil?'

Ze pakte met haar magere handen mijn schouders vast en gaf me een pakkerd op mijn wang, waardoor ik een klodder groen muntslijm op mijn gezicht kreeg. 'Ik,' zei ze, en ze gaf me nog een kus, waarna ze me de deur uit bonjourde.

Ik was lid van een van de meest trendy sportclubs in Los Angeles, een pand aan Wilshire Boulevard met kamerhoge ramen op de cardio-afdeling, die uitkeek over de parkeerplaats vol bumper aan bumper geparkeerde luxe auto's. Hij was duur, vooral als je bedenkt dat ik al die hippe trainingen niet volgde, de zonnebank, sauna en stoomruimte niet gebruikte, mijn kleding niet inleverde om die tijdens het sporten te laten stomen, en niet bleef hangen om te internetten aan de sapbar. Ik ging er alleen naartoe voor het zwembad, en dat was bijna altijd volledig verlaten, wat het waarschijnlijk tot in lengte van dagen zou zijn gebleven als een of andere ondernemende Angeleno geen onderwatertraining had ontwikkeld waarmee je gegarandeerd langere en sterkere benen kreeg en je cellulitis kwijtraakte.

Ik kleedde me uit, trok mijn zwarte zwempak aan, en deed onder de douche mijn zwembril en badmuts op. In Massachusetts waren we lid van het Jewish Community Center. Boven hun zwembad van olympische afmetingen stond een citaat uit de Talmoed, geschreven in blauwe en groene tegeltjes: 'Sommigen zeggen dat een ouder een kind moet leren zwemmen.' De tegels hier waren allemaal verblindend wit, zodat de beeldschone sporters hun reflectie er beter in konden zien glinsteren. Hier prijkte geen Talmoed. Ik nam een hap lucht en dook aan de diepe kant het water in. Ik begon langzaam, om even aan het water te wennen, met flapperende gestrekte voeten en armen die tegen de weerstand in duwden. Eerst schoolslag, om op te warmen, tien rustige baantjes en keren aan het eind van elk baantje. Als mijn spieren goed los waren, ging ik over op crawl, en daarna misschien vlinderslag, als ik daar zin in had. Het was zaterdagavond. Mijn medefitnessfanaten hadden getraind terwijl ik in de koffiebar met grote dromen en slecht proza zat te worstelen.

Ik duwde na tachtig baantjes mijn bril op mijn voorhoofd en draaide op mijn rug om een luie rugslag te doen terwijl ik naar het plafond staarde. Nog meer witte tegeltjes; geen ramen en geen hemel.

Mijn grootmoeder en ik waren naar het westen verhuisd toen ik drieëntwintig was en zij zeventig. Ze had behoefte aan een warm klimaat en wilde in de buurt van filmsterren wonen, in dat waarnaar zij altijd verwees, geheel zonder ironie, als de Glamourhoofdstad van de wereld. Ik wilde schrijfster zijn van films, sitcoms, grappen, als ik wanhopig was zelfs wenskaarten. Los Angeles voelde als de plek waar ik moest zijn.

We hadden het huis in Framingham verkocht, waar ik vóór het ongeluk met mijn ouders had gewoond en de twintig jaar daarna met mijn oma. Ze had erop gestaan dat we vrijwel de gehele inboedel meenamen naar de andere kant van het land. Ik had de keukenspullen ingepakt, de potten en pannen. Zij had de fotoalbums gedaan, de kostbare foto's van haar dochter, schoonzoon en mij. 'Ons gezinnetje,' had mijn moeder op de achterkant van een van die foto's geschreven. Ze heette Cynthia en was beeldschoon, met bleekblauwe ogen en haar dat in een v-vormige lok over haar voorhoofd hing. Mijn vader droeg een vliegenierszonnebril en had een sik. Ik zat gewoonlijk tussen hen in gepropt, een duim als een kurkentrekker in mijn mond, met grote geschrokken ogen en een dik zeesterrenhandje op een van hen: op mijn vaders schouder of mijn moeders haar.

Mijn grootmoeder en ik vonden een gezellig appartementje in een gebouw in Spaanse stijl in Hancock Park, met een betegelde fontein in de lobby, terracottavloeren en hoge gestuukte bogen die de kamers van elkaar scheidden. Oma schreef zich in als figurant voor televisie en film, en werkte drie dagen per week. Zo'n beetje elke ziekenhuisserie had wel een paar oudere mensen nodig om de bedden te vullen die op de achtergrond figureerden, en ze verdiende er genoeg mee om haar deel van de huur te kunnen betalen en haar, zoals ze het zelf zei, op hoge hakken te kunnen laten lopen.

Na een jaar waarin ik overdag voor uitzendbureaus werkte en 's avonds schreef, vond ik een agent. Drie maanden later lukte het me een baan binnen te halen als schrijfster voor een dramaserie met afleveringen van een uur (maar een dramaserie met grappen, benadrukten onze bazen gespannen) die *The Girls' Room* heette, over vier beste vriendinnen op een kostschool in een naamloos stadje in New England. De serie kreeg het bijna onmogelijke voor elkaar door a) aangekocht te worden door een zender, en b) niet te worden stopgezet toen hij na drie weken nog niet in de top-twintig van Nielsen stond. De stropdassen zeiden tegen ons dat ze ons de kans wilden geven onze weg te vinden, een kijkerspubliek op te bouwen. Ze gaven ons een kans.

Toen ging een van de andere schrijvers, Robert Curtis – Robert met de rimpels rond zijn ogen en het zout-en-peperhaar, Robert die zo zelden glimlachte dat je jezelf erop betrapte dat je er alles aan deed om hem dat te kunnen zien doen – tijdens het doornemen op een ochtend in de stoel naast me zitten en vroeg me of ik hem wilde helpen met zijn scène. Hij leunde naar me toe en biechtte met een zachte stem op: 'Ik vind het moeilijk om als tienermeisje te denken.' Zijn voortanden stonden scheef en de ene was langer dan de andere, waardoor hij er alleen nog maar heerlijker uitzag.

Rob was een paar jaar ouder dan ik en had al aan drie andere series meegewerkt voor hij aan *The Girls' Room* was begonnen, die gek genoeg door drie vrouwen en achttien mannen werd geschreven. 'Heb je nog nooit met een partner geschreven?' vroeg hij me die eerste dag terwijl hij achteroverleunde op de fantastisch lelijke oranje-met-gouden Barca-sofa die iemand (met ironische bedoelingen, natuurlijk) in de hoek van de schrijfruimte met grijze vloerbedekking had gezet, waar het altijd naar salami en zweetvoeten stonk. 'Zullen we een poging wagen?'

Ik knikte. Ik genoot van de manier waarop hij naar me keek, de vragen die hij me had gesteld over waar ik vandaan kwam, de manier waarop hij een blikje cola light over de tafel schoof als we tot 's avonds doorwerkten, hoe hij tot op de seconde precies aanvoelde wanneer ik een nieuw blikje wilde. Ik vond de grote kunststof bril die hij droeg zo leuk, en zijn roestige Volkswagen Karmann Ghia, en dat het hem echt geen moer leek uit te maken wat anderen van hem vonden (waardoor iedereen hem natuurlijk aardig vond en door hem aardig gevonden wilde worden).

Het eerste wat we samen schreven was een schoolfeest-scène, waarbij Cara, een van de vier meisjes in *The Girls' Room*, twee verschillende uitnodigingen voor twee verschillende eindexamenbals aanneemt, terwijl Elise, haar kamer-genote, helemaal niet wordt uitgenodigd en ermee instemt in Cara's plaats naar een van die feesten te gaan. 'Dit is onzin, toch?' vroeg Rob terwijl hij na zes uur en vier kladversies zijn lege koffiebekertje in de prullenbak gooide.

'Dat moet je mij niet vragen,' zei ik terwijl ik me gapend uitrekte (na zes uur en vier kladversies was zowel mijn zelf-vertrouwen als mijn Dermablend geheel verdwenen). 'Ik ben niet naar het eindexamenbal geweest.'

'Op mijn school werd er niet eens een eindexamenbal geor-ganiseerd,' zei hij.

'Waar heb jij dan gezeten? Op een militaire academie?'

'Op een kostschool in Zwitserland,' zei hij.

Ik staarde hem aan. Ik dacht dat hij een grapje maakte, maar dat wist je nooit zeker met Rob. Ik wist helemaal niets over zijn verleden: niet waar hij was opgegroeid, niet waar hij nu woonde, niet of hij was getrouwd of een relatie had.

'Al dat gedoe over jurken,' gromde hij terwijl hij razend

naar de aanwijzingen keek die we hadden gekregen. 'Vinden meisjes die echt zo belangrijk?'

Ik ging weer op mijn eigen stoel zitten en probeerde een elegante houding aan te nemen. 'Meisjes die naar het eindexamenbal gaan wel.'

'Weet je wat wij nodig hebben?' vroeg hij. 'Taart. Kom op. Ik trakteer.'

'Maar dit moet zo...'

'We schieten helemaal niet op. We draaien rondjes. We moeten even afstand nemen.' Hij liet zijn autosleutels rinkelen in de zak van zijn korte broek, met draadjes eraan die over zijn harige benen hingen. 'Volgens mij ben jij een citroen-merengue-meisje.'

Ik stond op en liep achter hem aan terwijl hij theatraal op zijn tenen langs de mannequin/receptioniste liep. 'Ik dek je,' mompelde hij uit zijn mondhoek terwijl hij de zware glazen deur openduwde en we snel het zonlicht op de parkeerplaats op wandelden. 'Hoofd naar beneden, hoofd naar beneden!' fluisterde hij terwijl hij zijn autoportier opendeed en me naar binnen duwde. 'Als ze ons zien...'

'Zijn we er geweest?' zei ik. Ik begon het leuk te vinden.

'Nee,' zei hij terwijl de auto grommend tot leven kwam, 'zouden ze ook taart willen.'

Een week later trokken we in een gedeeld kantoor en we werkten zes maanden samen, ideeën op elkaar afschietend, dialogen aan elkaar voorlezend, zelfs scènes naspelend. Rob bewaarde balletjes sportsokken in zijn bureau, die hij onder zijn T-shirt propte als hij Cara speelde, de meest onwaarschijnlijk bedeelde dame van het kwartet, die werd gespeeld door een vierentwintigjarige, Taryn Montaine. Rob was ervan overtuigd dat hij haar kende van een softpornoprogramma dat 's nachts nog werd uitgezonden op Showtime. 'Ik weet zeker dat ze het is,' zei hij na veertig minuten vruchteloos internetten om een foto te vinden die het zou bewijzen. 'Ze heeft gewoon een nieuwe nepnaam aangenomen die bij haar nieuwe neptieten past.' Toen we ons begonnen te vervelen met zoeken naar foto's van een pregeïmplanteerde Taryn, keek hij me met een luie glimlach aan. 'Weet je wat jij nodig hebt?' vroeg hij dan. En hij wist het altijd. Of het nu een burrito was, een zakje chips of een rumcocktail, of een ritje naar Santa Monica. (Hij heeft een keer rolschaatsen gehuurd en toen heb ik een halfuur op een bankje zitten schaterlachen terwijl hij aan het stuntelen was.)

Op een normale dag brachten we tien uur met elkaar door en soms op donderdag, wanneer de opnames waren, tegen de twintig. Ik wist nog steeds maar weinig over zijn privéleven, maar ik kende elk T-shirt dat in zijn kast hing. Ik wist dat zijn werkster op dinsdag kwam en dat hij om de vrijdag ging pokeren, dat zijn vader aan longemfyseem was gestorven en dat zijn moeder in Florida woonde. Ik wist hoe hij er 's ochtends vroeg uitzag (moe en gekreukt) en ik wist hoe hij er 's avonds laat uitzag (nog moeier, gekreukter en met stoppels). Hij noemde me citroen-merengue, en hij heeft me zelfs een paar keer aan iemand voorgesteld als zijn werkechtgenote, waardoor mijn hart ging hameren als dat van een klein meisje dat haar grootste wens in vervulling ziet gaan.

Ik trok mijn zwembril weer over mijn ogen, draaide en trapte naar het eind van het zwembad terwijl ik mijn pijnlijke armen eerst hoog boven mijn hoofd dwong en ze daarna als messen in het water stak. Vijf maanden nadat we hem hadden geschreven, zou de eerste aflevering die Rob en ik samen hadden gemaakt op een donderdagavond worden uitgezonden. Mijn grootmoeder, die net zo gecharmeerd was van Rob als ik, vond dat een feestje op zijn plaats zou zijn. Ze had een stel van haar figurantenvrienden uitgenodigd en was twee dagen in de weer om naborst, borsjtsj en ravioli met aardappel-uienvulling te maken en het donkere hout van onze eetkamertafel en dressoir te bedekken met kanten kleedjes, die ze vervolgens overlaadde met borden eten. 'Een koninklijke maaltijd,' zei ik tegen haar terwijl ik de borden rechtzette, de ijsemmer vulde en te zenuwachtig was om te gaan zitten of een hap te eten, en de woonkamer zich vulde met haar vrienden op leeftijd, compleet met hun wandelstokken, rollators en jagershoeden.

Ik zat op het puntje van een van de eetkamerstoelen, gekleed in een mooie lichtgroene zomerjurk die ik speciaal voor de gelegenheid had aangeschaft, de minuten af te tellen op de klok in de videorecorder. Rob is nooit komen opdagen. Ik heb drie berichten achtergelaten op zijn antwoordapparaat... twee zogenaamd nonchalant-relaxt en één wanhopig. Ik dwong mezelf de aflevering te kijken; daarna verstopte ik me in mijn slaapkamer tot de laatste figurant, met zijn armen vol Tupperware-bakjes bietensoep en zure room, naar huis was. Ik lag in mijn zonnejurk en met mijn sandalen aan onder de deken toen mijn oma de kamer binnen sloop.

'Je was laat thuis gisteren, Ruthie.'

Ik deed kreunend mijn ogen open. Ze stond naast me, nog steeds in haar feestelijke vintagekaftan, met nepdiamanten haarspelden en schoenen met gespen met bergkristal, die op de terracottavloer tikten. 'Ben je met hem naar bed geweest?' vroeg ze.

Ik hoorde haar Boston-accent en werd overvallen door een steek van heimwee terwijl ik knikte, te beschaamd om ja te zeggen. Weet je wat jij nodig hebt? had ik Rob de avond ervoor om één uur 's nachts nadat we het script hadden afgemaakt, gevraagd. Hij had zijn borstelige wenkbrauwen opgetrokken. Mij, had ik gezegd, me verwonderend over mijn eigen stoutmoedigheid. Ik had mijn adem ingehouden tot hij begon te grijnzen en zei: Nou, Ruthie, dat ga ik niet ontkennen. Ik had hem recht in zijn ogen gekeken en had me terwijl ik mijn blouse losknoopte voorgesteld – mijn maag trok samen als ik eraan dacht – dat het Taryn Montaine was die de kamer door liep, knielde en zijn broek losmaakte. Zijn snelle inademen toen mijn lippen hem hadden aangeraakt, de manier waarop hij op het einde mijn naam had gekreund, het hele voorval had me het gevoel gegeven dat hij meer voelde dan alleen bevrediging, of dankbaarheid; dat hij verliefd aan het worden was.

Ik was nadien tegen hem aan gaan liggen op de Barca-sofa en was zo dom geweest om het onmogelijke te hopen: dat een kantoorromance kon werken. We deden het goed samen. Onze maanden als schrijfpartners bewezen dat. En Rob zou misschien, na een nacht gelukzaligheid op ruw synthetisch tweed, gaan beseffen dat ik de liefde van zijn leven was en dat we voor elkaar waren geschapen.

Mijn grootmoeder kwam naast me zitten en streelde mijn haar. 'Gaat het wel?' vroeg ze, en ik knikte weer, zonder te weten of het waar was.

Ik was de vrijdag daarna naar kantoor gegaan, en Rob was er niet. Ik liet me feliciteren, knikte verdoofd bedankjes, en vroeg iedereen of ze hem hadden gezien. Niemand wist waar hij was. Ik bracht het weekend in wanhoop door, keek elke dertig seconden op mijn mobieltje en stelde me de gruwelijkste scenario's voor: Rob was omgekomen bij een auto-ongeluk, Rob lag in het ziekenhuis met geheugenverlies, of met kanker, of met allebei.

De uitvoerend producent, de zevenentwintigjarige Steve, riep me maandagochtend vroeg naar zijn kantoor. 'Waar is die partner van mij?' vroeg ik met een glimlach op mijn gezicht.

'Ga even zitten,' stelde hij voor. Ik ging op een indrukwekkende, ongelooflijk oncomfortabele perspex-met-metalen stoel zitten, die onder zijn Emmy's stond. 'Rob en Taryn zijn er dit weekend vandoor gegaan.'

'Hij... Taryn... Wat?' Ik dacht dat hij een grapje maakte. Dat moest wel. Rob zei nauwelijks een woord tegen Taryn tijdens het doornemen van het script en de repetities, en als hij het over haar had, was dat gewoonlijk om te spotten met haar nepborsten of haar verleden in de porno-industrie.

Steve had een kristallen bol op zijn bureau (hij geloofde natuurlijk niet echt dat die de waarheid voorspelde). Hij pakte hem op en tuurde erin. 'Ze is zwanger.'

Ik knikte alleen maar. Ik kon geen woord uitbrengen, en voelde me als aan de grond genageld. Ik ademde diep in en hoopte maar dat hij niet zag dat ik wit wegtrok. Ik zag Rob en Taryn voor me, zijn arm om haar schouder, een hand op haar buik. Het gezinnetje.

'Hallo?'

Ik keek geschrokken omhoog en snoof water door mijn neus op. De schoonmaker stond naast het zwembad naar de klok aan de witbetegelde muur te wijzen terwijl ik proestte en sputterde. 'Het is tien uur. We gaan sluiten.'

Ik schudde het water uit mijn oren, nam snel een douche, droogde me af en ontweek terwijl ik mijn kleren aantrok de alomtegenwoordige spiegels. Ik kocht op weg naar huis bij Poquito Mas drie vistaco's, en een kipburrito voor oma om de volgende ochtend te eten. Toen ik thuiskwam, sliep ze al; ze lag te snurken op de met goudbrokaat beklede bank. Mijn bord vanglap, bedekt met plastic, stond op het fornuis. Ik zette het eten in de koelkast, legde mijn grootmoeder gemakkelijk op de bank, trok voorzichtig haar pantoffels uit, legde een deken over haar heen en zette de televisie uit. Mijn spieren brandden en ik had het gevoel dat mijn hoofd vol water zat. Voor ik in slaap viel, dacht ik terug aan Caitlyn en de spottende opmerking die ik over oppassen had gemaakt. Ik zou haar een gids moeten geven, dacht ik. Waarin ze alle colleges in het hele land kon bekijken. Zodat ze een echte keuze kon maken... Toen viel ik in slaap.

'Pardon?'

Ik keek op, helemaal klaar om mijn recht op het tafeltje te verdedigen, dat ik de volgende zaterdagochtend om halftien weer had ingenomen. De scenarioschrijvers deden over het algemeen niets anders dan me razend aanstaren en mompelen, maar heel af en toe had een van hen het lef naar me toe te komen en te vragen wanneer ik klaar zou zijn. Sorry, zei ik dan met een lieve, onoprechte glimlach. Ik heb een deadline.

'Ja?' vroeg ik, voorbereid op ruzie.

De man die bij mijn tafeltje stond, was lang en slank, met zwart krulhaar dat zo kort was geknipt dat ik zijn schedel erdoorheen zag. Hij droeg een spijkerbroek met een grijs t-shirt met lange mouwen, en hij had lichtbruine ogen, een bleke huid en een krasje in zijn hals, waarschijnlijk van het scheren, boven zijn opvallende adamsappel. 'Jij was hier vorige week toch ook?'

Ik knikte. Daar gaan we. Hij zou wel gaan zeggen dat twee weken achter elkaar het stopcontact inpikken zo onuitsprekelijk asociaal was dat ik óf ergens anders moest gaan zitten, óf dat hij de manager erbij zou halen.

'Ben je schrijfster?'

Ik knikte een tweede keer, een beetje vragend. Ja, ik was schrijfster. Het was een aan zekerheid grenzende waarschijnlijkheid dat iemand die in Los Angeles langer dan een halfuur met een laptop aan een tafeltje in een koffiebar zat schrijver was.

'Mag ik vragen wat voor dingen je schrijft?'

'Van alles.'

Ik was negen maanden daarvoor met een leuke oprotpremie en mijn staart tussen mijn benen bij *The Girls' Room* vertrokken. Ik had sindsdien geen televisiewerk en had genoeg uitkeringsgeld ontvangen om mezelf, en oma, redelijk stijlvol te kunnen onderhouden. Die aanvraagformulieren waren als hobby begonnen, als iets om me bezig te houden en de straat op te krijgen, maar ik verdiende er sinds kort echt geld mee, en dat op een veel minder ellendige manier dan scriptschrijven uiteindelijk was geworden. Geen Rob, geen schrijfpartners, geen late avonden en geen bemoeizieke bazen. Geen complicaties. Ik glimlachte beleefd naar de jongen, klapte het beeldscherm naar beneden en bereidde mezelf niet voor op een territoriumgevecht over mijn tafeltje, maar op dat andere onvermijdelijke gesprek in LA, dat begon met een vraag over waar ik momenteel aan werkte en eindigde met een ongegeneerde smeekbede om de naam van mijn agent en zijn e-mailadres.

De jongen stond heen en weer te wiegen op zijn gympen. 'Vorige week was je hier toch met een meisje? Donker haar? Roze T-shirt?'

O, god. Dit was nog erger dan aangesproken worden voor het nummer van mijn agent. 'Donker haar? Roze T-shirt?' zei ik hem na. 'Ik help haar met haar toelatingsessay voor college. Ze is zeventien.' Viezerik, dacht ik, maar ik hield me in de woorden ook uit te spreken en gaf hem mijn donder-alsjeblieft-op-glimlach.

In plaats van gekwetst te kijken glimlachte hij terug. 'Dat dacht ik al,' zei hij. 'Dus je helpt haar met haar toelatingsessay?'

'Inderdaad,' zei ik. 'Met haar essay en haar gesprekken. Ik maak video-opnames van mijn cliënten, geef tips over hoe ze zich het best kunnen presenteren, dat soort dingen. En nu moet ik echt weer aan het werk.' Ik klapte mijn laptop weer open en keek geconcentreerd naar mijn beeldscherm, maar hij reageerde niet op de hint.

'Ik heb een zakelijk voorstel. Mag ik?' Hij keek naar de andere stoel. Ik bestudeerde hem.

'Je bent te jong om een dochter te hebben die gaat studeren.'

'Voor zover ik weet, heb ik geen kinderen,' zei hij terwijl hij ging zitten.

'Dus... Je wilt een masteropleiding gaan doen?'

'Nee.' Hij zette zijn koffiekop op tafel. 'Ik ben een profiel voor een datingwebsite aan het maken, maar ik ben geen geweldige schrijver. Ik kan wel wat hulp gebruiken.'

Ik staarde hem aan om zeker te weten dat ik hem goed begreep. 'Je wilt dat ik een datingprofiel voor je schrijf.'

'Ja,' zei hij. Hij knikte, tilde zijn koffiekop in een toostend gebaar op en zag er uitermate zelfingenomen uit, en ingenomen met mij dat ik zo snel van begrip was. 'Ik vind het een veel te algemeen verhaal. Ik klink als iedereen. Als wie dan ook.'

'En dat ben je niet.'

Hij haalde zijn schouders op. 'Ik vind van niet, maar wie weet? Misschien vergis ik me.'

Ik pakte een aantekeningenboekje uit mijn tas en sloeg een

nieuwe pagina open. Een deel van me vond dit het idiootste voorstel dat ik ooit had gekregen. Een ander deel – het deel dat een leuke Craftsman-bungalow in Sierra Bonita op het oog had – zag deze vent als een potentiële opening naar een grote en lucratieve nieuwe markt. De hoeveelheid eindexamenkandidaten met ouders die me konden betalen en die mijn hulp nodig hadden was beperkt, en de essays zouden me uiterlijk tot de inleverdatum van 15 januari bezighouden. Maar contactadvertenties werden het hele jaar door geschreven en er zou best eens een onuitputtelijke hoeveelheid mensen met een schrijfhandicap op zoek naar liefde kunnen zijn. Mensen die best geld overhadden voor... eens even kijken...

'Over hoeveel werk hebben we het?' vroeg ik.

Hij had zich goed op het gesprek voorbereid. Hij reikte in een harde rugzak, toverde een bruine map tevoorschijn en haalde er drie vellen papier uit. Op het eerste stond een pseudoniem (Eenzaam 78), vergezeld van een foto van de man die voor me zat in een pak met stropdas en met een geforceerde, mallotige glimlach op zijn gezicht.

Ik staarde naar de foto en daarna naar hem. 'Is dat toevallig de foto die ze voor het identificatiebewijs voor je werk hebben gemaakt?'

Hij ging ongemakkelijk verzitten en trok de mouwen van zijn shirt over zijn polsen. 'Kun je dat zien? Ik weet dat het geen geweldige foto is, maar de website vroeg om een portretfoto en deze zat in mijn computer.'

Ik schudde mijn hoofd en bestudeerde zijn gezicht. Hij zag er leuk uit. Hij kwam op die foto niet tot zijn recht. 'Dat is het eerste wat je moet doen. Regel een andere foto. Een waarop je er niet uitziet als een rechercheur van de narcoticabrigade.'

Hij pakte een pen uit zijn zak en schreef GEEN RECHERCHEUR op de voorkant van de map. Toen pakte hij een zakje rode pistachenootjes uit zijn rugzak en bood het me aan.

'Nee, dank je,' zei ik gedachteloos, ondanks het feit dat ik gek was op alles wat zout was, vooral op pistachenootjes, en van alle pistachenootjes nog het meest op de gezouten met geverfde doppen waar je vingertoppen rood van werden.

'Echt niet?' vroeg hij terwijl hij de open zak onder mijn neus hield.

'Een paar dan,' zei ik.

'Leef je uit,' zei hij glimlachend tegen me. 'Grapje.'

'Begrepen,' mompelde ik. Ik pakte mijn pen en bestudeerde de pagina's die hij me had gegeven, me concentrerend op zijn pseudoniem. '"Eenzaam"? Mijn god. Was "Wanhopig" al vergeven? En "Ik vermoord je en snijd je in mijn kelder in stukken" ook?'

'Je mag maar twaalf letters gebruiken. En wat is er mis met "Eenzaam"?' vroeg hij terwijl hij me nog wat pistachenootjes aanbood.

'Het klinkt een beetje behoeftig,' zei ik, en ik probeerde niet te zuchten terwijl mijn gedachten afdwaalden naar Rob. Zijn zelfvertrouwen, de manier waarop hij een kamer vol gestreste leidinggevenden of schrijvers met een overdosis cafeïne in hun lijf binnen kon lopen en iedereen met een van zelfspot doordrongen opmerking naar zich toe kon lokken, dat was wat ik het leukst aan hem vond. Ik huiverde en verving 'leukst' voor 'geweldigst' en verving het vervolgens voor 'aardigst', waarna ik mezelf eraan herinnerde dat het belangrijkste bijvoeglijk naamwoord dat betrekking had op Rob natuurlijk 'bezet' was. Ik las de rest van Eenzaams profiel door. Waar hij op viel, waar hij op afknapte, lichamelijke voorkeur, haar- en oogkleur die hij wilde overwegen, alsof een vrouw kon worden besteld als een maaltijd in een restaurant, waar een gast aardappelpuree in plaats van friet kon nemen en kon vragen of de dressing apart mocht.

Onder LEEFTIJD had hij vijfentwintig tot vijfendertig aangegeven. Wat betreft lichaamsbouw ging hij akkoord met SPORTIEF en SLANK. Ik zou tegen hem zeggen dat hij GEMIDDELD ook aan moest vinken, aangezien veel sportieve en slanke vrouwen zichzelf niet als dusdanig zagen.

'Vroeger had ik *swim*.'

Ik keek afgeleid op. 'Wat?'

'Swim. Mijn pseudoniem. SWM. Voor *Single White Male*, alleenstaande blanke man.' Hij schudde gegeneerd zijn hoofd. 'Zielig, hè?'

'Houd je van zwemmen?'

'Natuurlijk. Denk ik. Maar niemand doet het hier. Is dat je wel eens opgevallen? Iedereen gaat naar Malibu, maar je ziet alleen surfers en honden in het water.'

Ik knikte. Dat was me opgevallen. Ik had zelfs een wetsuit aangeschaft, een paar zondagen dobberend in de schuimende blauwgroene golven doorgebracht en aangenomen – gehoopt – dat ik eruitzag als een surfer die haar plank kwijt was, of anders als een hondenbezitter die haar hond kwijt was.

'Hoe heet je?'

'Ruth Saunders.'

'Als je niet kunt schrijven, maakt Ruth het Anders,' zei hij terwijl hij de pistachedoppen in zijn lege papieren beker veegde.

'Zeg maar gewoon Ruth, hoor,' zei ik, en ik scande snel de andere pagina's. 'Oké...'

We keken allebei op toen het geluid van Caitlyns hooggehakte laarzen op de hardhouten vloer klonk. 'Ben ik te laat?' vroeg ze.

Ik keek op mijn horloge. Tien uur.

'Ze is helemaal voor jou,' zei Eenzaam.

'Probeer je aangenomen te worden op een college?' vroeg Caitlyn hem.

'Nee, hij probeert een vrouw te...' Ik deed mijn mond dicht voordat ik 'verleiden' kon zeggen.

'Leren kennen,' zei hij met een charmante glimlach op zijn gezicht. 'Ik ben Gary.'

'Caitlyn,' zei ze, en ze glimlachte terug. Ik zag ('Als een vis aan de haak geslagen!' hoorde ik mijn oma kreunen) hoe ze elkaar waarderend bekeken. Ik vroeg me af waarom Gary Eenzaam hoe dan ook Eenzaam was. Hij had overduidelijk geen enkele moeite contact met Caitlyn te leggen.

Gary pakte uiteindelijk zijn rugzak op. 'Heb je later op de dag nog een gaatje, Ruth?'

Mijn laatste sollicitant kwam om één uur. 'Kun je om twee uur?'

'Prima,' zei hij. 'Heb je een visitekaartje?' Dat had ik, een heel leuk, met mijn e-mailadres erop en het woord LOOP-BAANBEGELEIDING onder mijn naam. Mijn oma had ze een maand daarvoor bij Kinko's laten drukken.

Gary liet het kaartje in zijn zak glijden, hief zijn koffiekop nogmaals in een toostend gebaar, en liep de koffiebar uit.

'Hmm,' zei Caitlyn. 'Lekker ding.' Ze reikte in het piepkleine tasje dat ze de keer daarvoor ook bij zich had gehad en haalde er een stukje papier uit, dat, nadat ze het zestien keer had opengevouwen, haar motivatiebrief bleek te zijn.

Ik nipte van mijn koffie en las hem door terwijl Caitlyn een smoothie voor zichzelf ging halen. 'Twee weken in Parijs was echt een indrukwekkende ervaring voor een meisje uit Californië,' opende ze. Ik onderdrukte een gaap, trok mijn gezicht in een vriendelijke plooi en vertelde het zo aardig als ik kon opbrengen aan Caitlyn toen ze terugkwam.

'Heel goed,' begon ik. 'Leesbaar geschreven.'

Ze nam een grote slok van haar smoothie. 'Dus dat is goed?' Ze trok haar korte spijkerjasje uit, waardoor haar truitje zichtbaar werd, dat van haar schouder zakte. Was de Flash-dance-look weer in? Had ik dat gemist? Ik nam me voor zo even te kijken of ze beenwarmers droeg.

'Leesbaar is prima, maar met "prima" word je niet op Berkeley aangenomen.' Ik tikte met mijn pen op de eerste pagina. 'Ik kan wel zien dat je het geweldig vond in Parijs.'

Haar bruine ogen begonnen te glinsteren en haar handen dansten in de lucht. 'De rommelmarkten daar zijn fantastisch! Ik heb een camee gekocht? Aan een zijden lint?' Haar vingers volgden een lijn over haar hals.

'Die klinkt prachtig. Echt. Maar die passie vind ik nergens terug in je aanvraag,' zei ik. Die hele rommelmarkt werd niet vermeld in haar stuk. Ze had in plaats daarvan over het

Louvre geschreven, over de Seine en diverse kathedralen. Het had allemaal zo uit een reisgids kunnen komen.

Caitlyn keek me uitdrukkingsloos aan, trok een knie tegen haar borst en duwde haar rietje naar beneden in haar smoothie. 'Passie?'

'Als je die rommelmarkten zo geweldig vond, had je daarover moeten schrijven.'

'Maar dan gaat het over... winkelen! Er is geen college dat me gaat aannemen omdat ik van winkelen houd!'

'Misschien wel als je er gepassioneerd en overtuigend over schrijft. Als je die motivatie gebruikt om uit te leggen wie je echt bent, wat je echt belangrijk vindt. Als je...' Ik wreef over mijn wang. Ik had ineens hoofdpijn. En als ik me nu vergiste? Wat als ze haar essay over rommelmarkten schreef en de mensen van de toelatingscommissie besloten dat ze een verwend nest was?

Ik haalde diep adem. 'Oké. Misschien kun je beter niet over winkelen schrijven. Maar wel over de passie ervan. Of iets anders waarover je gepassioneerd bent.'

Ze haalde haar schouders op en rolde het verpakkingspapiertje van haar rietje tussen twee vingers. Haar nagels zagen er nog angstaanjagender uit dan de week ervoor. 'Het probleem is...' Ik tikte met mijn pen op haar aanvraag en dacht aan het woord dat Eenzaam had gebruikt: algemeen. 'Honderd anderen hadden dit kunnen schrijven.'

Ze haalde haar schouders op. 'We waren maar met twintig op die reis.'

'Nou ja, twintig anderen dan.'

'Oké.' Ze pakte het papier en begon het op te vouwen.

'Wacht even. We kunnen erover praten als je dat wilt. Proberen iets anders te...'

'Dat hoeft niet. Ik weet al waarover ik ga schrijven.' Het ritsje van haar tasje maakte zo'n herrie dat ik het boven de blenders en de twee ongeveer twintigjarige scenarioschrijvers aan het tafeltje naast ons, die samen een gesprek zaten te voeren met het mobieltje dat tussen hen in op tafel lag, uit hoorde.

'Zullen we het dan over je gesprekken hebben? Je hebt er toch een over...' Ik klikte haar bestand open. Ze schudde haar hoofd.

'Laat maar. Ik ga hier wel even mee aan de slag. Tot volgende week.'

'Caitlyn...' Te laat. Ze was al opgestaan en liep weg.

Ik zat er nog vier uur, met drie andere klanten. Ik dronk ijs-espresso en onderging de ijzige blikken van de andere schrijvers tot kwart voor drie, toen ik mijn laptop inpakte en vertrok. Eenzaam was niet komen opdagen.

'Nou?' vroeg oma. 'Nou?' Het was oktober en tweeëntwintig graden onder een wolkeloze blauwe hemel. Het briesje dat door de geopende ramen naar binnen kwam, blies de geur van citroen, palissander en het avondeten naar binnen: geroosterde kalkoen met jus, vulling, uien in room en cranberrysaus. De meeste Amerikanen aten dat alleen met Thanksgiving. Mijn oma maakte het minstens eens per maand en serveerde het op haar dure servies met gouden randjes.

Ik gooide mijn sleutels in de blauw-witte schaal bij de deur en liep achter haar aan het balkon op, waar ze ons piepkleine tafeltje met metalen poten met een feestelijk oranje tafelkleed had gedekt. Ze had kaarsen aangestoken, en het eten stond opgeschept op borden op het serveerkarretje dat de vorige bewoners hadden achtergelaten. Ik pakte een bord. 'Volgens mij heb ik nieuw werk gevonden.'

Ik verwachtte dat oma me als ik haar over Eenzaam vertelde goedkeurend zou aankijken bij de gedachte aan het geld dat al die wanhoop zou kunnen opleveren. Ze legde in plaats daarvan haar vork neer en keek me met een strenge blik aan, die effectiever geweest zou zijn als ze iets anders dan een knalroze kimono aan had gehad.

'Ruthie, daar schiet je niets mee op.'

Ik bette mijn lippen en keek haar rustig aan. 'Hoe bedoel je?'

'Annonces zijn leuk. En mitswa's ook.'

'Ik zou het niet gratis doen. Volgens mij kan ik zo vijfhonderd dollar vragen om zo'n profiel te herschrijven. Of misschien kan ik een percentage bedingen. Iets van: als er tien mensen mailen nadat ik je profiel heb herschreven, krijg ik...'

'En je scenario?' vroeg oma onschuldig, haar bleekblauwe ogen naïef onder haar valse wimpers terwijl ze een lepel uien met room opschepte. Ze had haar rouge maar aan één kant van haar gezicht vervaagd. Op haar andere wang zat een clowneske cirkel roze. 'Je was toch een film aan het schrijven?'

Ik zuchtte. 'Volgens mij heb ik geen inspiratie meer.'

'Volgens mij heb je geen vriendje meer,' zei ze.

Ik legde mijn mes op een berg sperziebonen. 'Hij was niet echt mijn vriendje.'

'Als je van je paard valt...'

'Stijg je weer op,' declameerde ik. 'Maar mannen zijn geen paarden. Ik heb nu geen zin om iemand te leren kennen. Ik ben gelukkig zo. Dat ik toevallig even geen relatie heb, betekent niet dat ik ongelukkig ben. Ik heb geen man nodig om gelukkig te zijn!'

Ze duwde zichzelf van haar stoel en ging staan, waarna ze de geborduurde draak op de voorkant van haar kimono een liefhebbend klopje gaf. 'Toen je moeder, mijn dochter, op sterven lag, heb ik haar een belofte gedaan,' begon ze met haar Boston-accent.

O, god, dacht ik. Niet de sterfbedbelofte. Dat was oma's grootste troef, die ze maximaal eens in de paar jaar inzette. 'Je hebt fantastisch goed voor me gezorgd.'

'Ik heb beloofd dat ik altijd goed voor je zou zorgen en dat ik er alles aan zou doen om je gelukkig te maken...' Ze sprak verder alsof ik geen woord had gezegd en kliefde met haar vork door de lucht.

'Ik ben gelukkig.'

'Niet waar!' zei ze terwijl ze haar vork op haar bord legde en me razend aanstaarde. 'Je bent bang! Je denkt dat iedereen naar je staart, je veroordeelt...'

'Ik ben niet bang!'

'...en je hele leven onder water doorbrengen is niet natuurlijk, Ruth Anne!'

Ik fronste mijn wenkbrauwen en trok een gezicht, alsof haar woorden de belachelijkste waren die ik ooit had gehoord. 'Is zwemmen niet natuurlijk?'

'Je verstoppen is niet natuurlijk,' zei ze. Haar wangen waren rood geworden onder haar rouge en er klopte een ader in haar hals. 'Evenals doen alsof je geen liefde nodig hebt.'

'Ik verstop me niet,' zei ik, en ik veegde mijn haar achter mijn oor, van mijn wang met litteken af, om mijn punt te benadrukken. 'En ik wil wel liefde. Maar nu even niet.'

'Wanneer dan wel?' vroeg ze. 'Volgend jaar? Of het jaar daarop? Of over vijf jaar? Ik heb niet het eeuwige leven, Ruthie' – ze reikte over tafel om mijn kin in haar tanggreep te nemen – 'niemand heeft dat. Dat zou je moeten weten. Vooral jij.'

Ik knikte en trok mijn kin los. 'Oké,' mompelde ik. Ik klonk als een tiener die een standje krijgt. 'Prima.'

Ze deed alsof ze me niet hoorde. 'Decafé,' zei ze terwijl ze haar lege kopje optilde. 'Graag.'

Ik zette later die avond mijn computer aan. Er was één nieuwe e-mail, een eenzaam mailtje van Eenzaam. 'Sorry, dat ik je heb laten zitten,' schreef Gary. 'Er kwam ineens iets tussen. Ik kan deze week elke avond na mijn werk, of als je vrij bent, morgen.'

Ik staarde een tijdje naar het bericht. Misschien dat Eenzaam alles was wat er op de markt was voor meisjes als ik. Meisjes als Taryn, de beeldschonen met zelfvertrouwen, hadden het voor het uitkiezen; meisjes als ik moesten het doen met een verzameling nerds en mislukkelingen, de pistachenootjeseters zonder gevoel voor humor die dachten dat ze ons een groot plezier deden door met ons uit te gaan en daar een leven lang dankbaarheid – om nog maar te zwijgen over orale seks – voor terug verwachtten.

Ik dacht aan Gary in de koffiebar, vol sneetjes van het scheren en een en al gretigheid, zonder ook maar iets van Roberts scherpte of zijn zwarte humor, en schreef: 'Nu ik je profiel eens goed heb gelezen, zie ik dat je gelijk hebt. Sorry als ik bot overkom, maar ik zie maar weinig wat je van ieder ander van jouw leeftijd onderscheidt. Heb je hobby's? Huisdieren? Passies? Talenten? Wat dan ook?'

Ik verstuurde de mail voor ik erover kon nadenken. Hij was gemeen, dat wist ik, maar ik had het gevoel dat mijn hart aan flarden was gescheurd sinds mijn oma me ervan had beschuldigd dat ik me verstopte, dat ik mezelf onder water begroef en haar niet gelukkig had gemaakt voordat ze zou sterven. Als ik zou kunnen slapen door Eenzaam flink pijn te doen, aarzelde ik geen moment.

Zijn antwoord kwam vijf minuten later. 'Ik kan een beetje jongleren. En koekjes bakken. Heb alles van Raymond Carver en Russell Banks gelezen. Maar geen huisdieren. Moet ik er een nemen?'

Shit. Ik typte: 'Een huisdier nemen om online vrouwen te kunnen versieren, is pure dierenmishandeling. PS: Voeg boekenlijst toe. Meiden zijn dol op boeken.'

'Zal ik doen,' antwoordde hij bijna onmiddellijk. 'Niet vergeten: huisdier aanschaffen. Ik zou het een goed thuis geven en het dat biologische spul van Whole Foods voeren. Wat vinden meiden leuk? Katten? Honden? Fretten?'

'Geen idee,' typte ik terug. Ik vroeg me af hoeveel Baileys ik uit oma's fles kon schenken zonder dat ze het zou merken en bedacht dat het, op mijn leeftijd, misschien slim zou zijn om zelf eens mijn slaapmutsjes te gaan aanschaffen.

'Morgen om drie uur bij de parkeerservice van het Beverly Center om erover te praten,' schreef hij. 'Zie het als een consult. Ik betaal ervoor.'

'Oké,' mompelde ik terwijl ik op de x in het hoekje van het scherm klikte en zijn bericht de elektronische vergetelheid in stuurde.

'Nee. Dat vertik ik,' zei ik hoofdschuddend. Ik weigerde ook nog maar een stap te zetten richting de etalage van de dierenwinkel die uitkeek over de derde verdieping van het overdekte Beverly Center. 'Nee, nee, nee. Ik ga niet naar binnen en koop geen zielige stumper uit een puppyfabriek voor je.'

'Het zou niet zielig zijn,' zei Gary terwijl hij een zakje nootjes uit een plastic tasje om zijn pols viste. 'Pistachenootje?'

Ik tuurde in het zakje. 'Dat zijn cashewnoten.'

'Weet ik, maar pistache klonk geestiger.' Hij boog zich naar voren en tuurde door het raam. Een magere chihuahua keek ons met vochtige bruine ogen aan en kwispelde hoopvol met zijn sprietige staart.

Ik was op de afgesproken tijd bij de parkeerservice en had Gary er aangetroffen. Ik had hem toegestaan me richting de roltrappen te leiden en toen naar de derde verdieping, waar hij me, op weg naar de dierenwinkel, had gevraagd of ik wel eens een afspraakje via internet had gemaakt.

'Nee,' zei ik. 'Misschien dat ik het ooit nog ga doen. Maar ik kom net uit iets langdurigs...'

Hij knikte meelevend. 'Gevangenis?'

'Een langdurige relatie,' verhelderde ik. Oké, dat was niet helemaal waar, maar daar zou hij nooit achter komen. 'Langdurige relatie' klonk hoe dan ook een stuk beter dan 'één keer pijpen in een misleide dronken bui, met een vent die er twee dagen later met Taryn Montaine vandoor ging naar Puerto Vallarta'. De chihuahua gaapte en ging met zijn rug naar me toe opgekruld in een berg krantensnippers liggen. Geweldig. Mijn zielige excuus voor een liefdesleven was niet eens interessant voor de minder intelligente diersoorten.

'Ik heb vanavond een afspraakje,' zei hij.

'Dat is snel,' antwoordde ik terwijl ik een onaangename emotie voelde steken, die ik niet nader kon benoemen.

'Ja. Ik heb een andere foto geplaatst en dat gedoe over die schrijvers en de koekjes toegevoegd. Ik had voor het begin van de middag al vijf reacties en ik heb vanavond een afspraakje met' – hij staarde naar het plafond van het winkelcentrum en klikte met zijn tong tegen zijn gehemelte – 'een meisje dat scripts leest voor een filmmaatschappij. Ze heet Dana.'

'Wat leuk,' zei ik in een poging enthousiast te klinken. 'Dat is geweldig!'

'Ik kan wel wat kledingadvies gebruiken. Wat vind jij?'

Ik bestudeerde zijn kleren. Het leek wel of de hond hem vanuit zijn glazen kooi ook bestudeerde. Blauw t-shirt met lange mouwen en ronde hals, nette lange broek en oranje Puma's. Het officiële uniform voor de man-jongen in Los Angeles. Die broek moest het signaal IK HEB EEN BAAN geven, terwijl het nonchalante shirt en de gympen zeiden: MAAR IK BEN MIJN EIGEN BAAS. Robert liep in de houthakkershemden en t-shirts van popconcerten die hij nog van de middelbare school had. Niemand zou hem ooit per ongeluk voor een Man aanzien. Hij had me een keer verteld dat hij eens bij World of Pies zat en dat iemand een dollar in zijn koffiekop had willen gooien. Die op dat moment, zo vertelde hij me met een gepijnigde gezichtsuitdrukking, vol was.

'Ben jij vóór of tegen eau de toilette?' vroeg Gary.

'Daar heb ik geen mening over.'

Zijn adamsappel bewoog terwijl hij slikte. 'Help me even,' zei hij. 'Erger dan naar de verlangens en dromen van een zeventienjarige luisteren kan het niet zijn.' Hij leidde me richting Macy's en liet me een stuk of zes geurtjes ruiken, waarvan ik tranen in mijn ogen kreeg toen hij ze in de lucht spoot. 'Wat vind jij?' vroeg hij na elk luchtje. 'Werkt dit?'

Ik rolde met mijn ogen en begon uiteindelijk te lachen toen hij met zijn wenkbrauwen begon te wiebelen en met een gruwelijk Austin Powers-accent aan me vroeg of ik geil werd van het luchtje dat veel te overheersend naar limoen rook. 'Zijn jullie pas getrouwd?' vroeg de grijsharige verkoopster met bril terwijl ze Gary's Chanel pour Homme stond in te pakken.

Hij glimlachte vriendelijk naar haar en pakte mijn hand. 'Broer en zus.'

Ik wenste hem toen we weer bij de parkeerservice stonden veel geluk met zijn afspraakje.

'Het is nog niet te laat,' zei hij. Hij maakte een pompende beweging met mijn hand en bleef hem vasthouden.

'Te laat voor wat?'

'We kunnen nog teruggaan. Om die puppy te kopen. Dan zeg ik de scriptlezeres af. Dan zorg ik dat je je ellendige tijd achter de tralies vergeet. Dan gaan we naar het strand om de hond te laten rennen.'

Ik schudde mijn hoofd. 'Jij hebt de oefening nodig en ik heb andere plannen.' Ik maakte mijn hand van hem los en stak hem in mijn zak. 'Maar als ik jou was, zou ik eerst even douchen. Je ruikt nogal verwarrend.'

'Dat kunnen we niet hebben,' zei hij opgewekt, en hij gaf de parkeerbediende zijn bonnetje. 'Doei.'

'Succes,' zei ik, en ik liet hem achter om naar zijn afspraakje te gaan terwijl ik op weg ging naar het zwembad.

'Telefoon, Ruthie,' kondigde mijn oma aan terwijl ze de telefoon in haar handen hield alsof het een wild beest was dat ze met haar blote handen had weten te bedwingen. 'Het is een man,' zei ze op nadrukkelijke fluistertoon, voor het geval de maniakale glinstering in haar ogen me ontging. Het was zaterdag, zes dagen nadat ik Eenzaam in het winkelcentrum had achtergelaten. We hadden gemaild. Hij had verteld dat zijn afspraakje rampzalig was verlopen. Dana het scriptmeisje had een salade besteld en had de hele avond de blaadjes op haar bord opnieuw gearrangeerd en geklaagd over, respectievelijk, haar bazen-producenten, haar meest recente ex, haar vader en haar allergieën. 'Tegen de tijd dat we aan de koffie zaten had ik het gevoel dat ik niet alleen verantwoordelijk was voor mijn hele sekse, maar voor het hele universum,' had hij gezegd. Maar dat had hem er niet van weerhouden met iemand anders af te spreken. Twee iemand andersen, zelfs: een arts-assistent kindergeneeskunde op vrijdag, voor een borrel, en een pr-executive voor de zaterdagmiddagkoffie. Ik had hem advies gegeven over zijn kleding, luchtje en gespreksonderwerpen. Je moet oogcontact maken, zei ik. Kijk hen aan alsof ze belangrijk zijn, alsof ze de enige in de ruimte zijn. Hij had me bedankt en een cheque gemaild. Wat mijn oma er ook over dacht, we hadden een strikt zakelijke relatie.

Ik nam de telefoon aan, in de veronderstelling dat het Gary was die me zou willen vertellen wat hij had meegemaakt. 'Ruthie?'

Zijn stem ging, zoals altijd, recht door mijn hart en mijn knieën, waardoor het eerste ging bonken en de tweede begonnen te beven. Ik liet me op oma's abrikooskleurige fluwelen flauwvalbank met franje zakken en sleepte in mijn val twee gehaakte kleedjes met me mee. 'Rob,' zei ik zwakjes. 'Hoe is het?'

'Goed,' zei hij. En toen: 'Druk.'

'Dat zal best.' Ik wist niet of ik hatelijk of meelevend wilde klinken. Mijn stem sloeg over toen ik het laatste woord uitsprak. Verman je, zei ik streng tegen mezelf terwijl ik de kleedjes van de vloer raapte.

'Met een nieuw programma,' zei hij.

'O?' Mijn stem klonk beleefd. Ik was in de nasleep van onze wat-het-ook-was gestopt met het lezen van *Variety* en had aangenomen dat Rob nog aan *The Girls' Room* werkte, die nu zo'n beetje aan het volgende seizoen zou beginnen.

Ik leunde met mijn wang tegen het zachte materiaal van de bank terwijl hij zijn riedel afdraaide: een familiedrama waar hij de pilot voor aan het schrijven was. Sexy moeder, ex-alcoholistische vader, disfunctionele zusjes die samen een lingeriewinkel in Miami hebben.

'Lijkt het je wat?'

'Vraag je nou of ik ernaar zou kijken?'

Hij grinnikte. 'Nee. Ik weet dat je niet zó masochistisch bent. Zou je ervoor willen schrijven? We zouden je goed kunnen gebruiken, Ruth. We zouden jouw stem goed kunnen gebruiken.'

'Die krijg je niet,' flapte ik eruit.

Robs lachen klonk warm en toegeeflijk, het geluid van een vader die lacht om een schattig, maar koppig kind. 'Ik hoef hem ook niet te houden. Maar je hebt nu niets anders...' Zijn stem ebde weg, waardoor het een vraag werd. Toen ik geen antwoord gaf, sprak hij verder. 'Luister, je kunt niet de hele dag niksen. Je kunt per dag maar een bepaalde hoeveelheid baantjes trekken.' Zijn stem werd zachter. Ik zag hem voor me in een van zijn slonzige, doorschijnende shirts, met een baard van vijf dagen, zijn bril op en die zeldzame, heerlijke grijns op zijn gezicht. 'En ik mis onze samenwerking. We waren een goed team.'

'We waren helemaal niets,' zei ik. Mijn oma stond vanuit de keuken naar me te staren, met een hartversterkend glaasje crème de menthe in haar hand en opgetrokken wenkbrauwen.

'Ruth... luister. Het spijt me, wat er is gebeurd. Het spijt me als ik de verkeerde indruk heb gewekt.'

'Prima. Oké. Bedankt voor je belletje!' Ik hield mijn stem opgewekt. Misschien dat oma dan dacht dat mijn herenbeller een verkoper was.

'Dat interpreteer ik dan maar als nee,' zei hij.

'Nee,' zei ik, en toen zei ik, aangezien ik, wat er ook gebeurde, altijd beleefd was: 'Nee, dank je.'

'Dat is heel verrassend, Ruth,' zei hij. Toen hing hij op.

Ik heb die avond uren gezwommen, het betegelde baantje op en neer tot mijn armen gevoelloos waren. Toen ik thuiskwam, wachtte er een mailtje van Eenzaam. 'Ligt het aan mij,' vroeg hij, 'of zijn alle vrouwen geflipt?'

'Ik niet,' fluisterde ik tegen het beeldscherm. Maar dat schreef ik niet op. Ik typte: 'Tot morgen', zette mijn laptop uit en kroop in bed.

Ik reed de volgende ochtend naar het Beverly Center om een nieuw zwempak te kopen en bedacht dat ik even bij die dierenwinkel zou gaan kijken of dat hondje er nog was. Ik liep door de helder verlichte, drukke gang naar de roltrap toen ik een bekende figuur zag: lange benen in een spijkerbroek, knokige schouders, een beweeglijke bos glanzend donkerbruin haar. 'Caitlyn?'

Ze draaide zich om. 'O, hoi Ruth.' Ze droeg een te grote grijze sweater met capuchon met het woord BERKELEY op de voorkant. Haar hele torso verdween erin. Ze duwde een brandweerrode rolstoel met het misvormde lichaam van een jongetje erin. De jongen droeg ook een BERKELEY-sweater, met een stijve spijkerbroek die eruitzag alsof hij nooit werd gewassen, of gedragen; alsof er nooit in werd gelopen. Zijn hoofd rustte tegen een zachte hoofdsteun; het licht in het winkelcentrum weerkaatste in zijn brillenglazen. Hij slaakte een gil. Caitlyn keek naar hem, en toen naar mij.

'Dit is mijn broertje, Charlie. Charlie, dit is Ruth? Ze helpt me met mijn toelating?'

'Hoi.' Ik boog me voorover zodat mijn gezicht op de hoogte van dat van Charlie kwam. Ik keek op naar Caitlyn, die knikte, mijn hand pakte en hem tegen de zijne duwde. Zijn vingers waren strak tegen zijn handpalmen gevouwen en zijn huid was zo bleek dat ik de aderen eronder zag. 'Leuk je te leren kennen.'

Hij slaakte nog een gil, zijn lippen bewogen en zijn ogen waren op mijn gezicht gericht. Caitlyn pakte een zakdoek uit haar zak en veegde zijn lippen af. 'Zullen we gaan lunchen?' vroeg ze. Ik vroeg me af of Charlie de reden was dat ze altijd in de vragende vorm sprak, of ze daarom haar zinnen openliet, als leegtes die nooit werden gevuld. 'Wij gingen net naar het hapjesplein?'

'O. Veel plezier.'

Charlie kreunde, harder, en deed zijn best zichzelf begrijpelijk uit te drukken. Caitlyn boog haar glanzende hoofd naar hem toe en mompelde iets wat ik niet kon verstaan. De blik van haar broertje bleef op mij geconcentreerd en ik dacht dat ik zag waar hij naar wees, wat hij bedoelde.

Toen Caitlyn haar hoofd ophief, was haar bleke huid rood geworden. 'Sorry,' zei ze.

'Dat geeft niet,' zei ik.

'Hij is spastisch,' zei ze.

Charlies vuist hamerde tegen zijn borstkas.

Ik knikte, keek naar Charlie en raakte mijn wang aan. 'Dat heb ik aan een ongeluk overgehouden. Lang geleden.'

Caitlyn zuchtte en ging rechtop staan. 'Loop je even mee?' We gingen met z'n drieën naar het hapjesplein en gingen aan een plastic tafel met metalen poten zitten, omringd door kwebbelende tieners, moeders met dochters, en vrouwen tijdens hun lunchpauze, die een pak droegen met gympen eronder. Caitlyn bestelde een cola light en een puntzak friet voor Charlie. Ze dipte de patat in de ketchup en bracht met dezelfde afwezige, liefdevolle blik als de moeders die aan andere tafeltjes hun peuters zaten te voeren de frietjes naar zijn mond.

'Mijn ouders reden toen ik drie was over de Mass Pike naar Boston voor Thanksgiving. Ze stonden allebei voor de klas, ze hadden in Boston gestudeerd en zouden Thanksgiving bij vrienden doorbrengen. Ze zijn over een stuk ijs gereden en in een greppel geraakt. Ze zijn allebei omgekomen, en ik ben met mijn kinderstoeltje en al door de voorruit gevlogen. Daar heb ik dat litteken van.'

Charlie bewoog met een trekkende mond zijn gezicht naar zijn zus. 'Kun je het je nog herinneren?' vertaalde Caitlyn.

Ik schudde mijn hoofd. 'Nauwelijks.'

Caitlyn veegde Charlies mond met een servet af. 'Wie heeft er dan voor je gezorgd?'

'Mijn oma. Ze woonde in Coral Gables, maar dat vond ze geen goede omgeving voor een jong meisje, dus toen is ze naar het huis van mijn ouders in Framingham verhuisd, en daar ben ik opgegroeid.'

Ze leken over mijn woorden na te denken terwijl Charlie op een patatje kauwde. Hij had dezelfde bruine ogen en ronde kin als zijn zus. Hij had een veeg roze glitter op zijn wang, op de plek, nam ik aan, waar zijn zus hem had gekust.

Ik stond op.

'Nou, Caitlyn, dan zie ik jou zaterdag. Leuk je te leren kennen, Charlie. Fijne dag nog.' Wat klonk dat stom, afgezaagd. Ik vroeg me af wat Charlie voor leven had, gevangen in een lichaam waarover hij geen controle had, in staat te begrijpen wat hij zag en hoorde, maar niet in staat te communiceren. Ik was halverwege het hapjesplein toen ik me omdraaide, terugliep naar hun tafeltje en Caitlyn op haar schouder tikte. 'Hier zou je over moeten schrijven,' flapte ik eruit. Ze keek me met glanzende bruine ogen aan. Haar roze tasje hing aan een van de armleuningen van Charlies rolstoel, waar NAS-CAR-stickers op zaten geplakt. 'Ik heb me in je vergist,' zei ik.

Ze knikte, niet verrast. 'Dat geeft niet,' zei ze.

Ik ging die avond niet zwemmen. Toen het donker was geworden, trok ik een trui aan die van mijn moeder was geweest. Hij was versleten bij de ellebogen en gerafeld bij de zoom. Ze had op een paar van de foto's die ik van haar had die trui aan, en ik had het gevoel dat hij zelfs na al die tijd nog iets van haar vasthield... een walnootkleurige haar, de lavendelgeur van haar huid, onzichtbare handafdrukken waar mijn vader haar had aangeraakt, haar naar zich toe had getrokken. Ik ging opgekruld in een hoekje van de bank zitten en vertelde mijn oma over Caitlyn en Charlie. Ik begon halverwege het verhaal te huilen. Oma trok een prop tissuepapier uit haar mouw en gaf die aan mij.

'Wat is er, lieverd?' Ze droeg een witte nachtpon met overdadige hoeveelheden kant aan de kraag en manchetten; ze leek wel een vogeltje dat zijn kopje over de rand van zijn nest steekt.

'Dat weet ik niet.' Ik veegde mijn ogen af. 'Af en toe kunnen mensen me zo verrassen.'

Daar dacht ze even over na. 'Dat is goed,' zei ze. 'Zolang mensen je nog kunnen verrassen, ben je niet dood.'

Ik was om middernacht nog wakker, gespannen, met pijnlijke spieren; ik miste het water. Ik deed mijn laptop open, klikte MIJN DOCUMENTEN aan en dubbelklikte op MIJN GE-ZINNETJE. Het was een scenario waar ik jaren daarvoor aan was begonnen. Ik las langzaam de eerste tien bladzijden. Het was niet zo goed als ik had gehoopt, maar het was ook niet zo slecht als ik had gevreesd. Het had mogelijkheden. Ik bewaarde het document, opende mijn mailprogramma en las een bericht van Eenzaam, dat hij de dag ervoor had geschreven. 'Misschien moeten we eens uit eten gaan.'

Ik klikte BEANTWOORDEN aan en zag toen een mail van Caitlyn, van die middag. 'Nieuwe motivatie,' stond er in de onderwerpsregel.

'Mijn elfjarige broertje Charlie zal Parijs nooit zien,' had ze geschreven. 'Hij zal nooit honkballen of over het strand rennen. Hij kreeg toen hij drie maanden oud was de diagnose spastisch: "Spastische paralyse of verlamming: verlamming waarbij in de verlamde organen niet bewust te beïnvloeden bewegingen kunnen optreden." Mijn broertje ziet de wereld vanuit zijn rolstoel. Als ik ouder ben, zal ik dingen voor hem zien. Dan ga ik naar de plaatsen die hij niet kan bezoeken, naar plaatsen waar ze geen afgeschuinde stoepen of rolstoelopritten hebben, naar rommelmarkten en bergtoppen, overal ter wereld.'

Ik begroef mijn gezicht in mijn handen. Hoe was Caitlyn zo dapper geworden? Waarom was ik zo bang? Ik deed mijn ogen weer open en sloot het venster met Caitlyns essay. Mijn ongeschreven antwoord op Eenzaams bericht stond nog open en ik dacht aan wat ik tegen haar had gezegd toen we elkaar de eerste keer hadden ontmoet: 'We zijn er vroeg bij. Je kunt nog iets anders kiezen.'

Goede mannen

Bruce Guberman en de rest van de volgegoten vrijgezellen propten zich kort na drie uur 's nachts om een tafeltje bij World of Bagels en bedachten hoe ze de hond van Bruce' vriendin, een Rat terriër genaamd Nifkin, zouden gaan ontvoeren.

Aan het begin van de vrijgezellenavond waren ze met z'n twaalven geweest, in de afgehuurde achterkamer van een bar in Brooklyn. Ze hadden eerst een partij poolbiljart gespeeld, en daarna hadden ze gepokerd met kwartjes voor de wasmachine en metromuntjes. Poker had een goed idee geleken toen Tom, de getuige, de kaarten had uitgedeeld, ware het niet dat hij erop had gestaan dat de winnaar van elk potje een borrel achteroversloeg, met als gevolg dat er na het vijfde potje heel wat onachtzaam werd gebluft.

Na twaalven werd het erger, nadat vier van de laboratoriumcollega's van de bruidegom samen een taxi terug naar Manhattan hadden genomen en de ruimte begon leeg te lopen. Wolken rook en een zurige bierlucht hingen boven de gehavende houten tafels met overvolle asbakken erop. Tom gaf Neil, de bruidegom, zijn huwelijkscadeau, dat twintig gram wiet bleek te zijn, in een, zoals Neil het omschreef, feestelijk huwelijkszakje. Tom, met zijn rood aangelopen gezicht en lange slierten bruin haar die aan zijn zweterige wangen zaten geplakt, vond dat zo grappig klinken dat hij het maar bleef herhalen terwijl de eerste pijp rondging: 'Feestelijk huwelijkszakje!'

Een halfuur later arriveerde de stripper, die om de een of andere reden gekleed als Sneeuwwitje haar entree maakte, in een strak rood topje met een wijde blauwe rok en knalrode lippen. Bruce knipperde met zijn ogen en probeerde te doorgronden hoe het zat met dat kostuum. Werkte ze overdag in een sprookjespark? Haar zwarte haar glansde in het rokerige barlicht. Het zou best een pruik kunnen zijn geweest. Bruce wist dat soort dingen nooit zeker. Dan maakte Cannie, zijn vriendin, grijnzend een pirouette en vroeg hem: 'Nou, wat vind je ervan?', en dan staarde hij haar wanhopig aan. Wat was er veranderd? Was ze afgevallen, had ze haar haar laten highlighten? Had ze een nieuwe jas of nieuwe schoenen aan? Soms had ze met hem te doen en dan vertelde ze het: 'Er is bijna tien centimeter af, dat is zóveel!' zei ze dan terwijl ze haar vingers uit elkaar hield om haar woorden extra kracht bij te zetten. Dan knikte hij met een glimlach op zijn gezicht en zei dat ze er geweldig uitzag, terwijl de enige keer dat hij het echt zeker had geweten, was geweest toen ze haar haar had laten permanenten, en dat was alleen tot hem doorgedrongen vanwege de penetrante lucht.

De stripper zette een gettoblaster neer, waar een rapdreun uit kwam met insinuerende tekst: *Put your back into it, put your ass into it.* Ze had binnen vijf minuten haar kostuum uit en stond tegen de hele een meter zestig van de bruidegom aan, alsof ze een mechanisch paard op een draaimolen bereed, bewegingen te maken: op en neer, op en neer, met een stijve, rigide glimlach op haar gezicht terwijl Tom een liter whisky over het hoofd van de bruidegom goot.

'Ik ben de achtste dwerg!' bulderde Tom terwijl hij met zijn armen door de lucht maaide. 'De geile Horny!'

'Er is helemaal geen dwerg die Horny heet,' zei Chris, die in een keurig geperste bandplooibroek en een onberispelijk wit overhemd aan de bar zat en er helemaal niet uitzag alsof hij meer had gedronken dan de rest van de mannen samen. 'Ze heten... even denken... Sleepy, Happy, Grumpy... Doc... Sleepy...'

'Dopey!' schreeuwde Tom terwijl hij zijn haar uit zijn ogen schudde en met zijn vlezige schouders rolde alsof hij zich voorbereidde op een gevecht. 'Een van die dwergen heet Dopey! Nou vraag ik je!'

De stripper boog zich voorover, greep Neils kin en gaf hem een lange kus: ze duwde haar lippen tegen die van hem en bewoog haar hoofd heen en weer alsof ze water uit haar oren probeerde te schudden. De pijp ging nog een keer rond en Bruce inhaleerde diep. 'Bashful,' zei Chris. Bruce gaf hem de pijp. Chris zoog de rook naar binnen, hield zijn adem in, liep roze aan en blies de rook proestend weer uit. Chris werkte minder en blowde meer dan iedereen die Bruce kende, maar aangezien hij was gezegend met een rechte kaaklijn en de fijne gelaatstrekken van een stripheld, compleet met het donkerbruine haar en de helderblauwe ogen van Superman, kon Chris wegkomen met moord. 'Happy... Doc...' ging Chris verder. De stripper verdween in de badkamer, kwam in haar gewone kleding weer naar buiten en eiste met een zwaar Long Island-accent haar geld. Bruce, die om de een of andere reden minder dronken was dan de rest, zamelde bij de overgebleven zes mannen elk twintig dollar in en gaf haar het geld. De stripper stak de biljetten in haar tasje. 'Wens jullie vriend maar veel geluk van me,' zei ze terwijl ze naar hem glimlachte. Toen draaide ze zich om en knipoogde naar Chris.

Ze had haar sleutels in haar hand en Bruce zag dat er een dof geworden plastic vierkantje met een foto van een kindje erin aan zat. Het meisje droeg een wit jurkje met ruches en een haarbandje met lovertjes om haar grotendeels haarloze hoofdje. De stripper zag dat hij ernaar staarde en glimlachte geanimeerder dan ze naar Neil had geglimlacht tijdens de drie nummers en het gesimuleerde pijpen.

'Dat is Madison,' zei ze. 'Wat een schatje, hè?'

Bruce knikte glimlachend zijn instemming en wilde niet echt nadenken over een wereld waarin vrouwen zich kleedden als Sneeuwwitje, voor geld hun kleren uittrokken, en thuis voor een meisje zorgden dat Madison heette.

'Heb jij kinderen?' vroeg ze.

Bruce schudde zijn hoofd. Ze reikte omhoog en tikte tegen zijn wang.

'Dat komt nog wel,' voorspelde ze. 'Je leert nog wel iemand kennen.'

Hij wilde haar vertellen dat hij al iemand had leren kennen. Hij wilde iemand over hem en Cannie vertellen, en over het gesprek dat ze zaterdagavond hadden gehad, dat was begonnen toen zij hem een glas wijn had gegeven en naast hem op de bank was komen zitten, vlak naast hem, maar zonder hem aan te raken, en hem had gevraagd: 'Denk jij wel eens over onze toekomst na?'

Maar de stripper gooide haar tas al over haar schouder en maakte aanstalten te vertrekken. Neil stond in een hoek een sigaar te roken met Tom en Chris, hij wiegde licht naar voren en naar achteren, als een man die probeert onder water te dansen. Hij had een gelukzalige glimlach op zijn gezicht, er hing een jarretelgordel om zijn hals en de whisky droop uit zijn haar. 'Jullie zijn geweldig!' schreeuwde hij. Nu zijn bril zo scheef op zijn smalle gezicht stond, vond Bruce dat hij er exact zo uitzag als toen ze elkaar hadden leren kennen, in het wetenschapsclubje in groep 8, een bleke slungel, voorbestemd om in elkaar geslagen te worden op elke speelplaats ter wereld. Tijd om op te stappen, dacht Bruce, en hij liep naar buiten om een taxi aan te houden.

Toen kwam de volgende kroeg, en daarna nog een, en onderweg een heleboel tequila. Tom propte zijn een meter tachtig lange ex-footballerslichaam tijdens een van de taxiritjes op de bijrijdersstoel en probeerde de chauffeur ervan te overtuigen dat Walt Disney een junk was geweest, 'want hoe kun je anders verklaren dat hij een dwerg verzint die Dopey heet?'

In de laatste bar hadden ze een groepje vrouwen aangetroffen met penisvormige roerstokjes in hun drankje.

'We hebben een geitenfuif,' legde een van hen uit terwijl ze met een dildo naar hen zwaaide en de vrouw in het midden, met een sluier scheef op haar hoofd, gillend een eetbaar slipje uitpakte. Ze betaalden een rondje voor de dames en Chris vroeg of ze een stripper hadden gehad. Toen ze nee zeiden, klom hij op hun tafeltje en trok zijn broek naar beneden over zijn heupen, waarbij zijn enorme harige witte buik zichtbaar werd en hij zichzelf nogmaals uitriep tot de achtste dwerg, Horny. Dat was voor de uitsmijter het sein hem bij zijn middel te grijpen, van de tafel te trekken en de hele groep de deur uit te werken.

En toen zaten ze om drie uur 's nachts met z'n vijven aan een tafeltje in dat eetcafé; Neil, die over twee dagen ging trouwen, zat tussen Tom, die tijdens hun studie zijn kamergenoot was geweest en die nu Honda's verkocht, en Chris, die Neil, net als Bruce, al kende sinds de basisschool. Aan het hoofd van de tafel zat iemand uit Neils laboratorium, ook een onderzoeker, Steve, die met zijn hoofd op zijn onderarmen zat te slapen, óf knock-out was gegaan.

Bruce gaf hem een por. 'Hé, joh,' zei hij. 'Gaat het wel?'

De man keek op, zijn blik was wazig. 'Bestel eens een omelet voor me,' instrueerde hij. Zijn hoofd zakte met een hoorbare bonk terug op het tafeltje.

Ze bestelden. Neil trok een handjevol servetjes uit de houder en begon zijn bril te poetsen. Tom zat te rillen in zijn hemd, alsof het ineens tot hem doordrong dat hij zijn overhemd in die bar bij die vrijgezellinnen had laten liggen. 'Koud,' zei hij, en hij nam een grote slok koffie. Chris greep zijn mok.

'Wacht even,' zei hij. 'We moeten nog toosten!'

Tom pakte zijn koffiekop; zijn bruine ogen glansden van warmte en alcohol. 'Op Neil,' begon hij. 'Neil... ik houd van je als van een broer, en... en...'

'Hier,' zei Chris. Hij viste een heupfles uit zijn zak en mikte onstabiel een scheut whisky in ieders koffie. 'Op de op één na laatste nacht van je vrijgezelle leven,' zei hij tegen Neil.

Tom zag er verward uit. 'Laatste nacht?' herhaalde hij. 'Hij gaat toch niet dood? Hij gaat alleen trouwen.'

'Zijn op een na laatste vrijgezélle nacht,' zei Chris. 'Ik bedoelde dat dit de laatste nacht is dat hij echt pret zal hebben.' Hij dacht even over zijn woorden na. 'De laatste nacht dat hij als vrijgezel pret zal hebben, dan.' Hij keek naar Neil. 'Toch?'

'Ik denk het,' zei Neil. Hij liet een boer. 'Het is me het nachtje wel.'

'Vertel eens wanneer je het wist,' zei Tom plotseling. Hij zette zijn ellebogen op tafel en staarde Neil met bloeddoorlopen ogen aan.

'Wanneer ik wat wist?'

'Dat je wilde trouwen,' zei Tom, en hij keek Neil verwachtingsvol aan.

Neil haakte zijn brillenpoten zorgvuldig achter zijn oren. 'Toen ik wist dat ik van haar hield.'

'Ja, oké,' zei Tom. 'Maar hoe weet je dat je over drie of vijf jaar nog steeds van haar houdt?'

Neil haalde zijn schouders op. 'Dat weet ik niet,' zei hij. 'Ik weet alleen wat ik nu voel en ik hoop... We kunnen goed met elkaar opschieten.'

Bruce knikte, hoewel hij het stiekem met zijn vriendin eens was, die zei dat de festiviteiten weinig te maken hadden met liefde en alles met het feit dat Neil eindelijk een vrouw had gevonden die én met hem naar bed wilde, én de cruciale vijf centimeter kleiner was dan hij.

'Ze kunnen met elkaar opschieten,' herhaalde Tom.

'Dat is belangrijk,' zei Chris. 'Dat is... een basis.'

'Fijn. Voor nu. Voor nu is dat prima. Maar hoe zit dat dan in de toekomst? Je ontmoet iemand, ze maakt je geil, je kunt met haar opschieten, je trekt samen op en voor je het weet...' Tom legde twee brede vingers op tafel en maakte een brommend geluid terwijl hij ze naar de fles ketchup liet glijden. 'Is het zo!'

Chris begreep het niet. 'Liefde is zoals je vingers?'

Tom zuchtte. 'Liefde is als een roltrap. Of als zo'n loopband op het vliegveld. Je gaat met iemand uit en dan is het ineens niet meer te stoppen. Je gaat samen uit, je besluit te gaan samenwonen, waarom niet, nu je het elke avond doet, en dan ben je ineens getrouwd, is het vijf jaar later en heb je kinderen met wie je kinderdingen moet doen, en zij is misschien ondertussen gaan zeuren, of dik geworden, of misschien wil je gewoon je vrijheid terug.' Hij was even stil en nam een slok koffie. 'Misschien wil je naar een meisje op straat kijken en denken: ja, het zou kunnen gebeuren, ze zou je haar nummer kunnen geven en het zou kunnen gebeuren, het zou kunnen werken...'

'Tom,' zei Neil terwijl hij een hand op de schouder van zijn vriend legde, 'dat gebeurt niet.'

'Je begrijpt me niet! Waar het om gaat, is dat het zou kunnen gebeuren! Waar het om gaat, is dat elke alleenstaande vrouw in dit, in dit, dit... waar zijn we?'

Bruce keek op zijn placemat. 'De World of Bagels.'

'Dat elke vrouw in de World of Bagels de ideale vrouw voor Neil zou kunnen zijn. Elke vrouw hier zou zijn zielsverwant kunnen zijn. En dat zal hij nooit weten omdat die weg is afgesloten.' Tom trok iets uit zijn zak en begon ermee in het ritme van zijn woorden door de lucht te zwaaien. 'Je loopt over een weg, komt bij een splitsing, kiest een richting, en je zult nooit weten waar die andere weg naartoe leidde.'

Bruce kneep zijn oogleden half samen en het drong tot hem door dat Tom met een penisvormig roerstokje zat te zwaaien.

'Dan vergooi je je kansen met...' Tom keek om zich heen. Aan de bar zat een stel zwaargebouwde mannen, hun billen hingen over hun kruk, en een serveerster die oud genoeg was om hun moeder te zijn, stond het werkblad af te nemen.

'Tom,' zei Chris, 'doe niet zo deprimerend.'

'Het is de waarheid,' zei Tom. 'Ik kan het weten.'

'Hoezo?' vroeg Neil.

Tom schudde zijn hoofd en nam een grote slok koffie. 'Ik heb het bij mijn ouders zien gebeuren,' zei hij. 'Ik heb gezien hoe het voor hen was. Ze zijn getrouwd toen ze allebei vijfentwintig waren, toen kregen ze mij, toen mijn zusje Melissa, en tegen de tijd dat ik zes was, hadden ze elkaar niets meer te vertellen. Het waren twee mensen die in hetzelfde huis terecht waren gekomen en elke avond tegenover elkaar aan tafel zaten.'

'Zijn ze gescheiden?' vroeg Bruce.

'Wiens ouders zijn niet gescheiden?' antwoordde Tom. De ouders van Bruce waren niet gescheiden, maar hij wist wel beter dan Tom te onderbreken. 'Mijn vader heeft haar jaren bedrogen. Hij heeft de meest idiote leugens verteld. Hij zei dat hij moest overwerken en dat geloofde ze. Altijd maar overwerken.'

'Hadden ze ruzie?' vroeg Bruce.

Tom schudde zijn hoofd. 'Niet echt. Dat was niet het ergste.' Hij reikte over de tafel heen naar de suiker en schepte wat in zijn koffie. 'Mijn vader is weer gaan roken. Vlak voordat hij is vertrokken, toen ik een jaar of dertien was en Missy tien. Dan liep hij met zijn sigaretten naar de veranda en stak er recht onder Missy's raam een op. Weet je nog hoe gek ze je op school maken over sigaretten... dat ze je vertellen dat je dood neervalt als je er één rookt, en dat ze die longfoto's laten zien?'

Iedereen aan tafel, behalve die ene vent die in slaap was gevallen, knikte. Dat van die longfoto's wisten ze nog wel.

'Dus dan stond hij daar en stak er een op en dan werd Missy wakker van de rooklucht. Dan leunde ze uit het raam en vroeg hem op te houden. "Papa, doe dat nou niet. Papa, niet doen." Maar hij ging gewoon door. Hij rookte en rookte maar en dan lag zij daar te huilen, en dan deed hij alsof hij haar niet hoorde, tot hij uiteindelijk in zijn auto stapte en vertrok. Missy dacht dat het aan haar lag. Dat hij wegging. Dat heeft ze me heel veel later verteld. Dat hij vanwege haar was weggegaan. Omdat zij tegen hem had gezegd dat hij moest stoppen met roken.'

Iedereen aan tafel was stil, behalve die ene vent die in slaap was gevallen en zacht lag te snurken.

'Hoe is het nu met je zusje?' vroeg Bruce.

'Ze woont in het centrum,' zei Tom. 'Ze is met haar studie

gestopt. Ze is in de war, denk ik.' Hij was even stil en nam een grote slok koffie met whisky. 'Volgens mij heeft ze nooit kunnen verwerken dat hij is weggegaan. Niet echt. Ze denkt nog steeds dat het haar schuld is.'

Neil zette zijn bril af en begon de glazen nog een keer te poetsen. Bruce bedacht dat iedereen wel zo'n meisje kende, een meisje dat het moeilijk had. Hij had op de middelbare school tegenover zulke meisjes gezeten en had toegekeken hoe ze hun schrift vol kliederden met sterren, hartjes en initialen in krullende letters, hun voornaam verstrengelend met de achternaam van de klassenvertegenwoordiger of de quarterback, zonder ook maar een woord op te schrijven van wat de leraar stond te vertellen; en hij had ze in de kroeg gezien, waar ze te hard lachten, te veel dronken en vertrokken met de eerste de beste jongen die in hun oor fluisterde dat ze mooi waren.

Chris zag er meelevend uit toen hij iets in Neils oor fluisterde. Neil hief zijn glas sinaasappelsap. 'Op Tom,' zei hij. 'De getuige.'

Tom probeerde de toost chagrijnig weg te wuiven. Maar Neil liet zich niet afschepen.

'En op Chris, Bruce en Steve.' Steve was zeker die vent die in slaap was gevallen, nam Bruce aan. 'Goede mannen.'

Daar kon Chris wel wat mee. 'Middelmatige mannen,' zei hij terwijl hij zijn arm om de schouders van de bruidegom sloeg. 'Marginale mannen.' Toen het eten werd geserveerd, zat iedereen te lachen.

Neil duwde zijn bord weg en keek om zich heen. 'En wie is de volgende?' vroeg hij.

'De volgende? Ik niet, man,' zei Chris. 'Ik krijg een meisje niet eens zover dat ze een week blijft.' Dat was eigenlijk een leugen, aangezien meisjes, aantrekkelijk als hij was, verliefd op hem waren na twee drankjes aan een bar, maar Chris raakte in paniek als ze te vaak belden en was gewoonlijk degene die er een eind aan maakte.

'Tom? Nee, geef daar maar geen antwoord op,' zei Neil haastig.

'Ik zou best willen,' zei Tom. 'Ik geloof er nog steeds in. Als ik een jaar of vijfenveertig ben en niet meer altijd zin heb. Als het niet meer uitmaakt dat zij niet altijd wil.'

'Waarom zoek je niet gewoon een meisje dat nu altijd zin heeft?' vroeg Neil.

Tom schudde zijn hoofd. 'Meisjes die altijd zin hebben, bestaan niet. Zo'n meisje bestaat niet.'

'Dus dan wacht je gewoon?' vroeg Neil.

'Dat heeft mijn vader ook gedaan. De tweede keer tenminste,' zei Tom. 'Nadat hij uiteindelijk is vertrokken, is hij een tijdje alleen gebleven en toen is hij met een kleuterleidster getrouwd. Ze is zwanger.'

'Je wordt een grote broer!' zei Chris.

'Ja,' zei Tom zuur terwijl hij zijn haar achter zijn oren streek. 'Wat een mazzel.'

'Bruce?'

Bruce staarde naar zijn bord; hij voelde zich ineens schuldig dat hij zo'n relatief rustig leven had. Zijn ouders hadden net hun dertigjarige huwelijk gevierd. Ze hielden er geen verhouding op na – in elk geval voor zover hij wist – en hadden nooit slaande ruzie. Zijn ouders liepen nog hand in hand over het strand; zijn vader gaf zijn moeder nog steeds altijd meteen een kus als hij uit zijn werk kwam. En ze waren het eens over de meeste belangrijke kwesties die hij kon bedenken: religie (joods, semibelijdend), politiek (Democratisch, hoewel zijn moeder zich er drukker om leek te maken dan zijn vader) en hun waardering voor zijn aanhoudende studentenstatus (vaag: Bruce was er heel behendig in geworden van onderwerp te veranderen als ze naar zijn op-dit-moment-nog-ongeschreven afstudeerscriptie vroegen, en na drie jaar was het vragen eenvoudigweg opgehouden).

En met Cannie begon het serieus te worden. Als je achtentwintig was en drie jaar met iemand samen, werd het serieus of het hield op. Volgens haar, tenminste. 'We zullen uiteindelijk toch een stap moeten zetten, anders...' Ze duwde haar handen samen en liet ze weer vallen.

Bruce had Cannie op een feestje in Philadelphia leren kennen, zo'n feest waar hij een vriendin van de gastvrouw kende, op een zaterdagavond dat hij niets te roken had en niets anders te doen. Tegen de tijd dat hij er aankwam, was het feest al uren in volle gang. Cannies ogen flonkerden als ze praatte; ze gebaarde met haar ene hand terwijl ze een glas rode wijn in haar andere hield. Er stonden mensen om haar heen en Bruce was erbij gaan staan, benieuwd wat er werd gezegd.

Het feest was in een kleine flat, de kamer heet en overvol, ondanks het feit dat al het meubilair tegen de muren was geschoven. Ze hadden even staan kletsen bij de geïmproviseerde bar in de keuken en Cannie leunde tegen hem aan, boven de muziek uit schreeuwend. Hij wist nog hoe haar lippen zijn wang hadden geraakt terwijl ze hem de meest alledaagse feitjes vertelde: waar ze op school had gezeten en wat voor werk ze deed. En hij wist nog hoe ze had gelachen om zijn pogingen grappig te zijn, hoe ze zijn arm met haar hand had aangeraakt, hoe ze haar hoofd naar achteren had bewogen, waardoor hij de bruine huid in haar hals kon zien.

Hij had geprobeerd haar aan het lachen te maken, maar zij was degene die echt geestig was. 'O!' had ze de eerste keer dat ze hem uit de douche zag komen gezegd. 'Je hebt je kluizenaars-miljonairsbadjas aan!' Ze had een keer zitten ratelen over een probleem bij de krant waar ze werkte en toen had hij zijn hand speels over haar mond gelegd en gezegd dat hij maar van één ding verwachtte dat ze het dat weekend zou opendoen. Ze had hem stralend aangekeken. 'En dat is?' had ze gevraagd, haar stem gedempt en haar mond warm tegen zijn handpalm. 'Mijn portemonnee?'

Ze was geestig en slim, ambitieus en mooi, en verschrikkelijk onzeker... maar dat gold in zijn beperkte ervaring met vrouwen voor de meesten. Hij hield van haar. Hij wist vrijwel zeker dat hij van haar hield. Maar het was niet perfect. Om te beginnen woonden ze twee uur reizen bij elkaar vandaan, en ze zagen elkaar alleen in het weekend. Bruce hield van uitslapen en blowen en had de neiging dingen in zijn flat te laten liggen op de plek waar hij ze had uitgetrokken of neergelegd. Kleding lag op de vloer tot hij niets schoons meer had, wanneer hij alles in een wasmand gooide, waarmee hij naar zijn moeder reed, die zijn was dan deed. Borden stonden in de gootsteen tot ze vliegen aantrokken. Eten bleef in de koelkast staan tot het was verrot of vloeibaar was geworden. In Cannies flat was alles netjes, had alles een eigen plaats, wat betekende dat hij aan de lopende band dingen op de verkeerde plek zette, dingen omverstootte en een glazen kandelaar van haar favoriete servies brak.

Ze had hem er meer dan eens van beschuldigd dat hij door het leven dwaalde, tevreden tot zijn dood een eeuwige student te zijn, in de wetenschap dat zijn ouders zijn opleiding zouden blijven betalen. Hij maakte zich zorgen dat ze zich niet kon ontspannen, dat ze het leven als een eindeloze marathon zag en zichzelf als mislukkeling als ze de wedstrijd niet won.

Hij maakte zich zorgen om hoe verdrietig ze kon zijn. Er kwam depressie in haar familie voor. Daar had ze hem voor gewaarschuwd nadat ze voor het eerst met elkaar naar bed waren geweest. 'Ik zou maar uitkijken,' fluisterde ze. 'Mijn hele familie is gek. Klinisch gek.' Hij zei dat hij nergens bang voor was. 'Mijn zus slikt Prozac,' zei ze terwijl ze haar lippen tegen zijn nek duwde. 'Mijn oma is gestorven in een inrichting.' Hij kuste haar nog een keer en ze maakte een vogelachtig geluid. Hij bedacht terwijl hij haar vasthield dat dit best eens menens kon zijn, dat dit een meisje was van wie hij de rest van zijn leven zou kunnen houden.

En waarom ook niet? Ze waren even oud en hadden dezelfde religieuze achtergrond. Ze had een goede baan; ze had een veelbelovende toekomst (op papier tenminste). Maar toen ze naar hem opkeek, opgekruld op de bank, met grote ogen, toen ze met haar vinger over de rand van haar wijnglas streek en vroeg: 'Bruce, hoe gaan we verder?' had hij zijn mond opengedaan en ontdekt dat hij geen idee had wat hij moest zeggen. 'Dat geeft niet,' had ze gezegd. 'Je weet het niet zeker. Geen probleem. Ik wacht wel.' Toen ze naar hem opkeek om hem aan te kijken, was hij bang geweest dat ze huilde, maar dat deed ze niet. Ze zag er niet verdrietig uit. Alleen vastberaden. 'Ik wacht wel,' had ze gezegd, 'maar ik wacht niet voor altijd.'

'Nou?' vroeg Neil. Zijn bleke gezicht met scherpe gelaatstrekken stond vragend. 'Zijn Cannie en jij de volgenden?'

'Misschien,' zei Bruce.

'Misschien?' vroeg Tom terwijl hij zijn wenkbrauwen optrok en zijn grote vuisten op tafel balde.

'Ja, wat bedoel je met "misschien"?' vroeg Neil.

Bruce zei het eerste wat in hem opkwam. 'Ik haat die hond van haar,' flapte hij eruit. Dat was tenminste zonder twijfel de waarheid. Cannie had zo'n irritant keffertje, een tweedehands terriër met een gemengde stamboom. Hij had bruine en witte vlekken en een litteken van waar zijn moeder hem had gebeten (wat een teken van meer gezond verstand was, dacht Bruce stiekem, dan de kleine Nifkin de drie jaar dat hij het kleine kreng kende had laten zien). Ze had hem met zijn naam gekregen, een teleurstelling voor zijn baasje, die Bruce vertelde dat ze altijd van plan was geweest haar hond Armageddon te noemen, naar het nummer van Morrissey. 'Het refrein gaat: "*Armageddon, come Armageddon, come Armageddon, come,*" had ze gezegd. Ik heb altijd geweten dat als ik een hond zou krijgen, ik hem zo zou noemen, zodat ik in het park kon staan en kon roepen: "Kom, Armageddon!"' Bruce had een hekel aan Morrissey, hij had een hekel aan flauwe dierennamen en vond elke hond die minder dan tien kilo woog meer een decoratief kussentje dan wat anders, maar die informatie had hij zorgvuldig achtergehouden voor Cannie.

'Nifkin?' vroeg Chris. 'Wat is er mis met Nifkin?'

'O, je weet wel,' zei Bruce. 'Hij heeft zo'n kefferig blafje, hij laat overal haren achter en hij haat mij.'

'Waarom?' vroeg Neil.

'Omdat hij bij Cannie in bed mag slapen als ik er niet ben, maar als ik er ben, moet hij in zijn mand. En als ik er ben en zij is even weg, ligt hij me de hele tijd aan te staren. Echt eng.' En dat was niet het enige. Cannie zat de hond altijd te aaien, nam hem op schoot en praatte tegen hem in een vertederd babytaaltje waar Bruce geen woord van begreep. Ze wist dat hij een hekel aan Nifkin had, wat niet bevorderlijk was voor hun relatie. Ze had in een plagerige bui eens tegen Bruce gezegd dat als er een wensgeest uit een fles zou komen, Bruce zou wensen dat Nifkin in een zak wiet zou veranderen. Waarop Bruce, ook in een plagerige bui, had gezegd: 'Zeker weten.' Dat nam Cannie hem nog steeds kwalijk. Als ze ruzie hadden, begon ze er nog steeds over. 'Als je naar mijn hond kijkt, zie ik moord in je ogen!' zei ze dan terwijl ze de bevende terriër tegen haar borst drukte, haar toon een beetje plagerig, maar toch serieus... dezelfde toon waarmee ze hardop mijmerde over hoe ze hun kinderen zouden gaan noemen.

Tom zette met een klap zijn mok op tafel, spande zijn armspieren aan en staarde Bruce met bloeddoorlopen bruine ogen aan. 'Die hond,' zei hij, 'moet worden geëlimineerd.'

'Hè?'

'Bruce,' zei hij, 'ik doe dit voor je toekomst. Ik doe het voor de toekomst van het hele ras. Geen hond, geen problemen. Die hond moet weg.'

Dus daar zaten ze, de overgebleven goede mannen, in Neils keurige zilverkleurige Camry gepropt, die net voor de bruiloft was schoongemaakt. Bruce Springsteens 'She's the One' klonk uit de speakers en ze reden met honderd kilometer over de New Jersey-tolweg op weg naar Philadelphia om Nifkin te bevrijden. Bruce zat voorin en nipte aan een fles tequila; niet zoveel dat hij onderuit zou gaan, maar genoeg om hem ervan te overtuigen dat dit een goed idee was. Tom en Chris zaten achterin en Steve lag over hun schoot heen, met zijn hoofd opzij: 'Zodat hij niet in zijn eigen kots stikt als hij gaat overgeven,' legde Chris uit.

'Hé,' zei Neil angstig, 'probeer zijn hoofd uit het raam te hangen als dat gebeurt. Ik moet na de bruiloft met deze auto naar het vliegveld.'

'Heel veel rocksterren stikken in hun eigen kots,' zei Chris, waarna hij in slaap viel met zijn hoofd tegen het raampje, zijn mond een beetje open, zijn kin op zijn gestreken witte overhemd rustend.

Toen ze daar zo reden met de voorjaarslucht die door de open raampjes naar binnen stroomde en de kilometers die voorbijzoefden, voelde Bruce dat hij leefde, voelde hij zich opgewonden vastberaden. Ze konden de wereld die nacht niet veranderen, ze konden Toms zusje, Missy, niet redden en ze konden het raadsel van het goede moment om te trouwen niet oplossen, maar het probleem van een terriër van vijf kilo met een rottig karakter en een rotnaam, dat konden ze wel oplossen.

Het plan was dat Bruce Cannies flatje zou binnenglippen en dat hij Nifkin met de restjes van Steves omelet naar de woonkamer zou lokken. Als ze de hond eenmaal de voordeur uit hadden gewerkt, zouden Tom en Chris hem in Neils jasje wikkelen en in de auto zetten. Dan zouden ze naar Valley Forge rijden, waar Washingtons troepen hadden overwinterd, waar ze hem los zouden laten.

'Dan kan hij in het wild leven,' zei Tom. 'Zoals het hoort.'

Bruce bedacht dat er waarschijnlijk geen hond bestond die minder in het wild thuishoorde dan Nifkin, die dineerde met hamburgers en roerei en die op een kussen met zijn geborduurde monogram erop sliep, maar dat zei hij niet. In plaats daarvan nam hij een grote slok tequila. Hij had zichzelf er bijna van weten te overtuigen dat het plan kon werken. Hij zag het al voor zich: de hond weg, Cannie zo wanhopig dat ze getroost moest worden en zo overstuur dat ze zich niet afvroeg hoe Nifkin het voor elkaar had gekregen de voordeur van de flat open te maken en te ontsnappen.

'Het wordt geweldig,' zei Chris, die wakker was geworden bij het tolhokje bij afrit 4, vlak voor de Ben Franklinbrug.

'Het wordt prachtig,' zei Tom, die de capuchon van Neils te kleine sweater over zijn hoofd trok en een ruk aan de touwtjes gaf, waardoor Bruce alleen het puntje van zijn neus en de Raspoetin-achtige glinstering in zijn ogen nog zag.

'En als hij nou terugkomt?' vroeg Neil met zijn blik op de weg gericht. 'Zoals Lassie. Dat gebeurt soms toch? Dat honden het hele land door zwerven naar het huis waar ze ooit hebben gewoond?'

Er viel een stilte. Bruce dacht aan Nifkin. Hij droeg een hartvormige identificatiepenning aan zijn met bergkristal afgezette halsband en als het sneeuwde trok Cannie hem miniatuur Gore-Tex-laarsjes aan. Nifkin leek hem niet het soort hond dat het hele land door zou zwerven op zoek naar zijn baasje. Hij vond Nifkin meer het soort hondje dat een besneeuwde straat weigert over te steken als het zijn laarsjes niet aanheeft.

'Maak je geen zorgen,' zei Tom uiteindelijk. 'Hij wil heus niet terug. Hij is vast veel gelukkiger in de natuur... met al die eekhoorns en zo.' Hij staarde dromerig uit het raam. 'Honden zijn dol op eekhoorns.'

Neil deed de verlichting uit toen ze Cannies straat in reden, en de motor toen ze bij haar flatgebouw in de buurt kwamen, waardoor de auto als een haai in zwart water over straat gleed.

'Kom, mannen,' fluisterde Neil terwijl hij over de versnellingspook heen reikte om Bruce' schouders in een semi-omhelzing vast te grijpen. 'Onthoud dat we dit voor de liefde doen.'

Bruce stak zijn sleutel in het sleutelgat, liep zacht de drie trappen op, maakte nog een deur open en sloop de woonkamer en gang van Cannies flat door. Hij duwde langzaam haar slaapkamerdeur open. Er hing een lichtroze jurk aan de kast, haar jurk voor Neils bruiloft. Ze sliep op haar zij, haar haar over het kussen gevallen, haar lichaam een vormeloze bobbel onder haar donzen dekbed. Nifkin lag opgerold op het kussen naast haar.

'Nifkin?' fluisterde hij. Hij tuitte zijn lippen en floot zacht. De hond bewoog zijn oren, maar bleef verder stil liggen. Bruce liet zijn handen onder het warme, soepele lijf van de hond glijden en tilde hem op. Nifkin deed zijn ogen open, gaapte en staarde Bruce aan. 'Brave hond,' zei Bruce. Nifkin gaapte nog een keer en keek verveeld om zich heen.

Cannie mompelde iets in haar slaap en rolde om naar de lege ruimte die de hond had achtergelaten. Bruce stond naast haar bed met Nifkin in zijn handen zonder met zijn ogen te knipperen naar hem te staren. Hij dacht aan zijn ouders, aan hoe ze hand in hand over het strand liepen. Hij dacht aan Toms vader, aan hoe die met zijn sigaret op de veranda stond terwijl zijn dochter lag te huilen. Dat kon hij beter.

'Trouw met me,' fluisterde hij. De woorden bleven in de lucht hangen. De hond staarde hem aan. Cannie draaide zich weer om en slaakte dromend een zucht.

Hij legde de hond zachtjes terug op zijn kussen met monogram, trok het dekbed over Cannies schouder, boog zich naar beneden en kuste haar op haar wang. 'Ik houd van je,' fluisterde hij. Zijn adem deed haar haar bewegen. Hij sloot zijn ogen en leunde tegen de muur, voelde de zwaarte van de kilometers die hij had gereisd, van alles wat hij die avond had gedronken en gerookt, van alles wat hij had gehoord, en het drong tot hem door dat hij zijn hele leven nog nooit zo moe was geweest. Maar hij ging niet liggen. Hij bewoog niet. Hij stond daar in de duisternis, met gesloten ogen, op zijn antwoord te wachten.

Kopersmarkt

'Ik wil niet meteen zeggen dat dat het stomste is wat ik ooit heb gehoord,' zei Namita terwijl ze op haar barkruk ging verzitten en haar strakke wollen broek rechttrok. Een man aan de pooltafel grijnsde goedkeurend naar haar. Namita knikte onderkoeld terug en richtte haar aandacht toen weer op Jess. 'Maar dat is het wel. Serieus, dat is het stomste wat ik ooit heb gehoord.'

'Ik weet niet zeker of ik het echt ga verkopen,' schreeuwde Jess in de ijdele hoop dat haar vriendin haar verstond in het gebulder van de jukebox en het geklets van de ongeveer honderd mensen in de kroeg. Het leek wel of elke vrouw die ze zag een meter tachtig was en blond haar had, wat Jess – met haar een meter vijfenvijftig en bruine krullen – zich normaal gesproken nog kleiner en muiziger deed voelen dan ze al was, maar ze leek die avond wel aangeschoten alsof ze champagne had gedronken, alsof haar hart met helium was gevuld, alsof ze kon zweven. 'Waarschijnlijk niet.' Ze nam een grote slok van de Pabst Blue Ribbon die Namita had besteld. 'Jakkes. Het bier is lauw.'

'Jammer genoeg smaakt het koud niet veel beter. En verander niet van onderwerp! Jij,' schreeuwde ze terwijl ze met een beschuldigende vinger naar Jess zwaaide, 'hebt het mooiste appartement op de hele wereld.'

'Dat weet ik.'

'Hardhouten vloeren, uitzicht over het park, twee badkamers...' Namita's stem werd hoger terwijl ze de voordelen van de flat opsomde. Licht weerkaatste op de gouden ringen aan haar duimen terwijl ze gebaarde.

'Dat weet ik,' zei Jess. Haar vriendin liet zich niet van de wijs brengen.

'Een eetkeuken, een functionerende – functionerende! – open haard...'

'Dat weet ik!' Jess had exact dezelfde woorden, hoewel met minder uitroeptekens, in de advertentie gelezen die Billy Gurwich diezelfde middag op papier van de Hallahan Group had opgesteld. 'Een uitmuntend onderhouden, ruim, licht vooroorlogs juweel van een appartement, met twee slaapkamers en twee badkamers, aan de legendarische Riverside Avenue,' opende die. Ze had er de avond ervoor tijdens het eten van een pizza met Billy aan gewerkt. Zij had al die adjectieven bedacht. Hij had de pizza betaald en had haar op weg naar huis tegen zich aan getrokken en verteld dat ze een perfect team waren.

'Het is daar zo prachtig,' zei Namita dromerig. 'Je zult in die buurt nooit iets beters vinden. Of in de rest van de stad. Of waar dan ook, nu we het er toch over hebben.' Ze nam theatraal een grote slok bier en draaide zich om op haar kruk, rekkend en strekkend zodat haar lichaam op zijn voordeligst uitkwam.

'Wat de reden is dat ik het niet verkoop,' zei Jess. 'We testen alleen de markt.'

'We,' zei Namita terwijl ze met haar ogen rolde. 'Je gaat de markt testen en dan ben je dakloos. Weet je wat er gaat gebeuren?' Het puntje van haar tong glinsterde toen ze een beetje bierschuim van haar bovenlip likte. 'Ze organiseren zo'n open huis, dan komen er mensen kijken die je bergen geld aanbieden en dan laat je je meeslepen door de gekte.'

'Namita. Doe niet zo achterlijk.' Jess schudde haar hoofd en keek op haar horloge (ze had om tien uur met Billy afgesproken om *Law & Order* te kijken). 'Heb ik me ooit laten meeslepen door gekte?'

Haar beste vriendin leunde naar voren, nam Jess' kin in haar hand en bestudeerde haar zorgvuldig. 'Ja. Nu. Je bent anders.' Jess probeerde Namita recht in de ogen te kijken terwijl die haar gezicht bestudeerde.

'Heb je je wenkbrauwen laten doen?' vroeg ze.

'Ik heb ze laten waxen,' gaf Jess toe. 'En ik heb een gezichtsbehandeling gehad.'

Namita maakte een snoevend geluid, alsof dat het minste was wat ze verwachtte, en schonk hun glazen nog eens vol met Pabst. Jess sloeg glimlachend haar armen om zichzelf heen. Behalve het waxen en die gezichtsbehandeling had ze een paraffinemanicure genomen en een extreem pijnlijke bikiniwax ondergaan, waar ze vrij zeker van wist dat ze er daar beneden kaal als een babyvogeltje van was geworden. Niet dat ze ernaar had durven kijken.

'Je bent verliefd op je makelaar,' zei Namita. Het klonk als een beschuldiging.

'We zijn niet verliefd,' zei Jess, maar ze kon zichzelf er niet van weerhouden een sprongetje te maken toen ze van haar kruk af gleed en nog een keer op haar horloge keek om uit te rekenen hoe lang ze er precies over zou doen om terug naar huis te gaan, naar Billy. 'We testen gewoon de markt.'

'Ja, ja,' zei Namita terwijl ze haar hoofd scheef hield voor een kus. 'Volgende week zelfde tijd?'

'Ik zou het niet willen missen,' zei Jess. Ze trok haar muts over haar krullen en ging op weg naar lijn C en het Emerson, en haar uitzonderlijk goed onderhouden juweel van een appartement met twee slaapkamers, twee badkamers, originele eikenhouten vloeren en een heuse functionerende open haard.

De eerste keer dat Jess door de art-decodeuren van het Emerson liep, was ze acht jaar, een verlegen meisje met een bril en haar dat niet wilde meewerken. Haar ouders hadden haar naar New York gestuurd om Halloween bij tante Catherine te vieren. Jess was altijd een beetje bang voor haar oudtante, die er geen geheim van maakte dat ze niet van kleine kinderen hield. 'Kleverige handen,' had Jess haar eens horen zeggen. 'Het lijkt wel of zelfs de schattigste kinderen altijd kleverige handen hebben.' Tante Cat had sneeuwwit haar, koele blauwe ogen, en ze was op haar favoriete hoge hakken net zo lang als Jess' vader. In tegenstelling tot de oma's die Jess kende, vrolijke bolle dames in pastelkleurige broekpakken, was tante Cat altijd elegant in haar tweedpantalon en zijden sjaaltje dat ingewikkeld om haar hals zat geknoopt. Maar die eerste avond had ze Jess in de indrukwekkende marmeren foyer van het Emerson begroet in een turkooizen-met-gouden sari.

'Waar hebt u die gekocht?' had Jess gevraagd.

'In India,' zei haar tante op een toon alsof dat vanzelfsprekend was. Ze droeg parels in haar haar en er bungelde een glanzende plastic pompoen aan haar pols. 'Alsjeblieft,' zei ze terwijl ze de pompoen aan Jess gaf. 'Voor je snoep.' Jess had zich ineens heel gewoontjes gevoeld in haar tutu met balletschoentjes. Ze had niet kunnen beslissen of ze nu een heks, een prinses of een punker wilde zijn, waardoor ze uiteindelijk helemaal geen kostuum had gehad en haar balletkleren van vorig jaar aan moest. Ze veegde zorgvuldig haar handen aan haar maillot af om te zorgen dat ze niet kleverig waren.

Boven, in het grandioze appartement met hoge plafonds, met de donkerhouten vloeren van brede planken en voor zover Jess kon zien nergens een televisie, had tante Cat Jess een paar vleugeltjes van draad en bleekroze gaas gegeven. Ze had een paar gouden hangers aan Jess' oren geklikt en had een tube gekleurde mousse, die ze onder de wastafel in de badkamer vandaan haalde, gebruikt om Jess' haar een roze-gouden glans te geven. 'Hebt u die speciaal voor mij gekocht?' vroeg Jess verlegen, waarop tante Cat mysterieus naar haar had geglimlacht en had geantwoord dat een vrouw altijd een paar vermommingen bij de hand moest hebben. 'Als je wat ouder bent, begrijp je wel wat ik bedoel.'

Ze had haar achternichtje door de lange gangen met groen

tapijt van het Emerson geleid, en elke deur waar ze op klop-
ten werd opengedaan door mensen die naar haar glimlachten: het jonge stel twee verdiepingen naar beneden; de twee
knappe jongemannen in 8c ('Dit is Steven, en dat is zijn echtgenoot, Carl,' had tante Cat zo vanzelfsprekend gezegd dat
het niet eens in Jess was opgekomen om te vragen hoe twee
mannen getrouwd konden zijn); de kleine, grijze mevrouw
Bastian, die in het eenvoudige appartement op tante Cats
verdieping woonde, tussen de lift en de stortkoker. Iedereen
wist Jess' naam en iedereen had snoep voor haar. Ze kreeg
over het algemeen de gebruikelijke minirepen die iedereen
met Halloween in huis had, maar Jess kreeg op elke verdieping minstens één keer een karamelappel, een doos toffees of
een grote reep chocolade in zilver- of goudfolie, met fram-
bozen of hazelnoten en een naam waarvan Jess nog nooit had
gehoord: Lindt, Callebaut of Recchiuti. 'Heel goed,' zei tante
Cat later, toen ze Jess' buit inspecteerde, die Jess op tante
Cats oosterse tapijt met ingewikkelde patronen en franjes erlangs had neergelegd, gesorteerd op maat en categorie. Jess
viel die avond in slaap met de smaak van die heerlijke pure
chocolade in haar mond, haar haar nog stijf van de mousse.
De volgende ochtend liet tante Cat het diepe bad vollopen en
toen Jess erin zat, omhuld door geurige stoom, keek ze haar
bedachtzaam aan.

'Ik vroeg me af,' begon ze, 'of je zin hebt om de rest van het
weekend te blijven?'

Jess had gretig ja gezegd. Ze waren gaan wandelen in Central Park, hadden met dim sum gebruncht in restaurant Nice
in Chinatown, hadden helemaal zelf kippenpastei gemaakt,
waarvoor ze het deeg op een zware marmeren snijplank hadden uitgerold, erwten en worteltjes hadden geblancheerd en
de slagroom erdoor hadden geroerd terwijl een vrouwenstem
– Jess kwam er later achter dat het die van Nina Simone was
geweest – zachtjes uit de grammofoon klonk.

Jess was zondagochtend op weg teruggegaan naar New Jersey met een in plasticfolie ingepakt stuk pastei, haar pom-

poen vol snoep, een uitnodiging om te komen logeren wanneer ze maar wilde en een geheime wens: groot te worden en in New York City te wonen, liefst in het Emerson, in een appartement met een groenfluwelen bank en een badkuip die zo diep was dat je erin kon zwemmen; op te groeien en precies zo te worden als de schitterende, mysterieuze, elegante tante Cat.

Toen Jess Charmante Billy leerde kennen, was haar eerste gedachte dat hij nog een traktatie van het Emerson voor haar was, net zo lekker en onweerstaanbaar als een van die chocoladerepen die ze er lang geleden had gekregen. Ze was op een winderige zaterdagmiddag in oktober teruggekomen van de boodschappen toen ze hem zittend bij de lift had aangetroffen, vlak naast het appartement van mevrouw Bastian. Aan zijn ene kant stond een gehavend attachékoffertje, er lag een map op zijn schoot en hij had een stripboek in zijn handen. Toen ze de lift uit was gestapt, had hij zijn boek dichtgedaan, was opgestaan en had haar hoopvol aangekeken. 'Ben je hier toevallig om het appartement te bezichtigen?'

Ze had haar hoofd geschud. 'Ik heb er al een,' zei ze terwijl ze haar kleren, die ze net bij de stomerij had opgehaald, over haar andere arm hing en haar sleutels pakte.

'Wat een geluk. Het is een verbijsterend mooi pand. Prachtige locatie. Hoe ver is het van de metro vandaan? Drie straten?'

'Twee,' zei Jess.

Hij deed het stripboek in zijn koffertje en voelde in zijn zakken. 'Ik ben mijn mobieltje vergeten,' mompelde hij. Hij keek Jess vragend aan en ze merkte op dat hij een jaar of dertig was, misschien een paar jaar ouder dan zij, en een stuk langer, met een rond, vriendelijk gezicht en een diepe gleuf in zijn kin. Ze zag onder zijn dikke jas de bouw van een worstelaar: brede schouders en zware benen, en er stak een toefje donker haar boven zijn overhemdskraagje uit. 'Zou ik misschien even bij jou mogen bellen?' Hij had een beetje een

Bronx-accent, en zijn blauwgrijze sjaal was precies dezelfde kleur als zijn ogen.

Ze dacht even na. Hij zocht in zijn zakken en gaf haar een visitekaartje. Hij heette William Gurwich en was makelaar bij de Hallahan Group... volgens zijn visitekaartje, tenminste.

'Ik zweer plechtig dat ik geen psychopathische moordenaar ben,' had Billy gezegd terwijl hij die eerste keer zo charmant naar haar had geglimlacht, waar hij zijn bijnaam aan had verdiend. 'Maar als ik er wel een was, zou ik waarschijnlijk ook zeggen dat ik dat niet was, hè?' Hij liet zich met een zucht tegen de muur zakken.

'Verkoop je de flat van mevrouw Bastian?' vroeg Jess.

'Dat is wel de bedoeling, ja. Ik had hier om drie uur met iemand afgesproken.'

'Heb je geen sleutel?' vroeg Jess.

'Jawel. Het probleem is...' Hij stak zijn handen in zijn zakken, leunde naar Jess toe en ging zachter praten. 'Het ruikt daar een beetje naar kat, en ik ben allergisch voor katten. Het leek me beter om op de gang te wachten.'

Ze knikte en zag dat zijn ogen een beetje waterig waren, dat het puntje van zijn neus rood was.

'Hoe dan ook, mijn afspraak is niet komen opdagen.'

'Wacht even,' zei Jess. Ze stak zijn visitekaartje in haar zak, bracht haar kleding en de boodschappen naar binnen, pakte haar draadloze telefoon uit de houder in de keuken en gaf die aan hem.

'Dank je,' had hij gezegd. Hij had een boodschap ingesproken, had twee keer geniest en had haar de telefoon teruggegeven. 'Ik wacht nog een kwartier. Dat is wel zo aardig, toch?'

'Dat vind ik wel,' zei ze tegen hem... en toen, omdat hij niet gevaarlijk overkwam en omdat ze geen reden kon bedenken om het niet te doen, zei ze: 'Wil je even bij mij binnen wachten? Ik heb geen katten. En we kunnen de voordeur openlaten voor het geval je afspraak toch nog komt.'

Zijn glimlach deed zijn hele gezicht stralen. 'Wat aardig van je. Hoe heet je?'

Dat vertelde ze terwijl hij zijn jas over een van haar eetkamerstoelen hing. Hij hielp haar haar kleding ophangen en de boodschappen uitpakken. 'Wauw,' had hij gezegd terwijl hij het appartement in zich opnam: de ramen in de woonkamer, de hoge plafonds met oorspronkelijke ornamenten, de prachtige tegels in de badkamer. 'Woon je hier helemaal alleen?'

'Helemaal alleen,' zei ze tegen hem, en ze bedacht dat ze nog nooit zo blij was geweest dat dat het geval was. Ze zette koffie en ze zaten aan de ontbijtbar in de keuken, waar Billy haar vertelde dat hij van plan was een koper te vinden voor het eenvoudige appartement van mevrouw Bastian, dat honderd vierkante meter was, uitkeek op een luchtschacht en ondanks de pogingen van een professionele schoonmaakploeg nog steeds stonk als een vieze kattenbak.

'Oké,' had hij gezegd terwijl hij zijn koffiekop neerzette en naar de klok aan Jess' keukenmuur keek. 'Een halfuur. Nu is het officieel. Ze komt niet.' Hij pakte zijn jas en keek Jess aan. 'Heb je zin om een hapje te gaan eten?'

Er was een oosters restaurant in de straat, dat gedurende de zes weken die volgden hun vaste stek werd. Ze spraken er af en deelden borden hummus en falafel op zaterdagavonden die soms werden voorafgegaan door een bezichtiging van het appartement van mevrouw Bastian, soms werden gevolgd door een bioscoopbezoek, en die altijd eindigden in het Emerson, eerst met gefoezel in de foyer en later in het hoge zachte bed dat ooit van tante Cat was geweest. Als ze hadden gevreeën, hield Billy haar vast, zijn borst tegen die van haar, zijn benen over die van haar. Vijf minuten later lag hij te slapen, plat op zijn rug en licht snurkend, met gespreide ledematen midden op het bed. Dan hees Jess zich op haar elleboog en keek naar zijn gezicht in het licht dat door de gordijnen naar binnen kwam terwijl ze bedacht dat ze precies het leven had dat ze wilde: de perfecte baan, de perfecte woning en, het best van alles: de perfecte man om alles mee te delen.

Hun relatie, die ondertussen drie maanden duurde, werd door maar één donkere wolk overschaduwd: Billy's onvermogen om ook maar één woning te verkopen. Makelaar zijn was natuurlijk niet zijn droom. Hij wilde schrijven. Hij was aan Columbia afgestudeerd in de letterkunde. Hij had altijd een schrift bij zich, voor het geval zijn muze tot hem zou spreken, en een stuk of zes van zijn verhalen waren gepubliceerd in literaire tijdschriften die je niet bij de kiosk kon kopen, maar die niettemin, zo verzekerde hij Jess, heel prestigieus waren. Ze had hem twee keer in het restaurant aangetroffen terwijl hij fronsend tegen *The New Yorker* zat te mompelen, hoofdschuddend boven de namen die hij kende, talentloze broodschrijvers en vrouwen die vast met de redacteur naar bed waren geweest.

Hij had tot dusverre achttien afwijzingen gekregen van *The New Yorker*, twaalf van *The Paris Review*, en minstens zes per tijdschrift van *Esquire*, GQ en *Playboy*. Hij had niet één serieuze kijker voor het appartement van mevrouw Bastian. Hij had tijdens zijn laatste functioneringsgesprek bij Hallahan een waarschuwing gekregen en als hij niet snel iets zou verkopen, zou hij misschien worden ontslagen.

'Het ligt niet aan jou,' troostte Jess hem. 'Het ligt aan de economie.' (Ze las sinds ze hem kende de vastgoed- en zakelijke katernen van de *Times*.)

Hij schudde terneergeslagen zijn grote hoofd. 'Het is een kopersmarkt en ik verkoop niets.' Dat was het moment dat het voor het eerst in haar opkwam. Hij was haar vent. Ze waren verliefd. Liefde betekende dat je je moest opofferen en wat kon ze hem geven dat meer voor haar betekende dan haar appartement? Ze kon haar appartement in elk geval op de markt aanbieden, wat waarschijnlijk genoeg voor zijn bazen zou zijn om hem aan te houden tot hij echt iets verkocht. Ze zou in het diepe springen, alles op het spel zetten. En ze zou natuurlijk zorgen dat ze alles weer stop zou zetten als het te ver ging. In tegenstelling tot Assepoester zou zij de klok in de gaten houden en op tijd van het bal vertrekken.

Jess rende de trap af en naar het metrostation, waar ze een seconde voordat de deuren dichtgingen de metro in sprong. Het was riskant, gedurfd en hoogstwaarschijnlijk idioot. Ze bedacht dat tante Cat trots op haar zou zijn geweest.

Het Emerson was een bakstenen slagschip van een pand van rond de eeuwwisseling dat op de hoek van 89th Street en Riverside Drive stond. Het paste perfect in de wijk en de stad als geheel, alsof Manhattan eromheen was gebouwd. Jess, daarentegen, was langzaam en pijnlijk gaan beseffen dat ze helemaal niet in New York thuishoorde.

Ze had zich de hele hete en vochtige zomer nadat ze was afgestudeerd van uitgever naar uitgever en van tijdschrift naar tijdschrift gesleept, waar ze haar best had gedaan zichzelf begerenswaardiger voor te stellen dan de honderden andere net afgestudeerden die solliciteerden naar hetzelfde handjevol baantjes onder aan de ladder. Het appartement van tante Cat zou Jess' veilige haven zijn, maar haar oudtante was de hele zomer naar Venetië en had haar appartement onderverhuurd aan een kunsthistoricus die op Columbia werkte, dus kon Jess niets anders doen dan af en toe langs het Emerson lopen en jaloers de koele marmeren foyer in turen als ze op weg was naar het zoveelste gruwelijke sollicitatiegesprek. Dan nam ze aan het einde van de dag de bus terug naar Montclair, New Jersey, naar het huis dat ooit van haar ouders was geweest en nu alleen nog van haar moeder, en voelde ze zich gekwetst en verward, alsof New York een enorme tredmolen was en ze niet snel genoeg kon rennen om te voorkomen dat ze eraf viel.

Wat ze ook deed en hoe ze ook oplette, ze werd voortdurend gespietst door ellebogen in de metro, er werd tegen haar geschreeuwd op de stoep en ze botste in de sportschool in het centrum, waar Namita haar twee keer per week mee naartoe sleepte, tegen een razend kijkend, in stretch gekleed keihard lichaam. 'Praat eens wat harder!' zei de man met een tulband op zijn hoofd die achter het koffiestalletje op de hoek stond als ze een broodje met boter probeerde te bestellen. 'Ik versta je niet!' zei de tiener met onwaarschijnlijk lange gelakte vingernagels die achter de kassa zat bij haar favoriete saladebar.

Na zes ellendige weken was het haar gelukt een baantje bij *eBiz* te bemachtigen, een prestigieuze positie die, jammer genoeg, zo slecht betaalde dat ze niet meer dan zevenhonderd dollar per maand aan huur kon betalen. Dat betekende in New York City dat je drie mogelijkheden had: meerdere kamergenoten in een illegaal opgedeeld flatje met één slaapkamer in Manhattan; één kamergenoot in een keurig flatje in een buitenwijk; of, de goedkoopste, maar angstaanjagendste optie van allemaal: bij haar moeder, Gloria, in New Jersey gaan wonen, samen met Gloria's slechtgehumeurde pekinees. Dan zou ze tevens op zaterdagavond Gloria's afspraakjes met mannen die ze via een joodse datingsite had leren kennen moeten verduren en de daaropvolgende zondag-tot-en-met-donderdag-wanhoop.

Jess bracht de nachten in augustus op de bank bij Namita door, in het flatje dat Namita met haar nicht deelde, terwijl ze opties Een en Twee bestudeerde in een wanhopige poging optie Drie te omzeilen, toen ze, via de universitair docent van Columbia, hoorde dat tante Cat die zomer in Italië was overleden.

'Lieverd, zit je?' vroeg Gloria toen ze Jess een week na de begrafenis belde. 'Tante Cat heeft haar appartement aan je nagelaten!'

Jess liet zich op haar bureaustoel zakken en gleed achteruit tegen het met vloerbedekking beklede muurtje in haar werkhokje bij *eBiz*. Ze kon nog steeds niet helemaal geloven dat tante Cat niet op haar flamboyante wijze terug zou vliegen naar de stad, haar koffers en hutkoffers vol schatten: fijnleren handschoenen, kralen van Murano-glas en gesmokkelde flessen wijn.

'Het appartement?' fluisterde ze.

'Het appartement!' gilde haar moeder. 'Ik weet dat jullie dol op elkaar waren, maar het appartement! Jess! Heb je enig idee wat het waard is?!'

Jess ging op een heldere, frisse dag in september naar de notaris, nog verdoofd door de mengeling van verdriet, schrik en een enorm, vlammend, ongeremd gevoel van vreugde, en tekende de papieren die tante Cats appartement in het Emerson van haar maakten. De bekrachtiging van het testament zou zestig dagen duren. Op de vijfenvijftigste dag stond er een bericht op haar mobieltje. 'Jessie, met pa,' zei de stem van haar vader. 'Bel je me?' Ze moest zichzelf sterken met een reep pure Lindt-chocolade en een glas wijn voordat ze zijn nieuwe nummer kon bellen en zijn nieuwe vrouw kon begroeten.

'Jess,' had hij gezegd. Zijn stem klonk warm aan de telefoon. 'Ik weet dat het een tijdje geleden is...' De warmte in zijn stem werd nu vermengd met onderdanigheid. 'Een tijdje' was sinds de herdenkingsdienst voor tante Cat in augustus. Ze zag voor zich hoe hij zijn mooie hoofd boog onder vreemd keukenlicht in een of ander herenhuis in Long Island, met de telefoon tussen zijn hoofd en schouder. 'Ik moet vrijdag in de stad zijn en het is hoog tijd dat we je nieuwe baan vieren. Zullen we samen lunchen?'

'Ha,' zei Namita, die na de stepsles op haar buik op een teakhouten bank in de sauna in de sportschool lag toen Jess het haar vertelde. Of eigenlijk had ze gezegd: 'Ha, ja-hoor, ha-ha.'

'Denk je dat het toeval is dat hij maanden niets van zich laat horen en dan plotseling tien minuten voordat je dat appartement krijgt voor je neus staat? Tante Cat was toch zíjn tante?'

Jess had geknikt. 'Ja, maar daar gaat het niet om. Volgens mij wil hij me gewoon zien.'

Namita was gaan zitten en had haar badstoffen tulband goed gedaan. Jess verwonderde zich erover dat iemand die naakt was er zo verontwaardigd uit kon zien.

'Heeft tante Cat hém iets nagelaten?' vroeg haar vriendin.

Jess schudde haar hoofd. 'Ze heeft het hem nooit vergeven, van die... je weet wel.'

Namita trok haar wenkbrauwen op. 'Die haartransplantatie?'

Jess glimlachte.

'Of was het dat je-moeder-verlaten-en-trouwen-met-iemand-van-onze-leeftijd-gedoe?'

Jess trok haar handdoek strakker om haar borstkas. Er werd bij haar in de familie gewoonlijk naar de gebeurtenissen waar Namita het net over had gehad verwezen als Die Ellende.

'Ga je ernaartoe?' vroeg Namita terwijl ze vooroverleunde om een schep water over de hete stenen te gieten. De stoom kwam in sissende wolken omhoog.

'Ik ben nieuwsgierig,' zei Jess. 'Maak je maar geen zorgen hoor, ik geef hem heus het appartement niet.'

'Wil je dat ik met je meega?' riep Namita door de wolken.

Jess schudde haar hoofd en zei tegen haar vriendin dat het wel goed kwam.

Toen hij op een koude, natte vrijdagmiddag aan een tafeltje achter in de Carnegie Deli zat, zag haar vader, Neil Norton, eruit als een gepoetste munt in een handvol smerige dollarbiljetten. Hij was lang en nog steeds jongensachtig, met een opmerkelijke bos dik bruin haar en wat lijntjes rond zijn ogen die hem om de een of andere reden alleen maar aantrekkelijker maakten. Hij had een duur oud leren jack aan, een flets geworden Levi's, en hij droeg een gouden horloge dat ze niet herkende. Hij had een slanke taille, een stralende glimlach en keek recht in haar ogen terwijl ze praatten, zich op haar concentrerend alsof ze de enige in de ruimte was, zoals hij dat altijd deed.

'Je ziet er schitterend uit, Prinses!' zei hij tegen haar terwijl ze haar bril schoonveegde en hem in haar jaszak liet glijden. 'eBiz, knap hoor.' Ze knikte, gecharmeerd en gevleid, en dook met haar hoofd naar de menukaart terwijl ze zich afvroeg wat ze kon bestellen om te laten zien dat ze een volwassen en trotse vrouw van de wereld was die absoluut niet van plan was zich te laten bedotten door zijn innemende woorden, als Namita gelijk had gehad. Wat zou tante Cat bestellen? Ze ging met een vinger langs de gelamineerde kaart terwijl haar vader praatte, en toen drong het tot haar door dat tante Cat erop zou hebben gestaan dat ze naar de King Cole Bar in het St. Regis waren gegaan. Tante Cat zou hebben geweten dat het onmogelijk was een berg pastrami van vijftien centimeter te eten terwijl je eruitzag als een volwassen en trotse vrouw van de wereld, of eerlijk gezegd als alles behalve een slons.

Toen de serveerster kwam, moest Jess twee keer herhalen dat ze een broodje tonijn met gesmolten kaas wilde ('Wat zeg je, lieverd?'). Neil zat met zijn benen te wiebelen terwijl hij zijn broodje pastrami-zuurkool-kaas verslond, patat van het bord van zijn dochter snaaide, haar doorboorde met zijn aanhoudend starende blik en vroeg naar haar werk, haar vrienden en of ze een relatie had.

'Ik heb nieuwe foto's,' zei hij terwijl hij een kiekje van een lachende baby over de tafel schoof. 'Ze heeft net haar derde tandje gekregen.' De baby had met haar bruine krullen en samengeknepen oogleden een tweelingzusje van Jess op die leeftijd kunnen zijn. Maar misschien zagen alle baby's er wel zo uit. Of in elk geval alle baby's van haar vader.

Ze schoof de foto terug over de tafel. 'Hoe gaat het met je?' vroeg ze.

Haar vader wreef zuchtend met een hand over zijn gezicht. Zijn schouders zakten onder zijn prachtige leren jack naar beneden. 'Eerlijk gezegd, Jess, niet zo goed.'

Haar ruggengraat verstijfde. Kanker? Hartkwaal? Had hij contact met haar opgenomen om te vertellen dat hij stervende was? 'Wat is er dan?'

Neil wreef nogmaals over zijn gezicht en vertelde over de reeks pech en slechte investeringen die hem in zijn huidige ellendige positie hadden doen belanden. Hij gaf uiteindelijk toe dat hij op zijn geliefde tante Catherine had gerekend – die, zonder echtgenoot of kinderen, in staat was geweest het geld dat ze van haar ouders had geërfd te behouden en zelfs te vermeerderen – om, zoals hij het zei, 'iets voor me te doen'.

'Je hebt geen idee hoe het voor me voelt om je dit te moeten vragen.'

Jess zette zich schrap in voorbereiding op wat ze dacht dat er zou komen: hij ging haar om het appartement vragen en ze zou nee tegen hem moeten zeggen. En dan zou ze Namita twintig dollar moeten betalen omdat ze gelijk had gehad. Ze zat er bewegingloos bij terwijl hij zijn plan uit de doeken deed, een of andere ingewikkelde list die speciaal was ontworpen om zoveel mogelijk van de belasting af te kunnen schrijven, waarna hij weer naadloos overging op zijn verontschuldigende modus.

'Ik weet dat ik fouten heb gemaakt. Je moet nooit geld uitgeven dat je nog niet hebt.'

'Of nooit zult krijgen,' zei Jess zacht.

Neil keek op. Zijn starende blik verhardde. 'Sinds wanneer ben jij zo ad rem?'

Jess schudde in haar beste imitatie van Namita met haar haar en haalde haar schouders op.

'Dus zo staan de zaken ervoor?' vroeg haar vader met een stem die zo hard en kil klonk dat de serveersters, die in een groepje bij de kassa stonden, zich omdraaiden om hen aan te staren. Hij schoof zijn lege bord zo hard van zich af dat het tegen dat van haar knalde en keek haar razend aan. 'Je weigert je vader te helpen?'

Jess stond op en keek hem aan. Ze had op haar diploma-uitreiking een witte jurk onder haar zwarte robe gedragen, en hoge hakken waar ze niet op kon lopen. Nadien had ze op de veranda van het perfect gerestaureerde victoriaanse pand van haar ouders gezeten en de barbecue in de achtertuin, de taart met haar naam in roze glazuur erop, haar grootouders en tante Cat genegeerd. Haar vader had zullen komen, maar hij was niet komen opdagen, hij had niet eens gebeld. Gloria had zichzelf na de uitreiking in haar slaapkamer opgesloten en was niet naar beneden gekomen voor het eten.

Jess zat uren op de schommelbank in de geurige voorjaarslucht terwijl de zon onderging, de sterren zichtbaar werden en de zoete geur van gegrilde kip vervloog. Haar nichten en neven en haar moeders vriendinnen kusten haar op haar wang en feliciteerden haar op weg naar hun op straat geparkeerde auto's.

Het was na elven toen tante Cat naast haar kwam zitten, elegant als altijd in een kreukloos linnen pak met een parelcollier om haar hals. Ze pakte haar sigarettendoosje en een zware gouden aansteker uit haar tasje en stak zonder toestemming te vragen een sigaret op.

Jess duwde met haar voeten tegen de houten vloer van de veranda, waardoor de schommelbank zacht heen en weer begon te wiegen. Tante Cat blies rook naar de gevel. 'Hij is zwak,' kondigde ze aan alsof ze verderging met een gesprek waaraan ze al waren begonnen. 'Hij was een zwakke jongen, die een zwakke puber is geworden, en ik moet tot mijn spijt zeggen dat hij zo te zien niets van zijn leven heeft geleerd.'

Jess liet haar hoofd hangen en bedacht dat hij, zwak of niet, toch haar vader was en dat hij erbij had moeten zijn.

Tante Cat zuchtte terwijl de schommelbank naar voren en achteren wiegde. 'Soms kun je er gewoon niet omheen,' zei ze. 'Heb je zin om te komen logeren na zomerkamp?'

Jess had de dag dat haar aanstelling als begeleidster van het kinderkamp in de Pocono's was geëindigd de bus naar Port Authority genomen en vandaar een taxi naar het Emerson, waar ze in de lobby arriveerde met twee plunjezakken vol zomerkleren en een rugzak vol boeken. 'De sprookjesprinses!' had Del, de portier, geroepen, waarvan ze moest glimlachen, voor haar gevoel voor het eerst sinds haar diploma-uitreiking. Ze was tot september bij tante Cat gebleven en had de daaropvolgende vier jaar elke zomer drie weken in het appartement met de kamerhoge boekenkasten in het Emerson gelogeerd; ze had er kunstboeken en oude romans gelezen, had liggen weken in de diepe badkuip, en op de vensterbank met kussens gezeten en het park in gestaard, haar dromen over de stad dromend.

Nu stond ze op van het tafeltje achter in het eetcafé en keek naar haar vader, naar zijn glanzende haar en glinsterende horloge, opzichtig als een exotische vogel in het lawaaierige café. Hij had dezelfde neus en jukbeenderen als tante Cat, maar dat was het enige waarin hij op haar leek. Hij had alleen wat van haar botstructuur, niets van haar karakter. Zwak, dacht ze. Ze reikte in haar zak, op zoek naar haar sleutel van het Emerson, en toen ze hem had gevonden, kneep ze er zo hard in dat het haar handpalm pijn deed. 'Het is alles wat ik heb,' zei ze.

'Normaal gesproken is de verkoper er niet tijdens een open huis,' zei Billy op een zaterdagmiddag, drie weken nadat ze haar idee voor het eerst hadden besproken, tegen Jess. Hij was de hele ochtend druk geweest, had bloemen in vazen gezet en wasgoed op de hoogste kastplanken gelegd.

'Maak je geen zorgen,' zei Jess. Ze trok haar nog vochtige krullen uit hun staartje en deed de paarlen oorbellen van tante Cat in. 'Ik pak mijn tasje en dan ga ik naar McGlinchey's.' McGlinchey's was de kroeg op de hoek, waar, hoopte ze, Billy als het open huis achter de rug was ook naartoe zou komen.

'Oké,' zei hij terwijl hij naar de klok boven het fornuis keek. 'Zolang je maar...'

De deur zwiepte open en een kleine, boos uitziende vrouw met grijs haar, in een hobbezak van een jurk, met wollen sokken en leren sandalen eronder, haastte zich door de hal met een jonge vrouw in een donkerblauw pakje in haar kielzog. 'De buurt is enorm achteruitgegaan,' zei de vrouw met een knerpende, nasale stem terwijl ze Billy razend aankeek en Jess in het geheel niet leek op te merken.

'Ik ben Billy Gurwich,' zei hij terwijl hij zijn hand naar haar uitstak, die werd genegeerd. 'Misschien moest je maar

eens gaan,' fluisterde hij tegen Jess terwijl de vrouw een rood-
paarse sjaal met franje die naar sigaretten stonk op de bank
gooide, een korte en dikke vinger met nicotineaanslag in het
sleutelgat van tante Cats antieke bureau stak en zich uiteindelijk verwaardigde Jess op te merken.

'Ben jij de eigenaar?' blafte ze.

Jess knikte. De vrouw bestudeerde haar van top tot teen en
nam Jess' oninteressante lichaam, haar natte haar en haar
veel te ruime bruine trui in zich op.

'Hmm. Hebben je ouders het voor je gekocht?'

'Nee. Nou, eerlijk gezegd...'

De vrouw draaide zich om op haar Birkenstocks en stampte de kamer door. 'Doet die open haard het?'

'Ja, het is een houthaard,' zei Billy, en hij knipoogde naar
Jess.

De vrouw hurkte om de schoorsteen in te kunnen kijken.
Nadat ze de hendel van het luik heen en weer had getrokken,
ging ze weer overeind staan, gromde zacht en bestudeerde de
foto in een verguld lijstje, die op de schoorsteenmantel stond.
Ze staarde ernaar en toen naar Jess. 'Ben jij dat?'

'Dat is mijn tante Catherine,' antwoordde Jess.

De bovenlip van de vrouw krulde op. 'Nou, dat haar heb je
tenminste van jezelf,' zei ze. Jess' hand vloog naar haar krullen. Billy glimlachte zwakjes. De vrouw rukte de koelkast
open en begon de inhoud te bestuderen, tilde potten jam en
het doosje eieren op. Jess greep haar tasje en sloeg op de
vlucht.

'Geweldig nieuws!' zei Billy anderhalf uur later aan de bar
terwijl hij over Jess' schouder leunde. Op de twee televisies
boven de rijen flessen was een voetbalwedstrijd aan de gang
en de kroeg zat vol opgewonden Ecuadoranen, veel van hen
in gestreepte shirts met de nationale kleuren, die het afgelopen uur in het Spaans zingend om Jess heen hadden gedromd.
Billy's ronde wangen waren rood, zijn ogen glinsterden en
zijn haar stond recht overeind van de statische elektriciteit

toen hij zijn muts afzette. 'Toby Crider komt voor een twee-de bezichtiging!'

'Dat is helemaal geen geweldig nieuws,' zei Jess. De woor-den kwamen een beetje ongearticuleerd haar mond uit. Ze had de hele dag nog niets gegeten omdat ze Billy had gehol-pen het appartement klaar te maken voor het open huis. Waarna de vragen van dat gruwelijke mens, de manier waar-op ze Jess' spulletjes had bevingerd, haar foto's had bekeken en aan het eten in de koelkast had gezeten, alsof de flat al van haar was, alsof ze meer recht had er te zijn dan Jess, erin had-den geresulteerd dat Jess niet zoals gebruikelijk wodka met cranberrysap had besteld, maar alleen wodka.

Billy gleed op de barkruk naast die van haar, zo dichtbij dat hun schouders elkaar raakten. 'Pressie,' zei hij terwijl hij met een hand Jess' kin vastpakte. 'Het draait allemaal om pressie. Haar echtgenoot is belangrijk. Smetteloze financiële achter-grond. Als ze een bod doet...'

'Ze mag het niet hebben,' zei Jess.

'Het is niet voor haar, het is voor een of ander kind.'

'Heeft ze kinderen?' flapte Jess eruit. 'Wat zielig.'

'Niet haar eigen kind,' zei Billy. Hij bladerde door de in-houd van zijn koffertje. 'Haar stiefzoon, of een neefje. Zoiets. Hij is bijna klaar aan Wharton, wat Toby in elke kamer min-stens zes keer heeft verteld, en hij begint binnenkort' – meer geblader – 'bij een investeringsbank, dus hij heeft snel een appartement nodig.'

'Luister, Billy.' Jess draaide haar kruk een beetje sneller dan de bedoeling was. Haar knieën knalden tegen die van hem. 'Oeps,' zei Billy, en hij greep de onderkant van haar zit-ting om haar te stoppen.

Jess keek hem glimlachend aan en de vloer en het plafond begonnen te draaien terwijl de voetbalfans schreeuwden en juichten. 'Ik...' stamelde ze. 'Ik geloof dat het toch niet zo'n goed idee is.'

'Zenuwen,' zei Billy. Hij pakte voorzichtig haar glas uit haar vingers en legde zijn warme handen om die van haar. 'Je hebt er koude handen van.' Zijn glimlach voelde als een warme deken om haar schouders, als een slok van de hete chocolademelk die tante Cat in de winter altijd maakte als de eerste sneeuw was gevallen.

'Maak je geen zorgen. Ik weet dat je hebt gezegd dat we alleen de markt zouden testen, maar we hebben een vis aan de haak geslagen. Een grote vis. Weet je wat ik voor je ga verdienen?' Hij bracht glimlachend zijn gezicht zo dicht naar dat van haar dat ze de warmte van zijn huid en zijn stoppels tegen haar oor voelde, en toen fluisterde hij een bedrag dat zo hoog was dat ze een gilletje slaakte. Ze sloeg de rest van haar drankje achterover terwijl hij haar stralend aankeek, met opgetrokken wenkbrauwen en een verwachtingsvol gezicht. 'Nou? Wat vind je daarvan?'

Ze glimlachte afwezig, leunde tegen hem aan, legde haar hoofd tegen zijn stevige schouder, sloot haar ogen en ademde met zijn ritme mee. Hij rook naar natte wol en Irish Spring-zeep. Hij sloeg een arm om haar schouders en gaf haar een kneepje voor hij zich weer van haar losmaakte, zijn portemonnee pakte en de drankjes betaalde. 'Maar waar moet ik dan wonen?' Jess' stem klonk bang, verloren in het gekletter van ijs tegen glas en het gebrul van de voetbalfans. Billy, die druk was met de barkeeper, hoorde haar niet of wist niet wat hij daarop moest zeggen.

'Je begrijpt het niet,' zei ze die vrijdag daarop, toen ze in de rij bij de bioscoop stonden te wachten, tegen Namita. 'Die vrouw. Gruwelijke Toby. Ze lijkt wel een gestoten teen.'

'Vertel,' zei Namita.

Jess kreunde. 'Ze staat steeds op de stoep. Ze is al drie keer geweest! De laatste keer heeft ze niet eens van tevoren gebeld! Ze bleef gewoon aanbellen tot ik opendeed.'

'Wat wil ze?'

'De maten van de ramen opnemen,' zei Jess, huiverend bij de gedachte aan het geluid van Toby's meetlint dat over de muren schraapte terwijl Jess zich in de keuken had verschanst, de minuten op de klok van de magnetron tellend tot Toby weer zou vertrekken. 'En ze is ook al een keer met haar feng shui-consulent geweest.'

'Natuurlijk,' zei Namita. 'Luister. Radicaal idee: stuur haar weg. Zeg dat je huis niet meer te koop is. Haal het van de markt.'

Jess liet haar hoofd hangen. Tegen Gruwelijke Toby zeggen dat de koop niet doorging, betekende dat ze hetzelfde tegen Charmante Billy moest zeggen en dat kon ze niet, hoewel ze het echt had geprobeerd. Ze was diezelfde middag nog naar het kantoor van Hallahan geweest om het hem persoonlijk te vertellen. Billy was met haar naar Citarella gelopen, had een kwarkgebakje voor haar gekocht, had haar handen over het kleine tafeltje heen vastgepakt en had gevraagd of Toby het probleem was of dat ze hoe dan ook niet wilde verkopen.

'Ik wil het niet verkopen,' had ze gretig gezegd nu ze eindelijk een uitweg zag. 'Ik bedoel, ik reageer kribbig, maar nu ik er nog eens over heb nagedacht...' Ze staarde naar haar schoot. 'Ik weet niet zeker of ik eraan toe ben.'

'Maak je geen zorgen,' had hij gezegd. 'Je bent eraan toe. Je kunt het. En we vinden wel iets anders. Een perfecte woning.' Hij glimlachte naar haar en ze voelde zichzelf wegdrijven, opgeslorpt door het 'we' en 'perfect'.

Billy leunde over het tafeltje heen en keek haar met vriendelijke grijze ogen aan. 'Vertel eens wat je wilt.'

Ze keek hem aan en begon te blozen. Zijn glimlach werd breder. 'Behalve dat. Wat wil je van een appartement?'

'Uitzicht,' zei ze. 'Op een rivier, of bomen.'

Hij knikte.

'En een leuke buurt,' zei Jess. 'Waar ik mensen kan leren kennen. Met een pizzeria, een boekwinkel, een koffiebar en een park. Brooklyn misschien?' Billy woonde in Red Hook.

Hij knikte. 'Ik kan je een paar heel leuke flats laten zien,' zei hij. 'Plekjes die perfect voor je zijn. Perfect voor Jess Norton. Niet voor de oudtante van Jess Norton.'

Ze knikte. Perfect voor haar. Ze zag een appartement voor

zich, gezelliger dan dat van tante Cat, iets met één slaapkamer wat ze samen konden betalen; iets van baksteen in een rustige straat, met hoge plafonds, grote ramen die op een boomrijk huizenblok uitkeken, met een smalle keuken waar Billy en zij samen zouden koken, zij aan zij. In de winter zouden ze samen over de besneeuwde stoep lopen om een kerstboom voor Billy te kopen en ze zouden elke zondag brunchen in een van de eetcafés in de buurt, en elke avond samen in slaap vallen, gezellig in bed onder een dakraam waardoor ze een stukje van de sterrenhemel zouden kunnen zien.

Ze had het appartement van haar tante nu acht jaar geleden geërfd... Er was acht jaar vervlogen, alsof ze op haar tweeëntwintigste in slaap was gevallen en pas toen ze bijna dertig was weer was ontwaakt. Ze had al die tijd geloofd dat de flat van tante Cat haar paradijs was, haar beloofde land, haar beloning dat ze haar vader en New York City had overleefd. Maar nu Billy haar zo stralend aankeek, kon ze er anders naar kijken. Misschien was dat appartement alleen een ronde kamer boven in de toren van het kasteel, waar de prinses in haar vinger prikte en honderd jaar sliep. Ze had Billy nu, Charmante Billy, en hij zou haar wakker kussen en mee naar huis nemen. Naar Brooklyn, naar een flatje dat helemaal van hen was, een veilig nest met misschien, op een dag, een wiegje in de hoek van de slaapkamer en een naar de zon gerichte schommelstoel.

'Er gaat wat gebeuren. Dat voel ik,' zei Billy terwijl hij met drie gigantische happen zijn scone verorberde. 'Blijf vanavond maar in de buurt van de telefoon,' zei hij terwijl hij zich vooroverboog om Jess een kus op haar wang te geven. Ze veegde wat kruimels van zijn kraagje en inhaleerde zijn geur: weer natte wol en zeep, deze keer vermengd met zoete Bay Rum-aftershave. Die had haar vader ook gebruikt, heel lang geleden. 'Ik neem nog wel contact met je op.'

Billy had zich aan zijn woord gehouden en toen ze die avond terugkwam van de bioscoop zat hij op de gang te wachten, op dezelfde plek waar ze hem voor het eerst had gezien, maar die keer had hij er aanzienlijk minder zelfingenomen uitgezien. Toen hij haar zag, sprong hij op, en hij nam haar in zijn armen. 'Rijke meid, rijke meid,' zong hij.

'Zet me neer!' piepte Jess toen hij haar de lucht in zwiepte. Haar huid tintelde; haar hart bonkte zo hard dat ze zeker wist dat hij het hoorde. Hij zette haar behoedzaam neer en duwde haar nadat ze de deur had opengedaan zachtjes naar de bank, ging op een knie zitten, pakte haar handen en fluisterde Toby's bod in haar oor. Ze slaakte een gilletje en zag haar geliefde appartement om zich heen vervagen.

'Maar er zit wel een addertje onder het gras.'

'Wat voor addertje?' piepte ze. Hij had haar handen nog vast en ze voelde hoe haar lichaam tegen het zijne leunde.

'Ze wil het volgende maand rond hebben. Ik weet dat het erg kort dag is, wat waarschijnlijk de reden is dat ze zoveel meer dan de vraagprijs biedt, maar haar stiefzoon, of haar petekind, wie dan ook, woont nu bij haar en haar man en ze wil hem de deur uit hebben. Ik regel wel een verhuizer, opslagruimte en een tijdelijke woning voor je. Alles wat je nodig hebt, Jess. Maar je moet wel weten dat je geen beter bod krijgt dan dit.'

Het lukte haar op de een of andere manier om zich van hem los te maken en rechtop te gaan zitten. Ze keek om zich heen in de kamer: de foto's van Moskou, Triëst en Milaan, de cloisonnélampen met de perzikkleurige kapjes met franje, de kasten vol kunstboeken en romans, de zware glazen schalen vol noten en snoep die tante Cat altijd vulde als Jess kwam. Ze woonde hier al acht jaar en ze had helemaal niets veranderd; ze had niet eens nieuw beddengoed aangeschaft, laat staan dat ze haar eigen foto's, kunst of meubels had neergezet. Tijd om verder te gaan, dacht ze. Tijd om weg te gaan. 'Vind je dat we het moeten aannemen?'

Hij keek haar geconcentreerd aan en zijn stem klonk zo serieus als die van een man die zijn huwelijksgelofte aflegt toen hij antwoordde: 'Ik vind van wel.'

Jess wist drie vrije dagen bij haar ontevreden baas bij *eBiz* los te peuteren en bracht die door met inpakken en het instrueren van de verhuizers, een trio kleerkasten dat een taal sprak die voornamelijk uit grommen bestond en dat het als persoonlijke missie leek te beschouwen elk meubelstuk en souvenir dat ze ooit had geërfd te vouwen, breken, bevuilen en verminken. Vrijdagochtend vroeg waren de laatste mahoniehouten kast en marmeren bijzettafel van tante Cat uiteindelijk ingepakt in dekens en in de lift met spiegelwanden gepropt, en de laatste kartonnen doos met boeken werd in een smerige witte vrachtwagen (iemand had WAS ME ALSJEBLIEFT! in het vuil op het bestuurdersportier geschreven) geladen en naar een opslagruimte in Newark gereden. Jess nam snel een douche, trok haar mooiste blauwe pakje aan, deed haar natte handdoek en vieze kleding in een plunjezak en stond toen midden in de lege woonkamer, waar spookachtige witte vlekken op de muren de omtrekken van tante Cats schilderijen aangaven en er groeven in de vloeren zaten waar de bank en stoelen hadden gestaan.

Ze liep naar het raam. Ze had de zomer voordat ze was gaan studeren zo veel avonden op de vensterbank doorgebracht. Dan keek ze naar de bomen in Riverside Park, die in de wind wiegden, en de Hudson River die erachter liep, naar de joggers die 's avonds laat nog gingen rennen en de stelletjes die er wandelden, en dan dacht ze aan het leven dat ze zou gaan krijgen. Ze hoopte dat het op het leven van tante Cat zou lijken, met kasten vol boeken in elke kamer, elke maand dineetjes, met rode wijn en donzen dekbedden, omringd door de dingen, en de mensen, die haar lief waren. Eerlijk gezegd kreeg ze hoofdpijn van rode wijn en had ze nooit van feestjes gehouden... maar dat maakte allemaal niet meer uit, want Billy en zij zouden samen een leven opbouwen.

De deurbel ging en Toby rende de keuken in, te laat, en om de een of andere reden met een houding alsof dat Jess' schuld was. Billy liep achter haar aan naar binnen en gaf Jess een kneepje in haar hand terwijl Toby het appartement belaagde alsof het een man was die haar had misbruikt, wild de toiletten doortrok, de kranen open- en dichtdraaide en heel lange, angstaanjagende minuten naar de lichte vlek op de slaapkamermuur staarde waar tante Cats bewerkte houten toilettafel had gestaan.

'Je had moeten schilderen,' zei ze, en ze kneep haar oogleden half samen.

'Ik...' stamelde Jess.

'Dat regelen we wel bij de overdracht,' zei Billy geruststellend. Hij droeg onder zijn donzen winterjas een elegant gestreept pak en een oranje zijden stropdas met een ingewikkeld patroon. Hij had zijn gebruikelijke blauwe muts niet op, maar droeg een lichtbruine sjaal die verdacht veel van kasjmier weg had.

Ze greep naar zijn hand terwijl Toby de deur van de oven openrukte en hem toen met haar Birkenstocks weer dichttrapte. Billy's mobieltje ging, en hij stak terwijl hij zich afwendde een vinger in de lucht en zei: 'Met William Gurwich. Tijdens de overdracht, oké?' Hij hielp Jess in haar jas en de deur uit. Buiten stond een taxi te wachten.

'Wacht even,' zei ze. Billy zuchtte en bleef staan met een hand op haar rug en een op het dak van de auto. Jess staarde hem in paniek aan en dacht: dit is een vreselijke fout. Billy gaf haar een kus en keek toen over haar schouder naar het Emerson, naar de voorgevel die glansde in de ijle winterzon. 'Het komt allemaal goed,' zei hij.

Drie kwartier later zat Jess in een vergaderruimte met ramen van vloer tot plafond, met uitzicht over Central Park, aan een chique teakhouten tafel, steeds maar weer haar handtekening te zetten. Ze liet haar rijbewijs zien, en een kopie van het testament van tante Cat, plechtig zwerend en bevestigend dat zij, Jessica Hope Norton, alleenstaand, de enige rechtmatige eigenaar van het pand was. Toby was er ook, met haar makelaar. Haar stiefzoon/petekind/wat-dan-ook was nergens te bekennen. Billy was er, en twee advocaten, een notaris en een receptioniste, die vroeg of ze iets wilden drinken. 'Iemand koffie?' vroeg Billy terwijl hij met opgetrokken wenkbrauwen om zich heen keek in de ruimte. Toen ze was teruggekomen met de drankjes en een dienblad gebak, had hij haar niet eens bedankt en had meteen de grootste muffin gepakt.

Dit gebeurt niet echt, dacht Jess terwijl ze naar beneden staarde en haar hand zag bewegen, die schijnbaar zonder dat ze er zeggenschap over had haar handtekening zette. Ze probeerde oogcontact te maken met Billy, maar die zat met een van de advocaten te praten. Ze schreef haar naam en zag Toby's opkrullende bovenlip voor zich terwijl ze in Jess' slaapkamer stond en naar de schilderijtjes naast het bed stond te kijken tijdens een van haar onaangekondigde bezoekjes. 'Mijn moeder is Miss Penn State geweest,' legde Jess uit terwijl de andere vrouw de foto van Gloria, die vanaf de achterbank van een cabriolet zat te zwaaien, kritisch in zich opnam.

Toby kiepte het schilderij opzij alsof ze een glas wijn op droesem inspecteerde. 'Zo mooi is ze nou ook weer niet,' zei ze uiteindelijk. 'Ik dacht eerlijk gezegd,' ging ze verder terwijl ze de tweede badkamer in liep, 'dat het een foto van jou was.'

Billy duwde nog een stapel documenten over tafel, knipoogde snel naar Jess en grinnikte om iets op zijn PDA. Jess schreef de datum en haar sofinummer op. Ze nam de cheque aan, die hij haar presenteerde in een zware crèmekleurige envelop. Al die nullen, dacht ze, en ze probeerde zich verrukt te voelen, maar dat lukte niet.

'Veel geluk,' zei Jess zwakjes. Toby stond op, stak de sleutels in haar zak, trok een grimas die geïnterpreteerd kon worden als glimlach, sloeg haar sjaal met franje om zich heen en beende de kamer uit. Jess liet zich in haar stoel zakken en draaide ermee rond zodat ze naar de vuilgrijze hemel kon kijken, naar de sneeuwhopen vol zwarte vlekken gecondenseerde uitlaatgassen en gebroken glas en de kale bomen met modder tegen hun stammen.

Billy glimlachte naar haar, een brede gijns, niet de sardonische halfglimlach waaraan ze zo gewend was geraakt, zoals ze aan die donsjas, de wollen muts en de stompe vingers die bij hun eerste ontmoeting zijn mobieltje niet hadden kunnen vinden, gewend was geraakt. 'Dank je,' zei hij. Het was geen 'Ik houd van je', dacht Jess. Maar het was niet niets. En misschien was het genoeg.

Billy stond achter haar stoel en schoof hem naar voren en achteren. 'Kijk eens,' kirde hij. 'Allemaal van jou.' Hij ging naast haar zitten, sloeg zijn benen over elkaar en legde de vouw in zijn broek goed. 'Waar wil je beginnen? In een chique wijk? In het centrum?'

'We kunnen het er vanavond over hebben,' zei Jess. Ze wendde zich van het raam af en keek hem aan. 'Ons vaste stekje?'

'Prima,' zei hij, en hij omhelsde haar, hield haar dicht tegen zich aan terwijl ze haar gezicht in de warme holte in zijn hals duwde. 'Is acht uur goed?'

'Perfect,' zei ze.

Ze stond die avond tegen de bakstenen muur van hun restaurant geleund en voelde hoe de vochtige kou door haar rok heen trok. De wind blies krantenpapier en lege blikjes over de vieze straat; een bus wierp vuil geworden natte sneeuw tegen de stoep. Billy kwam om kwart over acht aanslenteren, in zijn nieuwe kleren en met zijn vertrouwde hartverscheurende glimlach. 'Zo!' zei hij vrolijk terwijl hij zijn handschoenen uittrok. 'Heb je al bedacht waar we beginnen?'

'Dat maakt me niet uit,' zei ze gretig. Te gretig. Er flikkerde iets in zijn ogen, maar ze kon de woorden niet meer terugnemen, het was te laat om te stoppen. 'Met jou wil ik overal wonen.'

Hij kneep even in haar handen. Toen liet hij haar weer los. 'Jess,' begon hij, en hij haalde diep adem. 'Het probleem is...'

Er denderde nog een bus voorbij. Jess wist wat het probleem was en ze kon het niet aan om het hem te horen zeggen... niet zo kort nadat ze de grootste fout uit haar leven had gemaakt. Ze deed een stap achteruit, probeerde zich gedistingeerd op te stellen, met iets van tante Cats koele reserve, terwijl Billy leuterde over hoeveel ze voor hem betekende, dat ze een geweldige meid was, maar dat hij op dit moment gewoon niet aan een vaste relatie toe was, en trouwens, hij moest ook eens serieus gaan nadenken over zijn schrijverscarrière.

De cheque van de verkoop van tante Cats appartement zat nog in haar zak en ze raakte hem aan in de hoop dat hij haar kracht zou geven.

'Ik moet ervandoor,' zei ze.

'Het spijt me,' zei hij. Hij klonk oprecht, zoals de man die ze zich herinnerde, de man van wie ze had gedacht dat ze om hem gaf, de man die het appartement van mevrouw Bastian aan de straatstenen niet kwijtraakte, al hing zijn baan ervan af, als iemand die net zo verdwaald was in de stad als zij.

'Het geeft niet,' loog ze. 'Het komt wel goed.'

Ze gooide haar plunjezak over haar schouder. Ze stak haar hand op en er stopte meteen een taxi, met piepende banden... New York op z'n kenmerkendst, een van de weinige echt New Yorkse momenten die ze ooit had ervaren. Jess trok het portier dicht voordat Billy ernaast stond.

'Port Authority,' zei ze tegen de chauffeur. Ze leunde achterover tegen de kapotte rugleuning van de achterbank en bedekte haar gezicht met haar handen.

Ze stuurde Namita een sms'je om te zeggen dat ze andere plannen had en dat ze niet bij haar kwam logeren, maar een tijdje naar Gloria ging. Ze zei tegen haar baas bij *eBiz* dat haar vader was overleden.

'Natuurlijk lieverd, je mag blijven zo lang je wilt,' had Gloria gezegd terwijl ze probeerde haar hometrainer tegen de muur in Jess' voormalige kamer te duwen. 'Het enige is... Heb je enig idee hoe lang dat zal zijn?'

'Ik voel me niet thuis in Manhattan,' zei Jess uiteindelijk.

'Ik heb het acht jaar geprobeerd en ik hoor er gewoon niet.'
Ze zat op het stukje van haar bed dat niet vol lag met stapels
uitdraaien van profielen van haar moeders potentiële joodse
afspraakjes. Gloria kwam naast haar zitten en streelde met
haar koele hand over Jess' voorhoofd. Jess zette zich schrap
voor het opbeurende praatje: Natuurlijk wel, liever! Jij kunt
alles bereiken wat je wilt! In plaats daarvan zei haar moeder
met een zucht: 'Dan ga je de plaats waar je je wel thuis voelt
gewoon zoeken.'

Jess begon elke dag tot na elven uit te slapen, ze bleef tot diep
in de nacht op, keek infomercials op haar moeders nieuwe,
gigantische televisie en leefde op die mierzoete ontbijtgranen
vol kunstmatige toevoegingen die ze als kind nooit had mogen eten. Ze e-mailde Namita dat het prima met haar ging.
De enige keer dat Billy's nummer op haar mobieltje was verschenen, had ze het weggedrukt en was naar de keuken gelopen om melk te gaan halen. Na twee weken ontbijtproducten
en slechte televisieprogramma's verscheen er een onbekend
917-nummer op haar telefoon en Jess nam, uit pure nieuwsgierigheid, op.
Grote fout. 'Jessica?' vroeg Toby's stem op eisende toon,
met haar knerpende stem. 'Steven is vorige week in het appartement getrokken en hij kan de sleutel van de linnenkast
niet vinden.'
Jess wreef in haar ogen. Een actrice die ze zich van twintig
jaar geleden herinnerde, probeerde haar er op televisie van te
overtuigen dat ze een veel mooiere glimlach zou krijgen als
ze haar tanden zou bleken, dat haar hele leven er zelfs op
vooruit zou gaan. 'Die ligt op de bovenrand, naast de...'
'Nee, nee, dat heb je gezegd ja, maar daar ligt hij niet,'
knerpte Toby.
'O.' Jess ging rechtop zitten, waardoor haar lege schaaltje
op de grond kletterde. 'Misschien...'
'Ik denk dat je misschien vanavond maar even moet komen, zodat je die verrekte sleutel voor hem kunt zoeken.'

'Eh, het probleem is dat ik...'

'Acht uur. Hij werkt tot laat. Hij heet Steven.' *Klik.* Toby was weg. Hopelijk voor altijd.

Als het leven een film was geweest, had Jess Steven Ostrowsky in de ogen gekeken en was ze halsoverkop en tot over haar oren verliefd op hem geworden. Dan hadden ze een korte en heftige affaire gehad (tijdens welke Toby heel opportuun een zeer pijnlijke dood zou zijn gestorven) en zou Jess voor ze het wist weer in het appartement hebben gewoond dat vroeger van haar was geweest, met een rijzende ster in de investeringswereld, met wie ze hun toekomst zou hebben uitgestippeld, en daarna zouden de schrijvers van de huwelijksannonces in de krant een leuke woordgrap over hun kennismaking hebben gemaakt.

In het echte leven was Steven de mannelijke dubbelganger van Toby, met hetzelfde kegelvormige lichaam, dezelfde onrustige blik en onderontwikkelde sociale vaardigheden. Hij stond tegen de deurpost geleund terwijl zijn blik van Jess' haar naar haar borsten naar haar haar naar haar heupen en weer naar haar borstkas ging.

'Ik heb overal gezocht,' zei hij voordat hij zich in de woonkamer terugtrok, die nu was ingericht met leren-met-chromen meubels, glazen kastjes vol dvd's en cd's, en waar geen boek meer was te bekennen. Jess ging op haar tenen staan en gleed met haar vingers over het randje boven de deur van de linnenkast. Ze vond meteen de sleutel. Ze trok haar jas weer aan en legde de sleutel op een stalen geval waarvan ze aannam dat het een tafeltje moest voorstellen.

'Bedankt!' zei Steven terwijl hij de dopjes van zijn iPod uit zijn oren trok en weer naar haar begon te staren. Borsten, heupen, kruis, gezicht, borsten. 'Geweldige flat. Waar woon je nu?'

'In Las Vegas,' zei ze, en ze liet de deur achter zich dichtslaan.

Ze nam de bus terug naar Montclair, sliep achttien uur aaneengesloten in haar kinderbed, werd de volgende dag wakker, waste haar gezicht, kamde haar haar en nam een baantje als serveerster aan ('Jess, je vergooit je talenten!' kreunde haar moeder op weg de deur uit naar een afspraakje met een joodse man). Jess werkte 's avonds in een eetcafé en 's ochtends in de kinderopvang. ('De billen van tweejarigen afvegen!' zei Namita met rollende ogen. 'Daar hebben we niet voor gestudeerd!') Jess liep zes maanden lang met een karretje, dat Open-je-Ogen heette, over het vliegveld en verkocht namaakdesignerzonnebrillen. ('Ben je depressief?' vroeg Gloria boven het gedreun van de afwasmachine uit. 'Is dat het? Want dan kun je hulp krijgen, hoor. Er zijn allerlei nieuwe antidepressiva op de markt, lieverd. Ze adverteren er aan de lopende band mee op de televisie. Je hoeft er helemaal geen last van te hebben!')

Jess ging op haar eenendertigste als assistent van een universitair docent vrouwenstudies aan de University of Pennsylvania werken, die ze hielp een congres over voortplantingsrecht te organiseren. ('Philadelphia,' snoefde Namita. 'Dat de *Times* nou zegt dat dat de zesde wijk van New York City is, wil niet zeggen dat dat ook zo is.')

'Je hebt geweldig werk verricht,' zei de universitair docent aan het einde van de zomer. 'Ik kan je een voltijdbaan als onderzoeker aanbieden, maar het betaalt belazerd.' Jess zei dat het geld geen probleem was en vertelde niet dat ze een appeltje voor de dorst had. Ze ging uit Montclair weg en trok in een appartementje aan Delancey Street, zonder lift, op de tweede verdieping van een groot bakstenen herenhuis, in een straat vol bomen waarvan de bladeren in een boog over het wegdek hingen. De kinderen trokken in de winter hun slee over de stoep voor haar woning langs. Nadat ze een jaar lang elke week langs een winkeltje in Pine Street was gelopen, schreef ze zich eindelijk in voor een breicursus en verraste zichzelf dat ze ervan genoot. Ze breide sjaals, en daarna truien, en babymutsjes voor de kinderen van haar nichten en neven, een sjaal voor Namita en een rood-gouden wollen sjaal voor zichzelf. Haar slaapkamer had een dakraam en daar lag ze onder, opgerold in de sprei die ze zelf had gemaakt, met een kop pepermuntthee naast haar leeslampje te kijken hoe de sneeuwvlokken vielen, en dan dacht ze: het gaat goed met me. Het was toch een goede beslissing.

Drie jaar later stond het pand waar Jess woonde te koop, en ze besloot het te kopen. Ze kon een zeer grote aanbetaling doen met haar appeltje voor de dorst en ze had aan Penn ondertussen al twee keer promotie gemaakt, waardoor ze de hypotheek zou kunnen betalen. 'Een goede investering,' zei Gloria. 'Het zal wel een goed idee zijn,' moest Namita toegeven, die uit de Upper East Side naar het trendy West Village was verhuisd om te gaan samenwonen met een arbitrageant die Claude heette. Jess trok op een heldere maandagochtend in januari haar rode wollen jas aan. Ze ging naar de bank voor een cheque en liep toen de drie straten naar het makelaarskantoor aan Walnut Street, waar de overdracht zou plaatsvinden.

'Mevrouw Norton?' zei de man achter het bureau. 'U bent vroeg.' Hij stelde zich voor als David Stuart, nam haar jas aan, schonk een kop koffie voor haar in en bood haar een leren stoel op wieltjes aan een andere vergadertafel aan. Hij had blond krulhaar en rode wangen, alsof hij het hele weekend buiten was geweest in de wind en zon. Ze zag hem voor zich terwijl hij een slee trok, op weg naar het park. Er stonden foto's van twee blonde jongetjes in een sneeuwpak op zijn bureau. Ze voegde hen toe aan het beeld in haar hoofd.

'Dus je wordt huiseigenaar,' zei hij terwijl hij haar melk en suiker aanbood.

'Niet voor het eerst,' zei Jess. 'Ik heb een paar jaar terug een appartement in New York verkocht. Aan de Upper West Side.'

Hij floot zacht. 'Dat heeft vast een leuk bedrag opgeleverd.'

'Dat klopt.'

'Maar je vindt het hier leuker?'

'Gelukkig wel,' zei ze. 'Aangezien ik het koop.'

'Ik vind het hier zalig,' zei hij met een glinstering in zijn ogen alsof hij haar iets probeerde te verkopen, alsof ze niet al binnen was gekomen om iets te kopen. 'Ik bedoel, New York is geweldig... Het is natuurlijk New York. Maar ik vind Philadelphia veel gezelliger. Mensen houden hier de deur open voor oude dametjes met een rollator. Bij mij in de straat zit een kaaswinkeltje...' Maar voor hij haar erover kon vertellen, kwam het echtpaar Carlucci, de verkopers, binnenwalsen met hun makelaar en een doos koeken met poedersuiker. 'We zijn zo blij voor je, Jess,' zei mevrouw Carlucci terwijl ze Jess een koek op een servetje aangaf.

'Ze is gewoon blij dat ze zelf ergens naartoe gaat waar het warm is,' plaagde haar echtgenoot terwijl hij een arm om de schouders van zijn vrouw sloeg.

Jess keek toe hoe David Stuart de suiker van zijn lippen likte terwijl hij de stapels documenten ronddeelde. Ze gaf hem een servetje. Hij glimlachte naar haar. Hij schoof terwijl ze alle handtekeningen zette zijn visitekaartje over de tafel. HEB JE ZIN OM ZO TE GAAN LUNCHEN? had hij onder zijn naam en functieomschrijving geschreven.

Ze keek naar het kaartje, toen naar hem en toen naar de foto van de jongens in hun sneeuwpak. David Stuart schoof nog een visitekaartje naar haar toe. DAT ZIJN MIJN NEEFJES, stond erop. DIE FOTO STAAT ER OM MEVROUW CARLUCCI OP AFSTAND TE HOUDEN.

Jess glimlachte, strekte haar vingers en sloeg een pagina om. Even later gleed er nog een kaartje haar stapel documenten in: IK BEN TWEEËNDERTIG. IK HEB AAN EEN KATHOLIEKE UNIVERSITEIT GESTUDEERD EN HEB DAARNA ZES JAAR IN HET LEGER GEZETEN. DAARNA... Maar meer had er niet op het kaartje gepast.

Ze beet op haar onderlip en zette nog een handtekening.

Het volgende kaartje was kort en bondig: HOUD JE VAN ITALIAANS ETEN?

Ze dacht aan haar appartement, aan hoe veilig en op haar

gemak ze zich er voelde, hoe gelukkig ze er was geweest, tevreden met haar boeken en haar muziek, dat ze zich er helemaal niet eenzaam voelde. Ze knabbelde aan haar koek en legde zijn kaartjes op een stapeltje. Misschien zou het iets worden, of misschien was het niets langdurigers dan een sneeuwvlok die smolt zodra hij op de stoep viel. Hoe dan ook, ze zou wel zien. Ze schreef JA achter op het kaartje en schoof het terug over de tafel.

De man die niet werd gekozen

Marlie Davidow was niet het soort vrouw dat moeilijkheden opzocht. Maar op een vrijdagavond in september vonden de moeilijkheden haar, wat ze te wijten had aan haar eigen nieuwsgierigheid en de wondere wereld van internet.

Haar broer Jason en zijn toekomstige bruid hadden zich ingeschreven op Wedding.Wishes.com, waar hun hele verlanglijst stond geregistreerd. Marlie, die met haar zes maanden oude baby aan huis was gebonden, deed al haar boodschappen via internet terwijl ze op de beige bank met hoes zat, waar ze het grootste deel van haar tijd doorbracht om haar kindje te voeden, haar kindje te wiegen, of te proberen haar kindje op te laten houden met huilen. Op die noodlottige vrijdagavond veegde ze nadat Zeke eindelijk in slaap was gevallen de gefermenteerde gepureerde peren van haar shirt, zette haar laptop op de armleuning van de bank en wees en klikte haar weg door de aankoop van een messenset ter waarde van tweehonderd dollar. Toen ze ORDER BEVESTIGEN aanklikte, vroeg ze zich af hoe gepast het was en hoeveel ongeluk het mogelijk kon brengen om het gelukkige paar een messenset cadeau te doen voor hun huwelijk. Te laat, bedacht ze, en ze wreef in haar ogen. Het was negen uur – een tijdstip, toen ze nog geen kind had, waarop de avond net zou kunnen beginnen –, maar Drew was nog op zijn werk en ze voelde zich moe alsof ze een marathon had gelopen.

Marlie typte voor de lol haar naam in. Ze keek nog eens

naar haar eigen keuzes, en ze werd overvallen door melancholie terwijl ze terugdacht aan hoe ze haar eigen verlanglijst had samengesteld. Drew en zij hadden er een uitje van gemaakt en waren eerst rustig gaan brunchen voordat ze naar Macy's in winkelcentrum Paramus waren gereden en uren hadden doorgebracht met het bekijken van serviezen en kristal, zilveren martinishakers en handgeblazen margaritaglazen uit Mexico.

Twee jaar en drie maanden na de bruiloft stonden het kristal en zilver nog steeds in hun originele dozen ingepakt in de kelder bij haar moeder te wachten op de dag dat Drew en zij uit hun flatje met één slaapkamer aan de Upper East Side zouden verhuizen naar een huis met een eetkamer, of in elk geval met een beetje meer bergruimte. Het mooie servies was twee keer tevoorschijn gehaald, wat even vaak was als de keren dat Marlie zelf een maaltijd had gekookt sinds ze na de geboorte van Zeke haar baan als publiciste bij een klein theatergezelschap in Chelsea had opgezegd om thuis bij haar zoon te kunnen zijn.

De telefoon ging. Marlie keek naar het nummerdisplay. WebWorx. Wat Drew betekende. Die wel zou bellen om te zeggen dat hij nog later dan gebruikelijk zou komen. Ze propte de telefoon onder een kussen op de bank en typte, geleid door een impuls die ze op dat moment niet analyseerde, de woorden BOB MORRISON in het bruid/bruidegomvakje, waarna ze voordat ze zich kon bedenken op Enter drukte.

Niets, dacht ze terwijl er een zandlopertje op het scherm verscheen. Ze had de afgelopen vier jaar om de zoveel tijd op internet naar Bob gezocht, lui zijn naam intypend op momenten dat het erg rustig was op haar werk. Ze vond nooit iets behalve de oude links die ze elke keer aantrof: Bobs naam op een lijst van mensen die tijdens hun studie een hardloopwedstrijd uit hadden gelopen, Bob als een van de nabestaanden in de rouwadvertentie van zijn grootvader, Bob en een clubje medestudenten van een zomerkunstcursus in Long Island. Trouwens, als Bob ooit zou trouwen, dacht Marlie, dan zou ze dat op een lichamelijk, cellulair niveau aanvoelen. Na al die tijd dat ze onder één dak hadden gewoond, laat staan al die nachten die ze samen hadden doorgebracht, zou ze dat gewoon weten.

ER IS EEN PAAR DAT VOLDOET AAN UW ZOEKCRITERIA, verscheen er in het scherm. BOB MORRISON EN KAREN KRAVITZ. MANHASSET, NEW YORK.

Marlie trok haar hoofd van de computer weg alsof er een hand uit was gestoken die haar in haar gezicht sloeg. Bob Morrison. Manhasset. Dat is mijn Bob, dacht ze, en toen schudde ze verwoed haar hoofd, omdat Bob niet meer van haar was. Ze waren vier jaar geleden uit elkaar gegaan. Toen had ze Drew leren kennen en nu was ze getrouwd; ze was mevrouw Drew Davidow, moeder van een kind, en Bob was niet meer van haar.

HIER KLIKKEN OM LIJST TE BEKIJKEN, nodigde de tekst boven aan de pagina uit. Marlie klikte en scrolde door de verlanglijst, haar opengevallen mond en grote ogen in de blauwe gloed van haar scherm badend tot haar echtgenoot thuiskwam, die er bleek en moe uitzag en zijn koffertje naast de luiertas zette. 'Gaat het?' vroeg hij. Ze keek hem versuft en met knipperende ogen aan en maakte aanstalten zich van de bank te hijsen. De baby huilde weer.

'Nee, blijf maar zitten, ik ga wel.' Hij glimlachte moeizaam naar haar en ging op weg naar het afgeschermde deel van hun slaapkamer, waar Zeke sliep. 'Hé, knul,' hoorde ze hem zeggen. Het lukte haar op te staan en ze strompelde naar de slaapkamer. Ik ga alleen even een minuutje liggen, dacht ze terwijl haar hoofd het kussen raakte. Ze sloot haar ogen en toen ze ze weer opendeed, was het drie uur 's nachts. Drew lag op de bank met Zeke op zijn borst, die net zijn oogjes opendeed. Marlie maakte haar voedingsbeha los, nam Zeke in haar armen en uiteindelijk viel het drietal samen op de bank in slaap.

'Hij trouwt met een vrouw die zich heeft ingeschreven voor een Health-O-Meter-keukenweegschaal,' rapporteerde Marlie maandag aan haar beste vriendin Gwen tijdens een vroege lunch in hun favoriete sushirestaurant. Gwen, die Marlies vriendin was sinds hun studietijd en haar eerste kamergenote in New York, was op haar vijfentwintigste getrouwd en op haar zevenentwintigste zwanger geraakt, en was weer aan het werk gegaan in de reclamewereld toen haar dochter naar de peuterschool was gegaan. Ze droeg vandaag laarzen met hoge hakken, met een strakke spijkerbroek en een mooi tweedjasje met manchetten met ruches, gecompleteerd met een geweldige lakleren rode tas. Marlie was nooit mager geweest en ze had moeite de laatste zeven (of eigenlijk negen) kilo van de zwangerschap kwijt te raken, die zichzelf heel genoeglijk op haar heupen had gevestigd.

Gwen trok haar wenkbrauwen op. 'En dat weten we omdat...'

Marlie gaf haar de korte versie van het verhaal terwijl ze Zekes wandelwagen heen en weer duwde met haar in een gymschoen geschoeide voet: ze had een cadeautje voor haar broer uitgezocht en had voor de grap Bobs naam ingevoerd...

Gwens ronde, hazelnootbruine ogen werden groot, maar haar stem klonk kalm toen ze vroeg: 'Voor de grap?'

Marlie begon te blozen. 'Nou, ik was gewoon nieuwsgierig. Maar daar gaat het niet om. Waar het om gaat, is dat hij met de anti-mij trouwt! De on-mij!' Ze duwde zo hard tegen de wandelwagen dat hij tegen het tafeltje botste, waardoor er groene thee op Gwens bord en schoot klotste. 'O, god. Sorry!'

'Dat geeft niet,' zei Gwen, te snel, terwijl ze probeerde de nattigheid op te vegen en ondertussen haar manchetten droog te houden. 'Het is maar thee. Maar nog even over die on-mij. Dat ze dat is, baseer je op een keukenweegschaal?'

'Wie schrijft zich nou in voor een keukenweegschaal?' vroeg Marlie.

'Een vrouw die zich druk maakt om de grootte van de porties, neem ik aan.'

'Een mager kreng,' mompelde Marlie, die haar vriendin

haar servet gaf. 'En als jij degene bent die die weegschaal voor hen koopt, wat zet je dan op het kaartje? IK WENS JULLIE EEN HEEL GELUKKIG LEVEN EN PS. WORD NIET DIK?'

'Je zou er alleen GEFELICITEERD op kunnen zetten,' zei Gwen.

'Die weegschaal was niet het enige,' zei Marlie. 'Er staat ook een setje plastic chippen-en-dippen-schaaltjes op. Jakkes. En beige servies. Beige!' Ze schudde haar hoofd, haar hart bonkte en het drong tot haar door dat ze kwader was dan ze had beseft. 'Beige. Over saai gesproken.' Ja hoor, bedacht ze verbitterd. Alsof zij zo'n spannend leven had. Haar idee van cultuur was tegenwoordig twintig minuten ongestoord naar *Oprah* kijken.

Gwen legde haar eetstokjes neer. 'Oké. Luister. We gaan niet nog een keer het Bob Morrison-pad in.'

'Hoe bedoel je?'

'Het obsederen. Het lijden. Het opbellen als je dronken bent.'

'Dat heb ik maar één keer gedaan,' protesteerde Marlie. Gwens manchetten dropen van de nattigheid. Marlie trok een luier uit haar tas en gaf die aan haar vriendin.

'Het stalken,' ging Gwen meedogenloos verder terwijl ze met een eetstokje naar Marlie wees om haar woorden kracht bij te zetten.

'Technisch gesproken kan het geen stalken zijn als je alleen langs zijn huis loopt,' zei Marlie. 'En luister, Gwen, wat als hij nou degene is bij wie ik hoor te zijn? Wat als...' Ze nam een hapje brood, schonk nog een kop thee in en haalde een paar sojaboontjes uit de dop. Toen ze opkeek, zat Gwen nog te wachten, met haar hoofd scheef en grote ogen. Marlie zuchtte en zei toen met tegenzin: 'Wat als hij het nou is?'

Gwen keek verrast, alsof ze nog nooit aan haar liefde voor haar eigen echtgenoot had getwijfeld. Dat was waarschijnlijk ook zo, dacht Marlie. Het was vast gemakkelijk om geen moment te twijfelen als je een lange, aantrekkelijke, ontzettend aardige, op jou verliefde dubbelganger van Tom Cruise maardan-langer-en-niet-gesjeesde echtgenoot had. 'Nou, om te beginnen ben je met iemand anders getrouwd en heb je een kind met hem,' zei Gwen.

Marlie zuchtte. Dat was waar. Gwen legde haar stokjes op haar bord en keek haar vriendin geconcentreerd aan. 'Marlie,' zei ze. 'Dit is wat je wilde. Je wilde Drew, je wilde een kind en je wilde stoppen met werken. Weet je nog?'

Marlie knikte. Ze herinnerde zich nog maar al te goed hoe ze in ditzelfde restaurant met Gwens dochter Ginger op haar knie had zitten vertellen hoe graag ze dat wilde. Maar Ginger was een schattige bolle baby geweest die een schattig meisje was geworden, met een verzameling Kleine Zeemeermin-tasjes en naschoolse balletles, en Gwen, met haar schone huis en haar oppas en haar gelukkige, zorgzame echtgenot, deed het er allemaal zo eenvoudig uitzien. Waren Gwens eerste zes maanden moederschap ook zo gruwelijk geweest? Als dat zo was geweest, vroeg Marlie zich af, zou haar vriendin dat dan hebben verteld?

'Ik weet dat het allemaal even niet geweldig gaat,' zei Gwen. 'Dat hoort erbij als je getrouwd bent.'

'Heb jij dat ook?' vroeg ze.

Gwen haalde haar schouders op. 'Natuurlijk. Weet je nog dat we die ruzie hadden over of we zijn moeder zouden meenemen op vakantie?'

Marlie knikte, hoewel die ruzie, als ze het zich goed herinnerde, de volgende dag over was geweest, toen Paul gewoon had gezegd dat hij de kosten voor een extra *casita* in Scottsdale voor zijn rekening zou nemen. Terwijl Marlie, als ze 's avonds zo moe was dat het een hele opgaaf was om haar ledematen mee te laten werken, wel eens had gedacht dat haar huwelijk recentelijk de grenzen van 'dat hoort erbij' had overschreden en in het stadium 'het is allemaal één grote vergissing' was beland. Drew en zijn partners waren bezig Web-Worx op poten te zetten. Haar man vertrok 's ochtends voor achten naar zijn werk en was 's avonds zelden voor negen uur thuis, en ze kon er niet over klagen aangezien hij de enige kostwinner was. Ze had gewoon nooit gedacht dat de zorg voor een baby haar zo zou uitputten, dat ze er zo geïrriteerd van zou raken en zo hunkerend naar meer contact met een volwassene dan de tien minuten die Drew kon opbrengen voordat hij in slaap viel als hij eindelijk thuis was.

'Het wordt echt beter,' zei Gwen. Ze keek op haar elegante gouden horloge, streek haar ontkrulde haar glad en stond op. 'Ik weet dat dit een moeilijke periode is, maar geloof me. Je moet er gewoon doorheen. Zeke gaat lopen en praten, en slapen, en dan komt het allemaal goed.' Ze keek liefdevol naar Zeke en boog zich voorover om hem op zijn wang te kussen. 'En geloof me, dan had je het niet willen missen. Het gaat allemaal zo snel.'

Marlie knikte, en ze voelde zo'n plotselinge en sterke golf van jaloezie door zich heen gaan dat het leek of iemand haar een stomp gaf. Ze zou er alles voor overhebben om Gwen te zijn, met haar manchetten met ruches en haar prachtige laarzen, op weg naar een middag waarin ze niet eindeloos kinderliedjes zou zingen en geen drie manden door spuug verstijfd wasgoed hoefde weg te werken; naar een avond zonder baby die maar huilde en huilde, hoe ze ook haar best deed hem te troosten.

Ze was van plan naar huis te lopen, maar Zeke lag rustig te slapen in zijn wagen, dus liep ze zonder erbij na te denken richting het centrum, langs de bushalte en de vuilnisbakken, de kruidenier en de chique winkeltjes, naar de buurt waar ze met Bob had gewoond.

'Hé, Bob, dit is Marlie!'

'Ha ha,' zei Marlie, die haar plastic bekertje bier hief en opkeek naar de man die zojuist een grap had gemaakt die ze in haar leven al een keer of duizend had gehoord... één keer bij elke Bob die ze had ontmoet. Maar deze Bob leek zo gek nog niet. Hij had brede schouders, was een centimeter of vijf langer dan zij, had bruin krullend haar en hij droeg een bril met gouden montuur. Een zacht buikje duwde tegen zijn blauwgroene houthakkersoverhemd en hij had een vriendelijke scheve glimlach. Hij zag eruit als een lief berenjong uit een van de verhalen die ze toen ze klein was zo geweldig had gevonden.

'Is het Marley zoals in de zanger, of...'

'Nee, het is Marlie met een ı en een ᴇ.'

'O.' Bob knikte en leunde zo dicht naar haar toe dat ze hem boven het geluid van ʀᴇᴍ uit hoorde, dat de gasten in het drukke flatje bij de campus ervan op de hoogte stelde dat het einde van de wereld zoals zij die kenden nabij was. 'Heb je zin om te dansen?'

Ze schudde haar hoofd. Ze danste niet. Meisjes als Gwen – leuke meisjes, elegante meisjes – dansten. Meisjes als Marlie stonden in de hoek sarcastische opmerkingen te maken met de tasjes van hun vriendinnen in hun hand.

'Nee, dank je,' zei ze, maar Bob verstond haar niet, of hij negeerde haar antwoord, want hij pakte het bekertje uit haar hand en trok haar naar het midden van de ruimte.

'Nee, echt niet,' probeerde ze nog een keer, maar Bob luisterde niet. Hij reikte glimlachend naar haar uit en legde een hand op haar onderrug, waarmee hij haar zachtjes tegen zich aan duwde.

'Kom op,' zei hij. Zijn huid voelde aangenaam warm en hij rook naar zeep, bier en iets zoets, iets als hooi of net gemaaid gras. Ze had ondanks het gedreun van de bassen het gevoel dat ze zijn hart hoorde kloppen.

Bob en Marlie waren nog bij elkaar toen ze afstudeerden aan ɴʏᴜ, en toen trokken ze in een flatje dat Marlie in Murray Hill had gevonden. Marlie, die de hoofdrol had gehad in alle campustoneelstukken van *Medea* tot *Hair*, deed uitzendwerk bij advocatenkantoren en deed auditie voor alles van soaps tot experimenteel toneel en kabeltelevisieseries. Bob had het over en masteropleiding en schilderde een paar uur per dag, een paar dagen per week, aan zijn grote, kleurrijke doeken. Bob leefde van een fonds, dat hij te danken had aan een vader die het heel goed had gedaan als letselschadeadvocaat (één grote zaak met een man die allebei zijn benen had verloren in een bizar ongeluk in de metro en hij was voor de rest van zijn leven binnen), dus het maakte niet echt uit of Bobs werk ooit in een galerie zou komen, of hij werk had, het schilderij waaraan hij begon afmaakte, het grootste deel van zijn tijd doorbracht met het maken van compilaties met zijn favoriete muziek, en of hij ging lunchen met zijn evenzo semiwerkende vrienden en marathonfrisbeewedstrijden in Union Square Park organiseerde.

Marlie keek en wachtte en ging overal waar haar agent haar heen stuurde naartoe. Het duurde een paar jaar voordat ze erachter kwam, langzaam en pijnlijk, dat ze een goede actrice was en dat er in New York City alleen ruimte was voor geweldige actrices... en soms niet eens voor hen. Ze werd nu en dan teruggebeld voor televisieprogramma's die in New York werden opgenomen, ze kreeg wel eens een rolletje, en ze mocht één keer een reclame doen voor een maagzuurremmer waarin ze Opgeblazen Lijder Nummer Drie was en veertien uur lang overtuigend naar haar maag greep.

Bob en zij werden drieëntwintig, toen vierentwintig, en ze woonden nog steeds in hetzelfde flatje met de keuken vol kranten en pizzadozen die Bob altijd vergat weg te brengen, en het bed – of eigenlijk was het een matrasje – dat nooit werd opgemaakt, waar alles wat ze bezaten van straat was gehaald of cadeau was gegeven door Bobs ouders. Twee weken na de vijfentwintigste verjaardag van Bob hadden ze een gesprek dat erop neerkwam dat Marlie hem vroeg: 'Is dit alles wat je van het leven wilt?' waarop Bob had geantwoord met: 'Ja, en ik zie niet wat daar mis mee is.' Hij had gemokt. Zij was razend op de bank gaan slapen. Twee weken later bedankte ze haar agent voor zijn diensten, nam de voltijdbaan bij het New Directions Theater aan 8th Avenue en 18th Street aan en verhuisde. Ik heb alle kinderachtige dingen achter me gelaten, dacht ze terwijl Bob tegen het deurkozijn stond geleund, haar de dozen die ze had ingepakt aangaf en in zijn ogen wreef. 'Veel geluk,' had hij gezegd, en hij had haar een in bruin papier gewikkeld pakje van vijfentwintig vierkante centimeter gegeven, een portretje dat hij van haar had geschilderd toen ze nog studeerden. Word toch eens volwassen, dacht ze, en ze gaf hem een kus op zijn stoppelige, zoute wang, waarna ze de gammele trap met de versleten met rubber beklede treden af liep, langs het gat dat het enorme bed van een nieuwe huurder in het pleisterwerk had gehakt. En dat was dat. Op één door rum doordrenkt weekend inclusief een paar nachtelijke telefoontjes en drie wandelingen langs hun oude flatje na.

Ze had de zomer daarop Drew leren kennen, tijdens een vakantie waartoe Gwen haar had overgehaald mee te gaan, een lang weekend wildwatervaren in West Virginia. Ze had in de winkel waar ze haar wetsuit en peddel kreeg aangemeten haar toekomstige echtgenoot aangezien voor een van de gidsen. Ze had hem belaagd met vragen over de uitrusting en of er wel eens iemand gewond raakte tijdens zo'n uitje, waarna hij had opgebiecht dat hij een webdesigner uit Manhattan was, dat hij in de stad was geboren en getogen en dat hij niet meer dan zij over raften wist. Toen ze erachter waren gekomen dat ze allebei in Chelsea werkten, hadden ze visitekaartjes uitgewisseld en na het weekend hadden ze elkaar hun e-mailadres gegeven, waarna ze waren gaan borrelen, gevolgd door een eerste afspraakje. Ze was met Drew getrouwd en Bob, dat wist ze via een ansichtkaart die hij anderhalf jaar eerder had gestuurd, had een galerie in de Village gevonden die hem wilde vertegenwoordigen. *Bob Morrison, Onvoltooid* heette zijn tentoonstelling. Ze vroeg zich af of het als grap was bedoeld. Toen had ze zich afgevraagd of hij echt wilde dat ze naar de opening kwam, of dat hij dat kaartje als een soort 'lekker puh' had gestuurd, een manier om een lange neus naar haar te maken en haar duidelijk te maken dat hij toch een geslaagd kunstenaar was geworden.

Ze was uiteindelijk gestopt erover na te denken en had de kaart weggegooid met het idee dat alles was gelopen zoals het moest lopen. Iedereen blij: iedereen op de plek waar en met wie hij hoorde te zijn. Dus waarom kon ze Bob Morrison nu dan, al die jaren later, nu ze zelf een echtgenoot en een kind had, niet uit haar hoofd zetten? Waarom bleef ze maar denken aan die avond dat ze elkaar hadden leren kennen, aan hoe koel de voorjaarslucht op haar gezicht had gevoeld toen ze het feest hadden verlaten, hoe de nacht naar seringen had geroken, hoe Bob haar zachtjes tegen de trapleuning van dat flatje had geduwd, hoe hij haar hele gezicht met kussen had bedekt en hoe zijn hand onder haar goedkope katoenen jurk was gegleden...?

Je moet hiermee stoppen, zei ze tegen zichzelf terwijl ze de wandelwagen terug richting Carl Schurz Park duwde. Ze had haar keuze gemaakt. Ze had voor Deur Nummer Twee gekozen en het had geen zin je achteraf af te vragen wat er achter Deur Nummer Een had gezeten. In het park aangekomen voedde ze Zeke en smeerde sunblock op zijn dikke witte armpjes en wangen. Een uur ging tergend langzaam voorbij terwijl ze haar baby in een schommeltje duwde en naar de andere mammies luisterde, probeerde op de goede momenten te knikken, haar best deed de rol te spelen van een gelukkig getrouwde jonge moeder die de juiste beslissingen had genomen en heel tevreden was met haar leven.

Maar Drew moest die avond weer overwerken en nadat ze het aanrecht had schoongeveegd en de opgedroogde havermoutpap van Zekes ontbijt van de vloer had gebikt, trof Marlie zichzelf weer op Wedding.Wishes.com aan, met rollende ogen om Bob en Karens handdoeken en polyester tafellakens. Dat was al snel niet meer genoeg, en een of andere duistere impuls zette haar ertoe aan een van Bobs oude bandjes in de cassetterecorder te doen en terug te klikken naar de homepage. ALS JE EEN BRUID OF BRUIDEGOM BENT, KLIK DAN HIER, stond er, terwijl 'Why Can't I Be You' van The Cure op de achtergrond klonk. Ze klikte op BRUIDEGOM. VUL HIER JE WACHTWOORD IN. Ze hield haar adem in en typte. Bobs wachtwoord was de hele periode dat ze met hem samen was geweest FELI-CITY geweest, de naam van zijn kat. Toen verscheen er: WEL-KOM, BOB. KLIK HIER OM JE VERLANGLIJSTJE BIJ TE WERKEN op het scherm. Ze scrolde met bonkend hart door de Huishoudelijke Producten op zoek naar dat ene ding dat ze zou willen, voegde het toe aan de lijst en drukte op BIJWERKEN. Zo. Ze had een Hitachi Toverstaf met zijn heerlijk suggestieve vorm toegevoegd aan het verlanglijstje van het echtpaar Morrison-Kravitz. Maar waarom zou ze het bij een seksspeeltje laten?

CONTACTGEGEVENS BRUID BIJWERKEN, nodigde een link uit. Marlie klikte, en het adres en telefoonnummer van Karen Kravitz verschenen in beeld. Juffrouw Help Me Mijn Nieuwe Leven Te Vieren Met Mijn Mooie Keukenweegschaal. Marlie knipte en plakte Karens informatie in een ander scherm voor toekomstige gebruiksdoeleinden. Misschien zou ze de gegevens doorsturen naar Gwen, die kon toveren op internet. Misschien had Gwen mazzel en vond ze een foto...

Haar vingers verstijfden boven het toetsenbord toen ze nog een idee kreeg. Ze wiste voordat ze niet meer zou durven de naam van Karen Kravitz en verving die door haar eigen. BIJ-WERKEN? vroeg het scherm. Dit is belachelijk, dacht Marlie. Maar dat ze wist dat ze gek deed, hield haar niet tegen. Misschien zou de obsessie die bezit van haar had genomen sinds ze wist dat Bob ging trouwen afnemen, en dan zou ze zichzelf weer zijn, dan zou ze weer gelukkig zijn als ze eenmaal haar naam samen met die van Bob boven aan de pagina van een verlanglijst met huwelijkscadeaus zag staan, compleet met een keukenweegschaal, een beige servies en een vibrator.

Ze drukte op Enter. Er klonk een ploppend geluid, zo zacht en onbeduidend als een uiteenspattende zeepbel... en het beeldscherm werd zwart.

'O, nee,' mompelde ze terwijl ze zacht aan haar laptop schudde. Ze drukte op Control-Alt-Delete. Er gebeurde niets. Ze drukte op de aan-en-uitknop. Niets. 'Nee, nee, nee,' kreunde ze terwijl ze de stekker uit het stopcontact rukte en hem er weer in stak. Wat als ze de computer stuk had gemaakt? En wat ging er gebeuren als Bob ontdekte wat ze met zijn inschrijving had gedaan?

Ze hoorde Zeke in de slaapkamer zijn eh-eh-eh-geluidje maken. Ze rende ernaartoe, pakte hem met bevende handen uit zijn wiegje, verschoonde zijn luier en voedde hem op de bank, naast de laptop met het zwarte beeldscherm, terwijl ze ondertussen met haar vrije hand panisch probeerde de computer opnieuw op te starten en koortsachtig nadacht over hoe ze Drew moest gaan vertellen wat er was gebeurd. Ze was zo ver als: 'Schat, het spijt me verschrikkelijk', toen ze in slaap viel.

'Marlie?'

Ze wist op het moment dat ze haar ogen opendeed dat er iets niet klopte. Het licht. Er was iets met het licht. Er was te veel van. Zeke was zijn hele leven nog nooit later dan om zes uur 's ochtends wakker geworden en het was te licht in de kamer, dus zo vroeg kon het niet zijn. Het licht klopte niet, het bed voelde verkeerd en die stem...

Marlie draaide zich om en toen ze zag wie er naast haar lag, voelde ze hoe ze over haar hele lichaam kippenvel kreeg. Het was Bob, Bob Morrison, met nieuwe rimpels rond zijn bruine ogen, maar hij keek haar aan met zijn vertrouwde scheve glimlach. Ze ging rechtop in bed zitten – op het matrasje – en kon zich er met moeite van weerhouden heel hard te gaan gillen.

'Gaat het, schat?' Het zonlicht weerkaatste op de paar zilvergrijze haren die hij in zijn haar had en zijn warme hand lag op haar blote schouder. 'Je hebt je toch niet bedacht, hè?'

'Oké,' lukte het haar uit haar strot te persen. Haar hart bonkte in haar keel en ze voelde haar bloed in haar oren suizen terwijl ze een hand in haar pyjamabroek liet glijden, op zoek naar de streep dikker vlees. Geen litteken. En dus geen keizersnede. En dus ook geen negen kilo extra. En, waarschijnlijk, geen baby. Dit is een droom, dacht ze terwijl ze met haar handen over haar heupen ging en zich afvroeg waarom ze zichzelf vóór haar zwangerschap ooit dik had gevonden, en of ze ooit een droom had gehad die zo realistisch voelde. Alles was zo echt: hoe de lakens op haar blote huid voelden, de zwakke geur van bijenwaskaarsen, het geluid van verkeer op straat, zelfs die zure ik-ben-net-wakker-smaak in haar mond.

Bobs hand volgde die van Marlie haar pyjama in. Hij boog naar haar toe en kuste haar op haar wang, toen op haar oor. Marlie huiverde toen zijn stoppels over de gevoelige huid in haar hals schraapten, ze voelde een scheut van genot door zich heen gaan, die meteen werd gevolgd door een heel heftige golf van schuldgevoel. 'Plassen,' zei ze, naar adem snakkend. Ze sloeg de dekens van zich af en sprong uit bed, gleed door een vlek zonlicht op de vloer en stopte bij de spiegel om een pirouette te maken en haar voor-de-baby-lichaam uit alle mogelijke hoeken te bewonderen.

'Oké,' fluisterde ze tegen de spiegel. 'Concentreer je.' Het was een droom, veroorzaakt door die ellende met die verlanglijst en misschien slechte sushi. (Had ze niet gevonden dat de toro raar smaakte?) En hoewel ze de tandpasta en de zeep rook, de vochtige badmat onder haar voeten voelde en Bob over de vloer naar haar toe hoorde lopen, misschien hopend op een vluggertje voordat zij naar haar werk ging en hij naar waar-dan-ook, was dit niet echt. Dan was het dus ook geen overspel.

Hij duwde de deur open en keek haar aan met die vertrouwde glinstering in zijn ogen. 'Goedemorgen, Zonnestraaltje.'

Ze grijnsde naar hem. Ze had tijdens haar zwangerschap de meest schandalige erotische dromen gehad, waarvan een er ook ongeveer zo was begonnen, maar die was geëindigd tussen alle mannen van *Laguna Beach*.

Hij duwde haar tegen de wastafel en kuste haar, één keer, niet lang. Toen pakte hij zijn tandenborstel. 'Ik moet ervandoor.'

'O?' Ze hielp zichzelf eraan herinneren dat ze droomde. Hij

moest waarschijnlijk gewoon naar beneden, waar Stephen, Talen en Jason zouden staan te wachten, slechts gekleed in hun zwembroek en een glimlach. 'Waar ga je naartoe?'

Bob staarde haar aan. 'Naar mijn werk,' zei hij heel nadrukkelijk, alsof Marlie van het ene op het andere moment doof was geworden. 'Weet je zeker dat het wel goed met je gaat?'

Marlie knikte en keek naar haar handen. Aan de linker zat een verlovingsring. Het was een heel mooie diamant. Hij was alleen niet van haar.

Bob boog zich naar haar toe en gaf haar nog een kus. 'Vanavond,' zei hij met een lage, hese stem. 'Vanavond maak ik het goed. Fijne dag.' Hij glimlachte naar haar en liep naar de kast, waar hij zich begon aan te kleden. 'Veel plezier bij je massage.'

'Wat?' vroeg Marlie. En toen: 'Moet ik niet naar mijn werk?'

Hij keek haar weer met die rare blik in zijn ogen aan. 'Je hebt een dag vrij genomen. Je hebt een cadeaubon voor Bliss van mijn moeder gekregen. Weet je nog?'

'O, natuurlijk,' zei ze. Ze knikte. Hij knikte ook, gerustgesteld, en pakte toen zijn jas en liep de deur uit. Marlie sloeg grijnzend haar armen om zichzelf heen, huppelde terug naar de slaapkamer en gleed onder het donzen dekbed, dat nog warm voelde van Bob. Er ging een golf van vreugde door haar heen. Vrijheid, dacht ze, zoals Mel Gibson dat doet als hij de Schotten bijeenroept in *Braveheart*: Vrijhei-ei-ei-ei-ei-eid! En een massage. Dit was toch niet zo'n heel vervelende droom.

Marlie bracht de hele middag in babyvrije gelukzaligheid door: ze huppelde naar de kiosk op de hoek, waar de krantenjongen haar naam nog wist en haar een glad stapeltje aangaf dat bestond uit *Us*, *Star* en *People*; ze lunchte met een broodje met drie soorten gesmolten kaas aan een tafeltje aan het raam in haar favoriete eetcafé; ze genoot van elk heerlijk, stil moment van haar massage. Daarna nam Marlie een taxi terug naar hun oude appartement, waar ze op haar blote voeten door de kamertjes liep, haar knalrode teennagels bewonderde en opmerkte dat de droom-Bob – Bob deel 2? – nog steeds de gewoonte had halfleeggedronken koffiekoppen op de verwarming achter te laten. Maar er stonden nergens doeken, onvoltooid of anders, tegen de muur. Er lagen nergens kwasten of verf en het rook nergens naar lijnzaadolie of terpentine. Vreemd, dacht Marlie terwijl ze de kast opentrok om te kijken of daar opgerolde doeken lagen. Niets... Maar toen ze haar vingers in de zakken van Bobs winterjas liet glijden, vond ze een visitekaartje. Robert Morrison, stond er. Manager Innovatie & Technologie, Morrison Advocaten. Dus Bob had zijn weerstand opgegeven en was voor zijn vader gaan werken, als manager innovatie en technologie, wat dat ook wezen mocht. Ze voelde een vreemde, verdrietige steek in haar lichaam. Ze toetste voor de lol haar eigen nummer bij New Directions in. In plaats van haar eigen stem die vrolijk en zelfverzekerd zei: 'Met Marlie Davidow, New Directions Theater', klonk er een belletje van drie tonen, dat werd gevolgd door een computerstem: 'Het nummer dat u hebt gekozen, is buiten gebruik. Probeert u het later nog eens...'

Nu voelde ze zich ineens nog verdrietiger en vreemder. Werkte New Directions nog aan *Uncommon Women and Others*? Wie deed de telefoontjes naar de verwaande critici in de stad om hen ervan te overtuigen dat het toneelstuk niet alleen een flauw aftreksel van *Sex and the City* was omdat het toevallig over meer dan één vrouw ging? En hoe lang lag ze ondertussen trouwens al te slapen?

Ze vroeg zich af of Zeke ook sliep, of dat hij wakker was geworden en door Drew werd verzorgd. Ze kneep voorzichtig in haar rechterarm... Toen kneep ze, huiverend, harder. Niets.

De meest logische stap zou zijn weer in slaap te vallen en maar te hopen dat ze wakker zou worden in het goede bed (of in elk geval op de bank in het goede appartement). Maar na de eerste nacht die ze in maanden had doorgeslapen, leek het onwaarschijnlijk dat ze in zou dutten.

Marlie dwong zichzelf helder na te denken. Als dit een droom was, kon ze wakker worden. Als dit een of ander parallel universum was, een foutje in het tijd-ruimtecontinuüm dat niets te maken had met slechte sushi en misschien wel echt magisch was, kon ze daar ook achter komen.

Ze ging in de hoek van de ruimte staan, sloot haar ogen en klikte haar die middag van eelt vrijgemaakte hielen tegen elkaar. 'Oost, west, thuis best,' zei ze. Ze deed haar ogen weer open. Nee, ze stond nog steeds in Bobs appartement. Ze deed haar ogen weer dicht. 'Wat heb ik toch een heerlijk leven?' Ze deed haar ogen open. Vergeet het maar.

Marlie keek met een bonkend hart en een droge mond om zich heen in de kamer op zoek naar aanwijzingen. Bobs vieze kleren op de vloer... de krant van de zondag ervoor...

Ze balde haar vuisten en staarde naar de kunstwerkloze muur. Ze ademde diep in en liep ernaartoe... rende ernaartoe. Ze had flink vaart toen haar voorhoofd contact maakte.

'Au! Shit!'

Marlie deinsde met knipperende oogleden achteruit. Ze had tranen in haar ogen en zag sterretjes, maar door die sterretjes heen zag ze dat ze nog steeds, hartstikke, niet thuis was. Toen drong het ineens tot haar door. Ze wreef in haar ogen en rende naar Bobs laptop, met haar vingers op het bureau tikkend en mompelend: 'Kom op, kom op', terwijl de telefoon stotterend en piepend verbinding maakte.

HALLO BOB EN MARLIE! begroette de homepage van Wedding.Wishes.com haar.

Ze klikte op het tabblad INFORMATIE OVER DE BRUID. Het beeld bleef hangen. PROGRAMMA REAGEERT NIET, stond er. WINDOWS GAAT AFSLUITEN.

'Nee, nee, nee!' gilde ze. Maar de verbinding was al verbroken en ze hoorde Bob de kapotte trap op lopen en zijn sleutel in het slot steken.

'Hoi!' riep Bob terwijl hij de deur door kwam met een kledingzak in zijn ene hand en een schoenendoos in zijn andere. Toen hij zag dat ze op blote voeten en in een spijkerbroek liep, trok hij zijn wenkbrauwen op. 'We moeten gaan. Je kunt moeilijk te laat komen op je eigen feestje, toch?'

'Daar komt de bruid!' riep Bobs broer Randall vanuit de deuropening van de kroeg twee straten van hun flatje vandaan, waar Bob en Marlie stamgasten waren. Niet omdat ze het zo'n leuke kroeg vonden – de barkeeper was kribbig en de jukebox vrat hun muntgeld op –, maar omdat je er op maandagavond een kan bier voor maar twee dollar kreeg, wat zelfs voor Bobs minder rijke vrienden heel betaalbaar was.

Marlie kromp ineen toen Randall haar ruw omhelsde. Randall had haar een keer in haar kont geknepen tijdens een Thanksgiving-etentje in de eetkamer van de familie Morrison en had zijn gedrag toen willen wegwuiven als het gevolg van overwerk en tryptofaan in de kalkoen, terwijl Marlie er als versteend bij had gestaan met een knalrood aangelopen gezicht en doodsbang een van de vele Morrison-antiquiteiten omver te stoten als ze toch zou bewegen. Ze keek over haar schouder op zoek naar haar veronderstelde toekomstige echtgenoot, maar Bob was verdwenen. Dat doet hij altijd, herinnerde ze zich, en het oude gevoel van frustratie golfde door haar heen. Echt Bob. Dan nam hij haar mee naar een familiefeestje, beloofde niet van haar zijde te wijken omdat hij wist dat zij verlegen was en zijn broer een kontengrijper, en als ze zich dan omdraaide, zat hij twee kamers verderop football te kijken.

Dat zou Drew nooit doen, dacht ze. Drew kon luidruchtig zijn, hij kwam vaak te laat, hij had overal een uitgesproken mening over en deelde die iets te graag met zijn vrienden, of als het zo uitkwam met vreemden. Maar als ze naar een feestje gingen, hing hij haar jas op en hield haar hand vast. Dan bleef hij bij haar, zorgde dat ze een vol glas had en dat ze bij het gesprek werd betrokken. Marlie schudde haar hoofd en voelde de onrust van die middag in paniek omslaan. Wat als ze echt nog lag te slapen, op de bank, en de baby wakker was en ze hem niet hoorde? Heel onwaarschijnlijk, dat wist ze, maar Zeke werd heel af en toe wakker zonder te gaan huilen. Dan liep ze de slaapkamer in en trof hem in zijn wiegje aan, wanneer hij haar kalm aanstaarde met zijn blauwgrijze ogen, alsof hij wachtte tot ze een verhaaltje zou gaan voorlezen.

Ze werd door de menigte meegesleurd naar een buffet op tafels die langs de achtermuur stonden. Zoals gebruikelijk op Morrison-feestjes was er een overvloed aan drank en maar heel weinig te eten. Bobs ouders stonden bij de bar, ze zagen er stijfjes en ongemakkelijk uit, meneer Morrison in een sportief jasje en mevrouw Morrison in een trainingsbroek van tweehonderd dollar met een met kraaltjes afgewerkte zigeunerblouse erop waarover een echte zigeunerin alleen kon dromen. Bob liep langs haar heen, verdiept in een gesprek met iemand die Marlie niet kende. Marlie greep zijn mouw en hij glimlachte nonchalant naar haar.

'Kom, dan stel ik je aan mijn vrienden voor,' zei hij. Hij leidde haar naar de jukebox, waar ze werd voorgesteld aan Barb en Barry van de frisbeeclub en Karen van Morrison Advocaten.

'Karen Kravitz?'

De vrouw keek geschrokken. 'Inderdaad.' Ze had een gemiddelde lengte en lichaamsbouw en droeg een lichtblauw jasje op een spijkerbroek met een onelegant hoge taille. Ze had lichtbruin haar, maar haar wenkbrauwen en wimpers waren zo bleek en schaars dat ze bijna onzichtbaar waren. 'Kennen wij elkaar?'

Dus dit is de vrouw met wie Bob in het echte leven trouwt, dacht Marlie. Zomaar iemand die van beige servies houdt. Ze had een stukje kipsaté in haar hand. 'Hé,' kon Marlie zich niet inhouden op te merken, 'is dat ongeveer een ons, wat je daar in je hand hebt?'

Karen Kravitz knipperde met haar doorschijnende wimpers. 'Pardon?'

'Niets,' zei Marlie... en toen zag ze, godzijdank, iemand die ze kende. 'Gwen!' Ze baande zich een weg door de drukte en wierp zich op haar beste vriendin. Toen ze losliet, keek Gwen haar vragend aan.

'Jemig, Marlie, ik heb je gisteren nog gezien!'

'Om sushi te eten?' vroeg Marlie.

'Om je jurk te passen,' zei Gwen, die haar vragend aankeek.

'Kom eens mee.' Marlie trok haar vriendin mee naar een kleine en smerige toiletruimte, met groengeschilderde muren, waar een agressieve ammoniakwalm hing. 'Ik moet je iets vertellen.' Ze haalde haar handen door haar haar, het glanzende, lekker ruikende kapsel van een vrouw zonder baby die tijd overheeft. 'Ik weet dat het idioot klinkt, maar ik hoor hier helemaal niet te zijn!'

'Twijfel je?' vroeg Gwen, met een gretigheid die onder andere omstandigheden beledigend zou zijn geweest. Ze reikte met glinsterende ogen in haar tasje – in dit leven een goddelijk zwart krokodillenleren gevalletje – naar haar sleutels. 'Mijn auto staat voor de deur. Ik kan je hier binnen vijf minuten weg hebben.'

'Ik heb geen auto nodig, ik heb een computer nodig. Ik moet mijn verlanglijst wijzigen.'

Gwen staarde haar met grote ogen en open mond aan. 'Twijfel je over je servies? Je hebt toch al vier couverts gekregen?'

'Het gaat niet over het servies! Het gaat om mijn leven! Ik twijfel over mijn leven!'

Gwen staarde haar met open mond en grote ogen aan.

'Drew,' ging Marlie koortsachtig verder. 'Drew Davidow. Dat is mijn man. Dat is degene met wie ik moet trouwen. We hebben hem leren kennen tijdens dat wildwatervaren, weet je nog?'

Er werd op de deur geklopt. 'Dames?' riep Bob.

Marlie probeerde het een laatste keer. 'Ik heb een baby. Een jongetje. Ezekiel. Zeke. We hebben hem naar mijn grootvader vernoemd.' Ze reikte in haar eigen tasje, zocht haar portemonnee, en de foto die erin zat van Zeke toen hij een dag oud was, gewikkeld in zijn roze-blauw gestreepte ziekenhuisdekentje met een gebreid mutsje op zijn hoofd. Maar de portemonnee die ze vond, was niet de portemonnee die ze zich herinnerde en toen ze hem opendeed, trof ze er alleen een foto van haar en Bob aan, gemaakt in een fotohokje in Dave & Buster's, waarop ze allebei hun tong naar de camera uitstaken.

'Is dit een grap?' vroeg Gwen.

Marlie liet de portemonnee in haar tasje vallen en greep de handen van haar vriendin. 'Help me. Help me, alsjeblieft,' smeekte ze. 'Ik hoor hier niet te zijn.'

Bob kwam binnen, hij zag er ongeduldig uit. 'Daar zijn jullie,' zei hij terwijl hij zich een weg langs Gwen duwde. Hij pakte Marlies hand en leidde haar langs de druipende wastafelkraan en de kapotte handdoekjesmachine terug naar het feest, terwijl Gwen een laatste bezorgde blik over haar schouder wierp en wegging. Marlie hoopte maar dat ze op weg was om die laptop voor haar te halen, zodat ze naar huis kon.

Dit is een vergissing, dacht Marlie, terwijl ze automatisch glimlachte toen ze Bobs tante Phyllis omhelsde, die naar de snoepjes rook die ze dwangmatig kauwde om de geur van sigaretten te maskeren waarvan ze dacht dat niemand wist dat ze ze rookte.

Ik moet hier weg, dacht ze terwijl Randall haar nogmaals feliciteerde en zijn handen van haar middel naar haar kont gleden. Haar eigen moeder kuste haar op haar wang en fluisterde: 'Veel geluk.' Marlie slikte een brok in haar keel weg, begon bijna te huilen en dacht terug aan hoe haar moeder de avond voordat ze met Drew was getrouwd had gezegd: 'Ik ben zo blij voor je.' De avond ontvouwde zich in een serie schunnige toosts en felicitaties, en Marlie besloot uiteindelijk dat als ze niet wakker kon worden en niet naar huis kon, ze in elk geval kon genieten van dat ene plezier dat borstvoedende moeders wordt ontzegd: ze kon ongegeneerd stomdronken worden.

Ze begon met een biertje en stapte daarna over op haar favoriete drankje van toen ze nog alleenstaand was, rum met cola light. 'Mustang Sally' blèrde uit de jukebox en Bobs frisbeevrienden zaten aan één kant van de bar bij een televisie. Marlie zette haar derde glas op een dienblad vol lege glazen en vieze servetjes en ging op weg naar de bar. Terwijl ze op haar bestelling stond te wachten borrelde er heel langzaam nog een idee in haar met rum doordrenkte brein omhoog. Doornroosje, dacht ze. Met haar hielen klikken en haar hoofd tegen de muur rammen had niet geholpen. Misschien hoefde ze Karen alleen maar zover te krijgen dat ze Bob een kus zou geven.

Ze besloot dat het een poging waard was. Ze pakte haar drankje, streek haar haar glad en liep schuchter naar Karen Kravitz, die in een hoek van de ruimte weemoedig voor zich uit stond te staren.

'Hoi,' zei Marlie, en ze liet een boer.

De andere vrouw glimlachte zwakjes naar haar.

'Luister,' zei Marlie. 'Vind jij Bob, eh, aardig?'

'Ja, hoor,' zei Karen. Haar toon was neutraal. 'Hij is heel aardig. Je hebt het getroffen.'

'Ik bedoel of je hem áárdig vindt,' zei Marlie, die bemoedigend in Karens onderarm kneep. De ogen van de andere vrouw werden groot.

'Hoe bedoel je?' stamelde ze.

Marlie begon te hikken en vervloekte in stilte haar beslissing dat ze op alcohol en koolzuur was overgestapt. 'Niets. Laat maar zitten. Houd je van kunst?' vroeg ze toen. 'Wist je dat Bob kunstenaar is?'

'Ja,' zei Karen behoedzaam. 'Hij tekent een strip over kantoor.'

'O, ja?' Oké, dit was mooi. Hier had ze wat aan. 'Kom jij er ook in voor?'

De andere vrouw glimlachte. 'Soms. Hij gaat meer over Bob en zijn vader.' Haar glimlach werd breder. 'Bob krijgt in die strip superkracht na een bizar ongeluk waarbij de bliksem inslaat in een snoepautomaat in de kantine.'

'Bliksem,' verwonderde Marlie zich. 'Kantine. Wauw. Ik durf te wedden dat hij prachtige plaatjes tekent.'

Karen kneep haar oogleden half samen. 'Heeft hij ze nog nooit aan je laten zien?'

Marlie negeerde de vraag. 'Hij was schilder. Tijdens zijn studie en erna. Dat is wat hij echt wilde, maar het is moeilijk.' Oké, dacht ze. En nu even doorzetten. 'Ik denk,' schreeuwde ze. Oeps. Te hard. Ze ging zachter praten. 'Ik denk dat het heel belangrijk is dat vrouwen de steun en toeverlaat van hun man zijn. Dat je de kracht achter de troon bent. Of achter de ezel.'

Karen keek haar vreemd aan. 'Als je me nu wilt excuseren,' zei ze, en ze verdween de menigte in. Marlie zuchtte en liet zich op een stoel aan een tafeltje voor twee zakken. Toen ze opkeek, stond de andere vrouw met een dampende kop koffie voor haar neus. 'Alsjeblieft,' zei ze, niet onaardig. 'Leuk dat ik je heb leren kennen. Tot zondag.'

'Bob kan heerlijk zoenen!' riep Marlie hulpeloos naar Karens vertrekkende rug. Geen antwoord. Natuurlijk niet. Marlie begon weer te hikken en het drong ellendig tot haar door dat de echte verloofde van haar theoretische echtgenoot best eens gedacht kon hebben dat ze een prenuptiaal triootje voorstelde.

Ze zuchtte en zag Bobs vertrouwde gestalte, de lijn van zijn schouders en zijn versleten houthakkersoverhemd, zoals hij schouder aan schouder met drie van zijn neven aan de bar stond. Ze herinnerde zich ineens iets wat ze in alle opwinding sinds ze toevallig – of obsessief, eerlijk gezegd – op het nieuws was gestuit dat Bob ging trouwen, was vergeten. Vier maanden voordat ze uit elkaar waren gegaan, hadden Bob en zij tijdens het feest voor de tachtigste verjaardag van haar oma ruzie gehad. Marlies grootmoeder had altijd haar mond vol over Marlies carrièrekansen en haar uiterlijk, en Marlie was dolblij geweest dat ze eindelijk eens een vriendje aan haar zijde had dat haar tot steun kon zijn.

Bob had echter andere ideeën, en kaartjes voor de Jets. Hij

stemde er uiteindelijk mee in niet naar die wedstrijd te gaan en mee te komen naar het feest, maar hij had de hele rit naar Rhinebeck zitten mokken en was nadat hij in een kwartier twee biertjes achterover had geslagen de zitkamer uit geglipt en had Marlie alleen achtergelaten bij de steeds concretere vragen van haar grootmoeder over de toekomstplannen van Marlie en haar jongeman.

Ze trof Bob in zijn auto aan, achter het stuur bij de radio, met een derde en vierde biertje in de aanslag en een uitdagende blik in zijn ogen.

'Hé. Ik kan binnen wel wat hulp gebruiken,' zei ze.

Bob keek haar niet aan en zette de radio harder.

'Wanneer heb je besloten dat je me zo haat?' vroeg ze. Ze had de vraag luchtig gesteld, alsof ze hem plaagde, maar toen ze hem helemaal had uitgesproken, was het geen grapje meer. Bob haalde vijandig zijn schouders op. Marlie werd doordrongen van het besef hoe ver ze uit elkaar waren gedreven. Hij wilde niet met haar in het huis van haar oma zijn en zij wilde niet met hem naar het stadion. Hij gaf misschien om haar – misschien hield hij zelfs van haar –, maar hij kon niet voor haar zorgen. En zij, de werkloosheid, de doelloosheid, de frisbeewedstrijden, de ouderlijke bijdragen en de onvoltooide schilderijen helemaal beu, had steeds minder zin om voor hem te zorgen.

De relatie liep officieel pas maanden later stuk, maar Marlie wist dat dit moment het einde had betekend.

Bob en zij liepen in stilte terug naar huis van de kroeg. 'Gaat het wel?' vroeg hij toen hij zijn sleutels op het krakkemikkige tafeltje bij de deur gooide en niet leek op te merken hoe ze ervanaf stuiterden en op de vloer vielen. Ze knikte automatisch. Toen de verpleegster Zeke in het ziekenhuis voor het eerst in haar armen had gelegd, had ze gezegd: 'Alsjeblieft, mama', en toen had Marlie over haar schouder gekeken of haar eigen moeder er was. 'Ik weet niet of ik dit wel kan,' had ze tegen Drew gezegd, en hij had zich naar haar toe gebogen, met een tedere blik in zijn ogen, had haar op haar voorhoofd gekust en had gezegd: 'Ik weet zeker dat je het kunt.' Ze dacht terug aan hoe ze met z'n drietjes in de taxi naar huis hadden gezeten, het nieuwe autostoeltje zorgvuldig tussen hen in vastgemaakt en Zeke die met een handje haar wijsvinger had vastgegrepen. En ze dacht aan Drew in die winkel, toen hij zijn wetsuit had dichtgeritst en haar met de peddel had geholpen, hoe hij had gezegd dat ze nergens bang voor hoefde te zijn omdat hij zeker wist dat die stroomversnellingen veel minder eng waren dan ze eruitzagen.

Laat in die slapeloze nacht, in de witte katoenen nachtpon die ze was verloren tijdens de verhuizing uit het oude appartement en waarvan ze had gedacht dat ze hem nooit meer zou zien, lag ze naast een man die haar man niet was – nog niet, tenminste, en met een beetje geluk nooit – en dacht aan Drew en haar baby. Ze zag hun gezichten zo goed voor zich dat ze ze bijna kon aanraken, dat ze ze bijna kon aanraken en kussen. Ze zag hoe Zeke zijn handjes spreidde en weer sloot terwijl ze hem de borst gaf, de manier waarop Drews haar over zijn kraagje krulde als hij te lang niet naar de kapper ging.

Dit is wat je wilde, had Gwen gezegd. Marlie deed haar ogen open en keek naar Bob Morrisons ontspannen, slapende gezicht. Toen raakte ze zijn arm aan. Bob schrok wakker, zijn ogen groot, zijn gezicht rood.

'Wat?'

Ze steunde op een elleboog en keek hem aan. 'Het spijt me,' zei ze.

Hij kneep zijn oogleden samen in de duisternis. 'Hoezo? Wat heb je dan gedaan?'

'Dat maakt niet uit. Als je me maar vergeeft.' Je werkt voor je vader in plaats van te schilderen, dacht ze. Je hoort Karens echtgenoot te zijn en niet die van mij.

'Goed, hoor. Ik vergeef je. Mag ik nu weer gaan slapen?'

Ze knikte en kuste hem op zijn wang. Hij kroelde door haar haar en draaide zich om. Een minuut later lag hij weer te snurken.

Ze telde tot honderd, en nog een keer. En toen de wereld donker was en het buiten stil was, en het rustig was op straat, liep ze op haar tenen terug naar Bobs computer en logde in op Wedding.Wishes.com.

Haar handen beefden toen ze op GEGEVENS BRUIDEGOM klikte, Bobs naam wiste en verving voor die van Drew. BIJWERKEN? vroeg het scherm.

Haar vingers hingen even stil, gebogen boven de toetsen. Nu, dacht ze. Nu ga ik typen: ZEKE IS DE BLIJSTE BABY OP AARDE, HIJ SLAAPT VEERTIEN UUR PER NACHT EN HUILT NOOIT. Of: DREW DAVIDOW KOMT ELKE AVOND OM ZES UUR UIT ZIJN WERK.

Maar ze typte niets anders. Ze drukte op Enter, sloot haar ogen en begon te duimen. Er gebeurde een minuut lang niets. Toen verschenen de woorden DANK JE, MARLIE in beeld.

Ze ging terug naar bed en ging naast Bob liggen, met zijn ontspannen glimlach, zijn warme handen en zijn geur van pas gemaaid gras, voor de laatste keer, want ze wist in haar hart dat ze wakker zou worden op de plek waar ze hoorde te zijn, opgekruld op de bank met haar zoon veilig in zijn wiegje, het litteken van de keizersnede en de extra negen kilo terug waar ze hoorden te zijn, en haar echtgenoot zou thuiskomen met die vermoeide glimlach om zijn lippen, haar overeind helpen en terugleiden naar het bed dat ze deelden, en dan zou hij zeggen: 'Ga jij maar slapen. Ik doe het wel.'

Koffie-uurtje

Blauw, dacht Alice. De september-januariperiode van het koffie-uurtje was een kwartier geleden begonnen, op een schitterende herfstochtend waarop de goudkleurige bladeren fel afstaken tegen de hemel en de wind voelde als een voorbode van de winter. Alice deed haar uiterste best niet te staren naar de tiener met piercings, tatoeages en een fletse huid die wijdbeens tegen de radiator op de vloerbedekking van de speelkamer zat, maar de paar steelse blikken die ze naar links had geworpen overtuigden haar ervan dat het meisje, dat naar het koffie-uurtje was gekomen in een mouwloos Sex Pistols-T-shirt op een laag gesneden zwarte spijkerbroek, donkerblauwe streepjes in haar gitzwarte haar had, met een paar strengen rood.

De dochter van Alice, Maisy, wriemelde in haar armen. Maisy kleefde al als een aapje aan haar sinds ze het buurthuis van Society Hill was binnengelopen. 'Mama, ik heb een beetje verlegen,' had ze gezegd. Dus had Alice twintig minuten in een hoek gestaan, naast het tafeltje met een plastic theeserviesje en de kisten verkleedkleertjes, met een vreselijk pijnlijke onderrug en Maisy's gezicht tegen haar hals geduwd. 'Staan, mama, staan!' had Maisy uiteindelijk bevolen. Alice zette haar zachtjes op de vloer. 'Voorzichtig,' riep ze terwijl Maisy de andere kinderen negeerde en naar de houten glijbaan waggelde met dat tenen-naar-binnen-ellebogen-naar-buiten-loopje waardoor ze net een verontwaardigde pinguïn leek.

Lynn, de groepsleidster, een kleine, opgewekte vrouw met een zilverblonde boblijn, klapte in haar handen. 'Mama's, verzorgsters,' riep ze. 'We gaan in de kring.' De tiener met het blauwe haar stond lui op en schepte een schattig meisje in een overall met hoge roze gympies en in staartjes gebonden zwarte krullen op. 'Buikje!' riep ze, en ze plantte tien kusjes op het ronde buikje van het meisje. Het meisje kraaide van plezier en kreeg kuiltjes in haar wangen.

Alice pantserde zichzelf en liep naar de glijbaan, waar Maisy stuurs haar hoofd tussen haar schouders trok.

'Kom Maisy, we gaan in de kring.'

Maisy schudde haar hoofd.

'We gaan zo weer spelen,' zei ze, en ze tilde haar dochter op.

'Nee! Nee! Nee-hee nee! Nu spelen, mama!' krijste Maisy, en ze schopte Alice hard tegen haar linkerborst. Alice snakte naar adem. Tranen sprongen in haar ogen, maar ze deed haar uiterste best haar stem rustig te laten klinken terwijl ze Maisy naar de kring tilde.

'Maisy, je mag niet schoppen. Voeten zijn niet om mee te schoppen.'

'Zelf... lopen! Nu!' krijste Maisy, die ondertussen probeerde zich los te wrikken uit haar moeders armen. Alice kromp ineen en voelde de starende blikken van de andere moeders in haar boren.

'Je mag straks op de glijbaan, maar we gaan nu in de kring,' zei ze met de strenge-maar-geduldige stem waar ze al weken – zonder dat het zin had – op oefende.

'Oké!' zei Lynn, die glimlachte naar de acht vrouwen met kind en enorm haar best deed Maisy te negeren, die ondertussen een woedeaanval had gekregen en gillend met haar vuisten op de vloer lag te timmeren. 'We gaan de kring rond en dan vertel je hoe jij en je kind heten.'

Moeder Een was Lisa met haar dochtertje, Annie, een meisje met een porseleinen huid en rood haar dat tevreden op haar duim zat te zuigen. Mama Twee was Stacy, met haar zoon, Taylor, die zijn brandweerwagen over het tapijt heen en weer duwde. Alice klopte zinloos op Maisy's rug en ving hier en daar een naam op. Pam... Tate. Manda... Morgan. De moeders waren zo te zien net als Alice in de dertig, allemaal met duur gehighlight haar en zwarte kringen onder hun ogen die werden gemaskeerd met camouflagestick van zestig dollar. De diamanten aan hun linkerhand hadden zo ingeruild kunnen worden voor een tweedehands auto.

Toen er nog één moeder aan de beurt was, stopte Maisy eindelijk met huilen. 'Stommerd,' zei ze terwijl ze Alice razend aankeek, die voelde hoe haar hart zich machteloos samenkneep, alsof ze daar ook een trap had gekregen. 'Je bent stom.' Maisy stak haar duim in haar mond. Ze had vlekkerige wangen en haar fijne blonde haar, dat die ochtend keurig was geborsteld en met konijnenspeldjes was vastgestoken, stond als een pluizige corona om haar hoofd.

De oppas met het blauwe haar trok een wenkbrauw op en zette het meisje met de staartjes en kuiltjes in haar wangen anders op schoot. 'Ik ben Victoria en dit is Ellie. Ze is precies tweeënhalf.' De andere moeders knikten en mompelden een hallo.

'En ze is al zindelijk, zie ik!' riep Lynn, de leidster. De oppas haalde bescheiden haar schouders op. Alice trok een gezicht. Het was haar niet gelukt Maisy zover te krijgen iets anders met haar potje te doen dan het af en toe als hoed te dragen. Toen was het haar beurt.

'Ik ben Alice, en dit is Maisy. Ze wordt volgende maand tweeënhalf.' Ze pakte een tissue uit haar luiertas en probeerde het gezichtje van haar dochter schoon te vegen.

'Ga weg!' snauwde Maisy, die naar de handen van Alice begon te slaan. Kies je strijd, hielp Alice zichzelf herinneren, en ze stak de tissue in haar zak en nam Victoria's piercings in zich op. Ze had een zilveren ring door haar onderlip, er schitterde een diamantje in een neusvleugel, er stak een zilveren spies door haar wenkbrauw en zwarte rubberen pluggen in haar oorlellen zaten in gaten van een halve centimeter doorsnee. Alice dacht dat ze niet ouder was dan negentien.

'Vrij spelen!' zei Lynn, die weer in haar handen klapte. De andere moeders, met hun dure suède mocassins en ringen van platina met diamant, liepen naar de knutseltafel. Victoria nam haar hangende positie bij de radiator weer aan en begon lui aan een leren manchet rond haar pols te draaien, terwijl Ellie blij wattenbolletjes op karton begon te plakken. Alice leidde Maisy terug naar de glijbaan en ging naast de blauwharige Victoria zitten. Ze vroeg zich af wat voor moeder haar kind aan een oppas toevertrouwde die er zo uitzag. Vast een heel hippe, uit het centrum. Alice en haar man waren onlangs naar de buitenwijk Haddonfield verhuisd, waar alleen oude vrouwtjes blauw haar hadden.

'Hoe lang zorg je al voor Ellie?' vroeg ze.

Victoria trok een gepiercete wenkbrauw op. 'Pardon?' Toen grijnsde ze naar Alice. 'O, nee,' zei ze. 'Ik ben de oppas niet. Ik ben haar moeder.'

'Hoe was jullie dag, dames?' vroeg Mark die avond, en hij probeerde niet gekweld te klinken terwijl hij zijn jas en colbertje ophing en naar de keuken liep om Alice te helpen Maisy in haar kinderstoel te krijgen.

'Prima!' riep Alice terug. Een van Maisy's voetjes in gympies trapte tegen haar biceps terwijl het Mark uiteindelijk lukte de bandjes om zijn dochter aan te trekken. Alice greep het plastic Disney-prinsessenbordje en Maisy's favoriete oranje tuitbeker van het aanrecht. 'We zijn naar de peuterspeelzaal geweest! Het was leuk!'

'Nietes,' zei Maisy, die ineens helemaal slap werd en onder haar tuigje uit gleed, haar kinderstoel af en op de vloer. Ze bleef even staan, net zo verbijsterd om deze nieuwe ontwikkeling als haar ouders, waarna ze haar mond opende en begon te krijsen. Mark zette haar terug in haar stoeltje en trok de bandjes strakker aan, terwijl Alice een dampend schaaltje uit de magnetron pakte. Maisy hield acuut op met jammeren. 'Jammie! Pasta met kip!'

Mark fronste zijn wenkbrauwen en trok zijn stropdas

los. 'Alweer? Heeft ze dat gisteravond ook niet gegeten?'

'En vandaag als lunch.' En als ontbijt, zei Alice maar niet. 'Ze eet niets anders,' zei ze terwijl ze zich op haar stoel liet zakken.

'Pasta! Lekker!' zei Maisy, die luidruchtig begon te slurpen. Er zat een klont lijm in haar haar, een overblijfsel van haar poging aan de knutseltafel die ochtend.

'Vind je het lekker, lieverd?' vroeg Mark met de bruuske, te harde stem die hij altijd opzette als hij tegen zijn dochter sprak, die toon die de laatste tijd maakte dat Alice hem wilde slaan.

Maisy negeerde hem en slurpte verder. Alice zette hun maaltijd op tafel: gegrilde kip van de supermarkt en een salade die ze net uit een zakje had geschud, met een opgewarmde bak aardappelpuree met een zoete korst van pecannoten waarvoor ze de onwaarschijnlijke prijs van tien dollar per pond had betaald. Ze had voor datzelfde geld, bedacht Alice terwijl ze de krijsende Maisy langs de kassa manoeuvreerde en haar dochters gejengel om een lolly negeerde, vijf pond aardappels kunnen kopen, om nog maar te zwijgen over de boter, bruine suiker en pecannoten waarmee ze genoeg zoete-aardappelpuree voor twaalf gasten met Thanksgiving had kunnen maken. Maar wanneer had ze dat moeten doen? Dat was het probleem. Wanneer had ze daar tijd voor?

Mark schepte zijn bord vol en wendde zich tot zijn dochter. 'Wil je een hapje van mijn aardappelen?' probeerde hij haar over te halen terwijl hij een vork aardappelpuree naar haar uitstak.

Maisy keek hem woedend aan. 'Geen aardappels! Nee! Nee!'

'Schat...' begon Alice.

'Ze kan toch niet de rest van haar leven pasta eten?' zei Mark.

Maisy greep de vork met aardappelpuree en smeet hem richting de woonkamer, waar hij wel op het oosterse tapijt zal zijn geland: het enige mooie wat Alice had gekocht toen ze van haar meisje-alleen-appartement naar haar getrouwde-vrouwhuis verhuisde. De hond begon zacht te janken. Sinds Maisy mobiel was geworden, leefde Charlie, hun ontzettend lieve asielhond, in doodsangst voor het meisje dat Alice stiekem – alleen in gedachten, nooit hardop, nooit tegen Mark – het rotkind noemde.

God, geef me kracht, dacht Alice. 'Maisy, we gooien hier in huis niet met eten. Eten is om op te eten. En we gooien ook niet met vorken. Je hebt arme Charlie bang gemaakt!'

'Geen aardappels!' jammerde Maisy, die vervolgens haar schaaltje op tafel omkeerde. Mark schoof zijn stoel naar achteren om de stortvloed aan pasta en saus te ontwijken.

'Allemachtig...'

'Wil je alsjeblieft niet gaan schreeuwen?' vroeg Alice. 'Streng maar geduldig, weet je nog?'

'Niet schreeuwen!' schreeuwde Maisy.

Mark zuchtte, pakte de kom en liep ermee naar de keuken. Alice veegde met een handjevol papieren servetjes zoveel mogelijk van de prut op, terwijl Maisy stukjes pasta van tafel viste. 'Pasta! Lekker!' zei ze. Ze liet haar hoofd naar achteren zakken en deed haar mond wijd open. 'Mama, eten als een babyvogeltje,' zei ze.

'Kunnen we hier echt niets aan doen?' vroeg Mark met een fluisterstem terwijl hij met een spons langs Alice liep.

Alice liet een sliertje pasta in Maisy's mond vallen. 'Zoals? Een voltijd oppas inhuren? Haar op een straathoek achterlaten?' Het was de bedoeling dat het klonk alsof ze een grapje maakte, maar toen de woorden uit haar mond kwamen, klonken ze allesbehalve grappig. Ze haalde diep adem en voerde Maisy nog een sliertje pasta. 'Ze heeft gewoon... een sterke eigen wil,' zei ze in nabootsing van de boeken over opvoeding die ze 's avonds laat in bed verslond als porno. 'Ze heeft een heel sterke eigen wil.'

Mark mompelde iets wat klonk als 'gelul' en raapte de soppige servetjes van tafel.

'We wilden zo graag een kindje,' zei Alice de week daarop tijdens het koffie-uurtje. De bladeren buiten waren van bleekgoud naar roestbruin gekleurd en ruisten in de harde wind. Ze was die ochtend tien minuten bezig geweest om Maisy in haar jas te hijsen, en zag nu al op tegen de dag dat er ook een muts, wanten en gevoerde laarzen moesten worden gedragen. De moeders balanceerden op de peuterstoeltjes terwijl hun kinderen aan de knutseltafel zaten te kleien. (Maisy wilde natuurlijk niet meedoen en zat weer op de glijbaan.) 'Ze was een enorm gewenst kind.'

Enkele vrouwen knikten meelevend. Victoria zat met haar armband met studs te spelen en luisterde geconcentreerd. 'Ik was zesendertig toen ze werd geboren,' ging Alice verder. 'We hebben twee keer IVF gehad voordat we voor het eerst zwanger raakten en die... zwangerschap is misgegaan.' Het woord 'baby' had op het puntje van haar tong gelegen, maar ze wilde het niet uitspreken. Pam, de moeder van Tate, die ze kende van de cursus Muziek met Peuters, had met zestien weken een miskraam gehad. Wat was daarbij vergeleken een positieve zwangerschapstest die drie dagen later werd gevolgd door een menstruatie? 'Maisy was zo'n gewild kind. En nu...' Haar stem ebde weg. Het verborgen deel van haar brein, daar waar ze Maisy rotkind noemde, opperde ook regelmatig de theorie dat de eerste baby, de baby die ze had verloren, de baby was geweest die ze had moeten krijgen, en dat Maisy een soort wisselkind was. Dat, of een straf. Alice had alleen geen idee waarvoor.

'Het is zwaar,' zei Lynn de leidster.

'Twee is zwaar,' stemde Nora in.

'Heb je wel eens whisky geprobeerd?' opperde Victoria.

Zeven gehighlighte hoofden zwenken haar kant op en staarden haar aan. Victoria had een vage glimlach rond haar lippen.

'Geef je Ellie whisky?' vroeg Lynn voorzichtig.

Victoria begon te grijnzen, schoof de armband omhoog op haar arm en sloeg haar magere benen over elkaar. 'Nee. Mijn moeder heeft me verteld dat ze altijd whisky in mijn flesje deed om me te laten slapen. Maar dat doe ik niet.' Ze gaf Ellie, die naast haar zat, een knuffel en fluisterde: 'Ik geef haar hoestsiroop.'

Iemand snakte geschokt naar adem. 'Je maakt toch een grapje, hè?' flapte Taylors moeder, Stacey, eruit.

Victoria rolde met haar ogen. 'Wat denk je zelf?' vroeg ze. Alice schoot in de lach – een oprecht, ongecompliceerd geluid dat een van de kinderen had kunnen maken. Haar blik kruiste die van Victoria over de kniehoge tafel met een Dora-tafelkleed en potjes vingerverf erop en Victoria knipoogde naar haar.

'Het is altijd hetzelfde liedje,' zei Victoria nadat de peuterklas om twaalf uur was afgelopen. Ze waren Washington Square Park overgestoken voor een koffie verkeerd van Caramel, en zaten op een parkbankje met hun papieren beker onder een schitterende, wolkeloze blauwe hemel. Ellie rende zingend achter de duiven bij de lege fontein aan en Maisy lag met open mond te slapen in haar wandelwagen. Er zat een klodder kwijl, die bij elke ademhaling opblies en weer leegliep, op haar roze lippen. 'Ik ben op mijn zestiende zwanger geraakt. Mijn moeder werd hysterisch en heeft me het huis uit getrapt.'

'Dat moet vreselijk zijn geweest,' zei Alice bedachtzaam.

'Het was een geluk bij een ongeluk,' zei Victoria. 'We hebben nooit met elkaar kunnen opschieten. Ik ben bij Tommy's familie ingetrokken.'

'Is Tommy je vriendje?'

'Mijn man,' zei Victoria met een mengeling van trots en verlegenheid in haar stem. 'We zijn getrouwd toen ik zes maanden zwanger was. We hebben een tijdje bij zijn moeder en stiefvader gewoond en daarna bij zijn zus en haar man, maar dat werkte niet.' Ze trok een gezicht en draaide een streng blauw haar om haar vinger. 'We hebben gespaard en zijn hiernaartoe verhuisd. Tommy werkt als fietskoerier. We gaan allebei naar school en we hebben een fantastisch plekje in University City gevonden. In West-Philly. Het is best ver van college vandaan. Maar dat is niet zo erg.' Ze keek steels naar Alice terwijl de wind bladeren langs hun voeten blies. 'Jullie kunnen wel een keer komen om te spelen.'

'Leuk!' zei Alice, en ze hoorde de te harde, te enthousiaste toon van haar echtgenoot net iets te laat uit haar mond komen. West-Philadelphia was wat de kranten een 'wijk in ontwikkeling' noemden, zo'n wijk waar Mark alleen doorheen zou rijden als hij was verdwaald en waar hij de autoportieren op slot zou doen tot hij er weer weg was. 'Dat zouden we leuk vinden,' zei ze zacht. 'Arme Maisy,' zei ze terwijl ze zich vooroverboog om een blaadje uit haar dochters haar te vissen. 'Als ze zich zo blijft gedragen, denk ik niet dat ze vriendinnetjes krijgt, tenzij ik die voor haar regel.'

Victoria haalde haar schouders op. Alice pantserde zich voor een van de clichés die haar vriendinnen, haar eigen moeder en de andere moeders die ze kende altijd uitkraamden: 'Ach nee, ze is gewoon heel gevoelig! Maak je geen zorgen, ze groeit er wel overheen!'

In plaats daarvan zei Victoria: 'Ze is wel erg dol op drama, hè?'

'Vanaf het moment dat ze was geboren,' zei Alice. 'Ze legden haar op tafel en ze keek op naar de verpleegster met een uitdrukking van absolute walging in haar ogen.' Ze zuchtte. 'Toen begon ze te krijsen, en ik heb wel eens het gevoel dat ze nooit meer is opgehouden.' Ze schudde haar hoofd. 'Misschien moet ik eens wat hoestsiroop in haar tuitbeker doen.'

'Dat kan nooit kwaad,' zei Victoria. Ellie kwam aanwaggelen met een duivenveer in haar hand en keek haar moeder stralend aan.

'Gaan we eten?' vroeg ze. Er klonk geen spoortje van zeurderigheid in haar stem, merkte Alice op. Waarom had de mislukte scholiere, de tienermoeder, een engeltje van een kind gekregen, terwijl zij, met haar diploma van de universiteit, een hypotheek en een echtgenoot, die zonder verdoving was bevallen en borstvoeding was blijven geven ondanks het feit dat haar dochter haar bij elke voeding minstens één keer beet, een krijsend rotkind had gekregen?

Victoria keek op haar zware mannenhorloge en toen naar Alice. 'Zullen we ergens een burrito halen?'

Maisy deed haar ogen open. 'Honger!' zei ze.

'Lekker,' zei Alice. 'Goed idee.'

Alice drukte op de tweede vrijdag in oktober op de bel naast de paarse deur, verstevigde haar grip op Maisy's schouders terwijl ze de straat in keek, over de stoep vol glasscherven, naar haar terreinwagen, en hoopte vurig dat die er nog zou staan als het speelafspraakje voorbij was. De straat gaf haar geen optimistisch gevoel. Het pand waar Victoria woonde, zag er prima uit, maar de houten panelen die voor de ruiten van het pand ernaast waren getimmerd, stonden volgekalkt met graffiti, en bij het huis daarnaast zat een handjevol jongens in dikke donsjassen op een uitgezakte bank op de veranda naar het weinige verkeer te staren. Ze hadden allemaal een capuchon op die bijna over hun ogen hing, terwijl hun hoofd bewoog op de maat van de muziek die uit een radio op de vensterbank kwam.

'Hoi!' riep Victoria uit een raam op de tweede verdieping.

'Hoi!' zei Maisy giechelend. Victoria deed het raam open en gooide een sleutel naar beneden.

'Kon je het vinden?' vroeg Victoria toen ze haar voordeur opendeed.

'Ja, hoor,' zei Alice, die de etage in zich opnam. De muren in de woonkamer waren boterbloemgeel en over de bank hing een vrolijk rood-bruin kleed. Uit een radiootje klonken kinderliedjes en op de plek waar een televisie had kunnen staan, stond een aquarium. 'Kom eens kijken!' zei Ellie, die Maisy en Alice bij de hand greep en hen naar de viskom trok, waar zilverkleurige, blauwe en oranjegouden vissen rond een piepklein schatkistje zwommen.

De meisjes speelden met houten blokken op de woonkamervloer. Victoria en Alice zaten op de bank kruidige thee te drinken en suikerkoekjes te eten die Victoria en Ellie die ochtend hadden gebakken. Na een uur ging iedereen naar de keuken voor de lunch, waar de zonnige vensterbank vol stond met planten in beschilderde potten van aardewerk. Alice zat met de meisjes aan tafel terwijl Victoria in een strakke zwarte spijkerbroek met een rood topje erop bij het fornuis stond en tosti's bakte.

'Wat een leuk huis,' zei Alice terwijl ze bedacht wat een contrast dit gezellige, zonnige nestje was vergeleken bij haar eigen te grote huis, waar alle kamers, van de kelder tot en met de zolder, vol stonden met duur speelgoed dat Maisy óf kapot had gemaakt, óf negeerde.

Ellie sliep in een piepklein kamertje dat grotendeels in beslag werd genomen door de wasmachine en de droogtrommel. In een rieten mandje aan het voeteneind van haar bed lagen een xylofoon, blokken met letters erop, een handjevol boeken en een doosje krijtjes. Dat was alles, en ze leek tevreden. In elk geval gelukkiger dan Maisy er ooit uitzag. Ik moet kleiner gaan denken, dacht Alice terwijl ze aan een draadje aan haar mouw pulkte en Victoria de in vieren gesneden tosti's op paarse borden legde. Ze moest al dat elektronische speelgoed met lampjes dat gilde en flitste als Maisy op de goede kleur of letter drukte de deur uit doen, de draagbare dvd-speler die tijdens lange autoritten hun redding was weggooien en vingerverf en karton aanschaffen, en een paar goed gekozen boekjes...

'Hoi, schat.' De voordeur ging open en een man die eruitzag als Victoria's tweelingbroer kwam binnenlopen: lang en bleek, met onderarmen vol tatoeages, en een gebreide muts boven zijn oren vol piercings. Hij droeg een zilverkleurige fiets over zijn schouder.

'Hoi, Tommy!' Victoria's gezicht begon te stralen terwijl ze naar hem toe leunde voor een kus. Alice zag dat Tommy's hand even op Victoria's onderrug bleef liggen en haar naar zich toe trok, waardoor hun heupen elkaar raakten. Ze slikte een brok in haar keel weg. Had Mark haar ooit zo aangeraakt? Zelfs vóór de saga van hun onvruchtbaarheid en de behandelingen, voordat seks iets was geworden wat ze op zijn PDA inplanden, vóór de baby? Ze wist het niet zeker. Victoria klopte haar man op zijn borst en duwde hem zacht van zich af.

'We hebben bezoek,' zei ze.

'Oeps,' zei Tommy met een vriendelijke grijns op zijn gezicht. Hij had sporen van acne op zijn voorhoofd en een prachtig gebit, perfect recht en verblindend wit. Alice vroeg zich af wat voor ouders hij had, in Harrisburg, die vast de orthodontist hadden betaald, en of ze hoofdschuddend nadachten over hun kind dat een kind had gekregen. De jongen stak zijn hand naar haar uit. 'Tom Litcovsky.'

Alice schudde hem de hand en mompelde haar naam. Tommy greep twee stukjes tosti, kuste zijn vrouw en vertrok weer.

'Komt hij thuis lunchen?' vroeg ze Victoria.

'Officieel wel, ja. Maar hij heeft nooit tijd om te gaan zitten om iets te eten.' Alice vond Victoria er nooit méér als een tiener uitzien dan op dat moment, toen ze glimlachte. 'Hij zegt dat hij geen hele dag zonder me kan.'

'Wat lief,' zei Alice.

'Lief,' herhaalde Maisy met haar mond vol gesmolten kaas.

'Ik snap het niet,' zei Mark laat op een avond begin november.

Alice draaide zich om. 'Wat snap je niet?' vroeg ze, hoewel ze exact wist waarover hij het had. Mark was die avond onverwacht vroeg uit zijn werk gekomen, toen ze met Victoria in de keuken soep stond te maken. Ze hadden de meisjes aan het werk gezet met een bak water in de gootsteen terwijl ze wortels en uien sneden en roddelden over de andere moeders van de groep.

'O, hallo!' had Mark bij de keukendeur gezegd terwijl zijn starende blik Victoria's kapsel (ze had die week groene strengen toegevoegd), het ringetje door haar onderlip en de ingewikkelde tatoeage op haar rug boven haar laag uitgesneden spijkerbroek in zich opnam. Hij had beleefd Alice' uitnodiging te blijven eten gesteund en had tijdens de maaltijd reuze zijn best gedaan door beleefde vragen te stellen over Victoria's woonwijk en Ellies zindelijkheidstraining. Maar toen de tafel was afgeruimd, had Alice hem er in de keuken op betrapt dat hij het door Victoria gebruikte bestek langer onder de hete kraan hield dan ze nodig vond, en was hij Ellies naam twee keer vergeten.

'Met die meid,' zei Mark. 'Hoe zit het met die meid?'

'Ik heb haar leren kennen tijdens het koffie-uurtje en ik vind haar aardig. Hoezo?' vroeg Alice.

'Nou, je moet toch toegeven dat ze nogal een schokkende verschijning is.'

Alice haalde haar schouders op. 'Ik wist niet dat mijn vriendinnen zich aan een kledingcode moesten houden.'

'Het gaat niet alleen om haar kleren. Het gaat om alles. Ik bedoel, jezus, Alice, hoe oud is ze? Negentien?'

'Nou, en?'

'Wat hebben jullie gemeen?'

'Behalve onze dochters, die een maand na elkaar zijn geboren?'

Mark ging zuchtend overeind zitten, alsof hij het nogal een uitputtend gesprek vond. Hij klikte het licht aan en leunde tegen het hoofdeinde. 'Ja. Behalve dat. Heeft ze haar school afgemaakt?'

'Ze heeft staatsexamen gedaan,' zei Alice verdedigend. 'En ze volgt cursussen. Ze is een fantastische moeder. En ik vind haar aardig. En ik zou me niet moeten hoeven verdedigen.'

'Oké, oké,' zei Mark, die de dekens naar zijn kin trok.

'Ik klaag ook niet over jouw vrienden.'

'Mijn vrienden,' zei Mark, 'zijn geen punkrock goths met een ringetje door hun onderlip.'

'Nee, jouw vrienden zijn te dikke managers in Dockers. Dat is veel beter.'

'Ik ga slapen,' zei hij. Hij klikte het licht uit en rolde op zijn zij.

Ze lagen in stilte in het donker. Er gingen, volgens de fluorescerende cijfers op de digitale klok, vijf minuten voorbij voordat Mark weer iets zei.

'Sorry,' zei hij. 'Als je haar aardig vindt...'

'Ik vind haar aardig,' zei Alice.

'Dan is het prima,' zei hij. Hij kuste haar op haar wang en ze sloot haar ogen weer. Toen ze daar zo in het donker lag, dacht Alice terug aan de manier waarop Tom Victoria had gekust in hun postzegeltje van een keuken waar het naar boter en geroosterd brood rook, en de manier waarop zijn hand op haar onderrug had gelegen.

Drie weken later stonden ze zich aan te kleden voor de jaarlijkse kerstborrel van Marks bedrijf. Maisy stond te krijsen in de woonkamer ('Ik wil naar mama. Ik wil naar mama') terwijl de oppas, een meisje uit een serie middelbare scholieres dat, dat wist Alice uit ervaring, geen tweede keer zou komen, vergeefs om Maisy heen fladderde en haar speelgoed aanbood, dat Maisy alleen aannam om het naar het hoofd van de oppas te kunnen smijten. Mark maakte zijn cummerband vast. Alice stond te zweten: het gillen van haar dochter ging haar door merg en been, en ze had nu al buikpijn van die corrigerende panty, terwijl ze voor de zesde keer door haar sieradenkistje ging op zoek naar haar diamanten-met-paarlen oorbellen.

'Weet je zeker dat je ze niet in de kluis hebt gelegd?' vroeg Mark voor de derde keer.

Alice schudde haar hoofd zonder de moeite te nemen te antwoorden. Ze had ze met Thanksgiving gedragen en teruggedaan in het sieradenkistje op haar kaptafel en was er niet mee naar de bank gegaan, aangezien ze wist dat ze ze deze maand nog vaker zou dragen.

'In je jaszak?' opperde Mark. Alice balde haar vuisten om te voorkomen dat ze haar man zou gaan slaan voordat ze hem – weer – moest gaan uitleggen dat ze nooit zulke dure oorbellen, het enige wat ze van haar tante Sarah had geërfd, uit zou doen en ze in haar jaszak zou steken.

'Nou, laat maar zitten. Je ziet er zo ook prachtig uit. We moeten weg.' Ze liepen op hun tenen het huis uit zonder afscheid te nemen, aangezien ze wisten dat dat de situatie met Maisy alleen maar zou verergeren. Mark legde zijn jas zorgvuldig op de achterbank van de auto, stelde de airco zo af dat de warme luchtstroom precies was zoals hij hem lekker vond en vroeg terwijl hij de oprit af reed nonchalant: 'Is Victoria nog op bezoek geweest?'

'Gisteren,' zei Alice. Ze was afgeleid en voelde toch maar even in haar tasje, hoewel ze eigenlijk zeker wist dat ze haar oorbellen daar niet in had gedaan. 'Hoezo?'

'Is ze in de slaapkamer geweest?'

Alice klikte haar tasje dicht. 'Dat meen je niet.'

Mark stak defensief zijn handen in de lucht en legde ze toen weer op het stuur, keurig op tien voor twee. 'Ik vraag het alleen maar.'

'Mijn vriendin is geen dievegge.' Alice blies een streng bezweet haar van haar voorhoofd en gooide haar tasje op de achterbank. 'Ik vind ze wel,' zei ze. 'Ze moeten ergens in huis zijn.' Maar hoewel ze dat weekend het hele huis ondersteboven haalde – ze maakte haar ondergoedlade leeg, zocht onder het bed en maakte zelfs met een schroevendraaier het doucheputje los – vond ze haar oorbellen niet.

Na het laatste koffie-uurtje van dat jaar, toen Victoria vroeg of Alice en Maisy zin hadden in een burrito, wendde Alice voor dat ze naar het King of Prussia-winkelcentrum moest om iets terug te brengen. De peuterspeelzaal was twee weken dicht. Het hele buurthuis was gesloten voor de feestdagen. Victoria belde na de kerstdagen een keer. Alice zag haar naam in het schermpje verschijnen en liet de telefoon, met een vreemd beklemmend gevoel in haar borstkas, rinkelen.

Op 1 januari liet Alice Maisy bij Mark achter en ging naar de natuurwinkel voor koffie en melk. Ze had een mandje gepakt en liep door de afdeling fruit en groente toen Tates moeder, Pam, een kleine superslanke blondine in met bont gevoerde laarsjes en een met pareltjes afgewerkte kasjmieren trui, haar staande hield. 'Heb je het gehoord?' vroeg ze terwijl ze haar stem een beetje verhief om zich boven het gesis van de sprinklers, die de aubergines en radijsjes glanzend hielden, uit verstaanbaar te maken.

Alice schudde haar hoofd. 'Wat?'

'Ellie ligt in het ziekenhuis. Ze heeft haar hoofd bezeerd – ze vermoeden een hersenschudding – en ze heeft haar pols gebroken.'

Alice sloeg een hand voor haar mond. 'O, mijn god! Gaat het goed met haar? Wat is er gebeurd?'

'Dat weet niemand precies,' zei Pam. 'Ik heb gehoord dat ze is gevallen, in de keuken.'

'O, god,' zei Alice. Ze haalde zich Victoria's keukentje voor de geest, en het houten krukje – ook in de uitverkoop gekocht – dat voor de gootsteen stond zodat Ellie met water kon spelen terwijl Victoria stond te koken.

Pam duwde haar wagentje achter de uien en aardappels. 'Hoor eens,' zei ze. 'Ik wil niet roddelen, en ik wil niet dat je me verkeerd begrijpt, maar, eh, we maken ons een beetje zorgen.'

Alice staarde haar met een bonkend hart aan.

'We maken ons zorgen om Ellie,' zei Pam. 'Weet je nog, die bult op haar voorhoofd?'

Ellie had in november een enorm ei op haar hoofd gehad. Ze was voor Thanksgiving naar haar oma geweest, had Victoria de moeders verteld, en was frontaal tegen een glazen deur gerend. 'Alle kinderen hebben bulten en blauwe plekken,' zei Alice. Maisy had bijna doorlopend een dikke lip, geschaafde knie of gescheurde vingernagel door een of ander akkefietje.

'Jij bent er thuis geweest,' zei Pam terwijl ze met een heup tegen de kist broccoli leunde. 'Heb je wel eens iets gezien?'

Alice was even stil. Victoria is een fantastische moeder, wilde ze zeggen. Maar de woorden bleven in haar keel steken en wat ze voor zich zag in plaats van Victoria's gezellige keukentje met het rode houten krukje was de lege plek in haar sieradenkistje waar haar oorbellen hadden gelegen, en Tommy's hand die op Victoria's rug lag, en Ellies vingertje dat naar de zilverkleurige vissen in het aquarium wees terwijl ze Maisy hun namen vertelde. 'Ik...' zei ze.

Pams gezicht sloeg dicht als een waaier en ze knikte tevredengesteld. 'Juist. We bellen nog wel,' zei ze.

Alice gooide haar boodschappen op de bijrijdersstoel en leunde op de parkeerplaats van de supermarkt tegen het portier van haar SUV. Haar knieën knikten en ze ademde hortend en stotend in de koude winterlucht. Ze pakte haar mobieltje uit haar tasje en sprak een boodschap voor Victoria in. Ze zei dat ze had gehoord dat Ellie was gevallen, dat ze aan hen dacht en dat ze hoopte dat het goed ging. Ze wilde zeggen dat ze voorzichtig moest zijn, ze wilde Victoria waarschuwen dat ze Pam in de supermarkt was tegengekomen, dat Pam op zo'n onheilspellende toon tegen haar had gesproken, maar ze wist niet hoe. Alice speelde de hele weg naar huis opnieuw haar gesprekje met Pam in haar hoofd af; ze was razend op zichzelf. Ze had iets moeten zeggen. Ze had haar vriendin moeten verdedigen. Victoria en Tommy waren misschien erg jong en ze woonden niet bepaald in een geweldige wijk, maar ze waren de liefste... en de liefdevolste...

Haar gedachten jaagden de hele nacht door haar hoofd. Ze lag zwetend en met branderige ogen te woelen en trapte de dekens van zich af tot Mark zei dat een van hen op de bank ging slapen als ze nu niet ophield hem wakker te maken, en dat hij dat niet zou zijn, aangezien hij de volgende ochtend om acht uur een belangrijke vergadering had.

Toen ze wakker werd, bonkte haar hoofd, en Alice had het gevoel dat haar ogen vol onzichtbare korrels zand zaten. Ze zette Maisy in de auto en was met haar op weg naar het aquarium toen haar telefoon ging en ze een bekend nummer in het schermpje zag. Ze zette met piepende banden de auto aan de kant en nam op.

Victoria's stem ontbeerde alle vrolijkheid die Alice gewend was. 'Er is een onderzoek ingesteld,' zei ze.

Alice' hart bonkte in haar keel. 'Door wie?' vroeg ze. 'Wat betekent dat?'

'Jeugdzorg,' zei Victoria. 'Ze willen haar onderzoeken. Om te bepalen of er sprake is van mishandeling.' Ze onderdrukte een droge snik. 'Alice, ik zweer je... ik zweer God, we... niemand...'

'Natuurlijk niet,' zei Alice, die walgde van haar eigen honingzoete stem. Hypocriet, dacht ze. Leugenaarster. 'Je bent een fantastische moeder, Victoria.'

Victoria klonk als een klein meisje. 'Wil je hun dat vertellen?' vroeg ze. 'We zijn in het ziekenhuis. Wil je hiernaartoe komen om dat te vertellen?'

Alice staarde in het achteruitkijkspiegeltje. Maisy was in slaap gevallen in haar autostoeltje. Haar hoofd hing tegen haar schouder en de kraag van haar winterjas was nat van het kwijl.

'Welk ziekenhuis? Ik kom eraan.'

De maatschappelijk werkster was een imposante zwarte dame met staalgrijze krullen en een bril aan een kettinkje, die op haar enorme boezem rustte. Ze zat op de bureaustoel van een arts aantekeningen te maken. Tommy ijsbeerde door de lege ziekenhuiskamer heen en weer; zijn gezicht was bleek en hij staarde razend voor zich uit. Victoria zat opgekruld in een plastic stoeltje. Ze zat met haar lichaam in een onmogelijke kronkel, met haar armen om haar knieën geluidloos huilend naar voren en achteren te wiegen. Er werd nog een MRI van Ellie gemaakt.

'Het komt wel goed,' zei Alice terwijl ze Victoria op haar rug klopte. Ze had Maisy – voor het eerst – bij haar vader op kantoor achtergelaten. 'Maar ik heb...' was Mark begonnen, die wanhopig en als verstrikt om zich heen had gekeken toen Maisy op zijn bureaustoel was geklommen en met twee vuisten op zijn toetsenbord was gaan hameren.

'Het is een noodgeval,' had Alice over haar schouder geroepen terwijl ze terug was gerend naar de lift in de gang.

'En wat als het nou niet goed komt?' vroeg Victoria terwijl
ze haar ogen afveegde. Ze had grijze strepen uitgelopen eyeliner op haar wangen.

'Ik weet zeker dat het goed komt,' zei Alice, die de maatschappelijk werkster aankeek op zoek naar bevestiging.
'Ellie heeft een ongelukje gehad. Alle kinderen hebben on-
gelukjes. Ik weet zeker dat de rechter... of wie dan ook... dat
ze het begrijpen. Ze vragen het aan Ellie en die vertelt hun
wat er is gebeurd. Het had iedereen kunnen overkomen. Iedereen die een beetje verstand heeft van kinderen, weet
dat.'

Victoria hief haar vlekkerige, besmeurde gezicht op. 'En
als Ellie nou niet kan vertellen dat het een ongelukje was?'

'Ik weet zeker dat het allemaal goed komt,' herhaalde
Alice hulpeloos. 'Zeg maar wat je nodig hebt... Zeg maar wat
ik voor je kan doen.'

'Vertel hun dat we goede ouders zijn. Vertel hun dat ik een
goede moeder ben,' smeekte Victoria. Tommy maakte een
verstikt keelgeluid, draaide zich om en ramde met zijn vuist
tegen het deurkozijn.

'Dat zal ik doen,' zei Alice. De maatschappelijk werkster
keek haar vriendelijk aan over haar halvemaanvormige brillenglazen. 'Natuurlijk doe ik dat.'

Victoria en Tom mochten Ellie de volgende ochtend mee
naar huis nemen. Drie dagen later stond Jeugdzorg om tien
uur 's ochtends op de stoep en nam Ellie mee naar een pleeggezin tot hun onderzoek zou zijn afgerond. Victoria kwam de
volgende ochtend alleen naar het koffie-uurtje.

'Ellie zit in een pleeggezin,' zei ze toonloos. Ze zat op de
vloer en leunde tegen de radiator alsof ze de kracht niet kon
opbrengen te gaan staan. Haar studs, kettingen en lipringetje
waren weg en haar haar hing over haar oren alsof ze niet de
moeite had genomen het te wassen of borstelen. 'Eind van de

maand is er een hoorzitting om te bepalen of we haar terug-
krijgen.'

De andere moeders mompelden meelevende woorden terwijl ze hun eigen kind tegen zich aan trokken.

'Wat kunnen we doen om te helpen?' vroeg Alice.

'Kunnen jullie een brief schrijven? Je hoeft alleen maar te
zeggen dat je me kent. Dat je me met Ellie hebt gezien. Dat
ik haar nooit iets zou aandoen.'

Er werd geknikt en gemompeld.

'We doen wat we kunnen,' zei Alice, en de andere moeders
– zelfs Pam – knikten geestdriftig.

Alice schreef een brief. Morgans moeder schreef een brief.
Annies moeder schreef een brief. Pam droeg een zorgvuldig
verwoord epistel bij waarin ze haar ontmoetingen met Victoria en Ellie beschreef: 'Hoewel ik Eleanors vader nooit heb
ontmoet, kan ik wel getuigen dat Victoria ondanks haar leeftijd overkomt als een gewetensvolle verzorgster.' De rechter
bepaalde aan het eind van de maand dat Ellie naar huis mocht,
maar dat het een voorwaardelijke terugkeer was. Er zou eens
per week een maatschappelijk werkster op bezoek komen,
onaangekondigd, en dat een halfjaar lang, en het dossier van
de kinderarts zou tot haar achttiende verjaardag bij het ge-
rechtshof blijven liggen.

Het laatste koffie-uurtje van het semester was op de laatste
vrijdag van januari. De hemel was staalgrijs, de vooruitzichten
voorspelden vijftien centimeter sneeuw in het weekend en de
lucht voelde metaalachtig. 'We gaan verhuizen,' zei Victoria
tegen Alice terwijl de kinderen hand in hand een kringspel
deden. 'We gaan terug naar Harrisburg om dichter bij onze familie te zijn en zodat Tommy's moeder kan oppassen. Onze
maatschappelijk werkster zegt dat dat een goede indruk wekt.'

'Maar je hebt Ellie terug!'

'Nu wel, ja.' Victoria had haar ogen neergeslagen en de
kringen eronder waren zo donkerpaars dat ze wel zwart leken. 'Maar we moeten de rest van haar jeugd voorzichtig zijn.

Als ze ooit nog eens valt... of haar knie schaaft... of een tand verliest en iemand denkt...' Haar stem ebde weg. Alice voelde haar maag samentrekken. Welke ouder was bestand tegen zo'n kritische blik? Zij in elk geval niet.

'Ik vind het zo naar voor jullie,' zei ze. De woorden hingen krachteloos tussen hen in. Victoria knikte en sloeg haar magere arm om Alice heen.

'Je bent een goede vriendin,' fluisterde ze. Alice knikte, en ze voelde de tranen achter haar oogleden prikken terwijl al haar spijt, en al haar schaamte, in een bal in haar keel samenkwamen.

Alice dacht de daaropvolgende jaren af en toe aan Victoria; ze vroeg zich af waar ze woonde, wat ze deed, of ze gelukkig was en hoe Ellie er nu uitzag.

Maisy was tegen de tijd dat ze naar de kleuterschool ging over haar woedeaanvallen heen gegroeid en Alice en Mark hadden een paar zonnige jaren met hun lieve meisje. Ze lieten een zwembad in de achtertuin graven en verbouwden de keuken; ze hadden het erover te proberen een tweede kind te krijgen, maar deden nooit een serieuze poging. Alice ging toen Maisy naar groep 3 ging een tweede specialisatie aan Penn volgen – maatschappelijk werk – en toen Maisy naar groep 5 ging, ging ze weer aan het werk. Toen Mark een week na de twaalfde verjaardag van hun dochter aankondigde dat hij verliefd was geworden op iemand van kantoor, merkte Alice dat ze noch verrast, noch erg overstuur was. Ze was, zo drong tot haar door, gedurende de eerste jaren van het leven van hun dochter, toen elke minuut van elke dag een strijd was, steeds minder van hem gaan houden, en hoewel ze had geleerd met hem op te schieten, had ze nooit meer geleerd weer van hem te gaan houden.

Hij zei dat het hem speet. Zij zei dat het haar ook speet. Ze gingen beter met hun scheiding om dan ze met hun huwelijk waren omgegaan: minzaam, rekening houdend met elkaars gevoelens, altijd voorzichtig, altijd vriendelijk.

Hij kreeg het spaargeld. Zij kreeg het huis. Hij hertrouwde toen Maisy veertien was en hij en zijn nieuwe vrouw kregen een tweeling. Alice kon zichzelf er niet van weerhouden te hopen, heel vals, dat hun eerste jaren net zo zouden verlopen als hun eerste jaren met Maisy, zodat de nieuwe echtgenote zou voelen wat zij had doorstaan, maar dan in het kwadraat, met een man van in de veertig in plaats van in de dertig. Alice vond uiteindelijk een nieuwe man, een man van wie het vreemd voelde hem haar partner te noemen en van wie ze wist dat ze hem nooit haar man zou gaan noemen. Jacob was twee keer gescheiden, had drie volwassen kinderen en maakte tijdens hun eerste etentje duidelijk dat hij niet nóg een keer zin had in de huwelijkse mallemolen.

Ze zag Jacob in het weekend, maar ze waren zes jaar lang min of meer met hun tweetjes geweest, Maisy en zij, in het grote huis met de enorme hal die zo veel indruk op haar had gemaakt toen ze net was getrouwd. Maisy ging nu studeren aan Cornell en Alice verhuisde naar een appartementje aan de andere kant van de stad. Er stonden rijen verhuisdozen op de hardhouten vloeren, sommige met boeken en kleren die Maisy mee naar college zou nemen, andere ingepakt met beddengoed en handdoeken voor de kringloopwinkel. Maisy was de hoezen van de bank aan het losritsen om ze te laten stomen en Alice was het oosterse tapijt aan het oprollen toen ze haar dochter naar adem hoorde snakken.

'O, mijn god. Zijn die echt?'

Alice keek op en zag, glinsterend op de gladde handpalm van haar dochter, de diamanten-met-paarlen oorbellen die ze zestien jaar daarvoor kwijt was geraakt. 'Nou en of,' zei ze zwakjes.

'Wie iets vindt, mag het houden!' zei Maisy, en ze maakte en vuist.

'Ze zijn van mij,' zei Alice. Ze moest feller hebben geklonken dan de bedoeling was, want Maisy zag er ineens gekweld uit. Ze mompelde dat het maar een grapje was en gaf de oorbellen aan haar moeder. 'Ze zaten in de hoes van de bank,' zei ze terwijl Alice de oorbellen in haar hand omdraaide en zag hoe ze schitterden in het licht.

'Ik was ze kwijtgeraakt,' zei Alice. 'Heel lang geleden.'

'O,' zei Maisy. Ze liep terug naar de bank. Alice liet de oorbellen in haar zak glijden. Tijdens het etentje in Maisy's favoriete pizzatent had ze de hele tijd het gevoel dat ze ze in haar zak tegen haar heup voelde, de scherpe randjes van de geslepen stenen, de krullen van het zilverdraad.

Toen Maisy haar die avond een kus had gegeven en naar haar kamer was gegaan, voerde Alice Victoria's naam op de computer in een zoekmachine in. Ze kreeg meer dan twee-duizend hits en las ze door tot ze branderige ogen had en helemaal beverig was, maar geen van de Victoria's die ze had gevonden op internet leek het meisje te zijn dat ze zich herinnerde. Over Eleanor kon ze helemaal niets vinden.

Alice trok de volgende ochtend toen de zon opkwam haar spijkerbroek van de vorige dag en haar gympen aan en liep op haar tenen door de halflege kamers met de hoge plafonds, langs de dozen die met APPARTEMENT waren gemerkt en die met CORNELL erop, dozen met familiefoto's, haar zilveren bestek, oude truien en halsbanden van overleden honden.

Ze deed zacht de voordeur open. De oorbellen zaten nog in haar broekzak. Je vindt ze wel weer, had Mark gezegd. Je bent een goede vriendin, had Victoria gezegd. Op de hoek van de straat was een rioolput, bedekt met een roestig metalen rooster. Ze zag weer voor zich hoe Maisy er op weg terug van de speeltuin twee straten verder bovenop had gelegen, met haar vuisten tegen de spijlen hamerend, gillend dat ze niet wilde lopen, heel lang geleden. Alice boog zich voorover, staarde het donkere gat in en opende haar hand. De oorbellen verdwenen bijna geluidloos in het water.

Sinaasappels uit Florida

Hij schrok net na middernacht wakker van de telefoon, en Doug, die nog half sliep, wierp zich over het bed om op te nemen. Zijn armen bleven in de lakens steken en het leek wel of de lichtschakelaar was verplaatst. Hij had zijn hand op de hoorn toen het verbijsterde, deprimerende gevoel hem overviel en hij wakker genoeg was om te beseffen dat hij alleen in bed lag, dat hij alleen in de slaapkamer was en alleen in huis.

De telefoon ging nog steeds over. Hij duwde zichzelf overeind tegen het hoofdeinde en nam op.

'Hallo?' zei Doug. Hij fluisterde, uit gewoonte. Tijdens de eerste weken nadat ze weg was gegaan, had hij een paar urenlange fluistergesprekken met Carrie gehad. Kom alsjeblieft naar huis, had hij gezegd. Ik wil weer een gezin zijn. Haar zuchten klonken harder dan zijn woorden. Ik kan het niet, had ze gezegd. Ik kan het gewoon niet.

'Hallo?' herhaalde hij.

'Heb ik gewonnen?' vroeg de beller.

Het was een kinderstem. Hij hoorde niet of het een jongen of meisje was, maar hij wist meteen hoe het zat. Na de tweede keer dat Carrie en hij midden in de nacht waren wakker gemaakt door iemand die een liedje aanvroeg of wilde weten of hij had gewonnen, had Carrie het telefoonboek gepakt en had ze ontdekt dat hun telefoonnummer maar één cijfer verschilde van wQXT, Quickie 98. Ze hadden het op dat moment wel grappig gevonden, al die jankerige vrouwen en giechelende tieners die belden met hun liefdesverklaringen en verzoeknummers, de vragen om liefdesliedjes die ze per se midden in de nacht wilden horen.

De stem sprak verder, en Doug dacht dat het een jongen was: 'Ben ik de gelukkige beller?'

Doug keek over het lege bed heen. De klok op de kaptafel klikte van 00:02 naar 00:03. 'Ja,' zei hij.

Ze waren allebei even stil, Doug omdat hij verbijsterd was door zijn eigen leugen en de snelheid waarmee die uit zijn mond was gefloept en de jongen omdat 'ja' duidelijk niet het antwoord was dat hij had verwacht.

'Wat heb ik gewonnen?'

'Sinaasappels uit Florida,' zei Doug. Dat was het eerste wat in hem opkwam. Carries moeder stuurde hun elk jaar met kerst sinaasappels uit Florida. Hij vroeg zich heel even af of hij dit jaar in december ook citrusvruchten zou krijgen. Wat was de etiquette voor kerstcadeaus voor nog-net-niet-voor-malige-schoonzoons?

'Sinaasappels,' zei de jongen, die zo teleurgesteld klonk dat Doug toevoegde: 'En natuurlijk honderd dollar.'

'O, wauw,' zei de jongen. Doug kreeg de indruk dat de jongen zijn best deed zichzelf op te werken naar het enthousiasme dat diskjockeys zo graag van hun winnaars hoorden. 'Wauw, cool, bedankt! Dit is de eerste keer dat ik iets heb gewonnen!'

'Gefeliciteerd,' zei Doug. 'En, eh, bedankt voor het luisteren.'

'U bedankt,' zei de jongen beleefd, alsof hij op het punt stond op te gaan hangen.

'Wacht even,' zei Doug. Het drong tot hem door dat het al heel lang geleden was dat hij een niet-zakelijk gesprek met een vreemde had gehad. Dit was wel een raar gesprek om mee te beginnen. Wat deed dat kind trouwens zo laat nog op? 'Beller, ben je er nog?'

Het was even stil en toen klonk er zacht statisch geruis. 'Ik ben er nog.'

'Mooi,' zei Doug, die ondertussen koortsachtig zat te improviseren. 'We hebben je naam nodig.'

'Joe.'

'En verder?'

'Stern,' zei de jongen, en hij spelde zijn naam.

'Bedankt. En hoe oud ben je, als ik vragen mag?'

'Tien,' zei Joe. 'Mag dat? Of moet je achttien zijn om te winnen?'

'Nee, dat is prima,' zei Doug, die al op zijn volgende vraag zat te broeden. Een diep gelegen deel van zijn brein waarschuwde hem dat de jongen zou denken dat hij gek was, maar hij kon niet meer ophouden met praten. 'Is het niet een beetje laat voor je om naar de radio te luisteren?'

'Dat mag van mijn moeder,' zei Joe. 'Ik mag naar de radio luisteren om me gezelschap te houden voor ik ga slapen.'

'Wat leuk,' zei Doug. 'We zijn altijd blij met luisteraars.'

'Ik luister graag naar dr. Larry's Hulplijn,' zei de jongen, die met een hese, toonloze stem een stukje van de jingle begon te zingen: 'Iemand die naar je luistert, iemand die je kunt vertrouwen...'

'Dr. Larry's Hulplijn,' verwonderde Doug zich.

'Mensen hebben interessante problemen,' zei de jongen. 'Zoals vorige week, toen het over volwassen bedplassers ging.'

Doug kon er niets aan doen: hij schoot in de lach, en even later begon Joe ook te lachen.

'Oké,' zei Doug. 'En we hebben je adres nodig.'

'Sandpiper Drive 12,' zei de jongen.

Doug greep in het donker naar een pen en krabbelde het adres onder de puzzel waarmee hij bezig was geweest voordat hij uiteindelijk in slaap was gevallen.

Joe aarzelde. 'Kunt u mijn prijs... opsturen?'

'Uiteraard!' Doug nam aan dat hij het Quickie-logo wel zou kunnen downloaden en het op postpapier en een envelop kon printen. Hij zou zo'n cadeaubon kopen, en hem samen met die sinaasappels opsturen.

'En dan krijg ik hem, toch? Niet mijn moeder? Want ik

mag wel luisteren, maar ik mag eigenlijk niet bellen. Ik mag alleen in bed luisteren.'

'Wil je dat het geheim blijft?'

'Een verrassing,' corrigeerde de jongen. 'Krijg ik die honderd dollar contant, of is het een cheque?'

'Het is een cadeaubon,' zei Doug. 'Je kunt hem uitgeven als gewoon geld.' Toen zei hij, zonder erover na te denken: 'Weet je wat? Ik kom alles wel even brengen.' Dat was het gemakkelijkst, dacht Doug. Dan kon hij die sinaasappels kopen, en die bon, en een kind gelukkig maken. Dan zou hij eindelijk eens iemand gelukkig maken.

De jongen klonk nu al blij. 'Dan kan ik een verjaarscadeau voor mijn moeder kopen,' zei hij. 'Iets heel moois.'

'Zeker weten,' zei Doug, die iets pijnlijk voelde samentrekken in zijn borstkas. Hij had met de meisjes verjaarscadeaus voor Carrie gekocht. Dan nam hij ze mee naar het winkelcentrum en gaf hun elk twintig dollar en liep achter hen aan terwijl ze aan de mouwen van truien voelden, en knikte hij instemmend naar beeldjes van clowns en kalenders met foto's van hondjes erop.

'Ik kan morgenmiddag komen,' zei Doug.

'Prima,' zei Joe. 'Tot morgen, dan.'

'Tot morgen,' zei Doug.

Doug reikte nadat Carrie hem had verlaten zes maanden lang elke ochtend als hij wakker werd naar haar uit. Als zijn handen het stuk laken vonden waar ze op had gelegen, koud en leeg, drong de wetenschap van wat er was gebeurd – dat ze weg was, dat hij zijn dochters nu alleen in het weekend en om de week op woensdag zag – als een mokerslag tot hem door, die hem steeds weer opnieuw verbrijzelde, en dan moest hij een paar minuten op de rand van zijn bed gaan zitten met zijn hoofd in zijn handen voordat hij kon opstaan, de wekker kon uitzetten en zijn dag kon beginnen.

Tijd heelde geen wonden, maar brandde ze wel dicht. In plaats van pijn te voelen, voelde hij nu niets. Dat was voor-

uitgang, nam hij aan, het gevoel te hebben dat liefde een ge-
rucht van een ver weg gelegen planeet was en het leven zelf
een feestje dat zich in een andere kamer afspeelde.

Het ging. Hij was actuaris bij een groot bedrijf in het centrum, deed elke doordeweekse dag zijn werk en betaalde zijn
rekeningen. Hij belde elke avond zijn dochters, die hij op zaterdag meenam naar de film of een museum, en na een paar
weken onhandig klungelen was hij erachter hoe zijn George
Foreman Grill werkte. 's Ochtends sprayde hij er vetvrije
Pam in om eieren te bakken; 's middags sprayde hij weer en
dan bakte hij zalmfilet; 's avonds sprayde hij een derde keer
voor een hamburger of biefstuk. Hij had het op een zaterdag
aan Sarah en Alicia laten zien, toen hij kaasomelet voor de
brunch had gemaakt en knoflooktoast met biefstuk als avondeten. 'Lekker, hè?' had hij gevraagd terwijl hij hen glimlachend had aangekeken. Sarah had alleen haar schouders opgehaald en Alicia, die hij ervan verdacht dat ze oogschaduw
gebruikte, ondanks het feit dat hij dacht dat hij Carrie ervan
had overtuigd dat veertien te jong was om oogschaduw te
dragen, wendde zich af om het raam uit te staren, over de
oprit waar hij haar zonder zijwieltjes had leren fietsen, zei:
'Alles smaakt hetzelfde.'

Alleen wonen had voordelen. Het huis zag er beter uit dan
ooit. Geen tasjes en rugzakken vol eruit puilende rommel
meer bij de voordeur, geen schoenen van Carrie door het hele
huis op de plek waar ze ze toevallig had uitgeschopt, geen
styletang naast de wastafel in de meisjesbadkamer, hoe vaak
hij zijn dochters ook had gewaarschuwd dat dat brandgevaar-
lijk was. Hij recyclede de kranten en spoelde blikken om,
maaide het gras, verving de olie van de auto, en legde Carries
post op nette stapeltjes, die hij elke week een keer keurig
naar haar doorstuurde, samen met de briefjes waar hij tot laat
in de avond op zat te zwoegen: 'Ik weet niet precies wat je
van een echtgenoot wilt,' stond er in het laatste. 'Maar wat
het ook is, wat je ook wilt dat ik doe of ben, dat zal ik doen.
Ik zal het proberen.'

Doug wist hoe de wereld hem zag: als een lange man met hangende schouders, oud voor zijn leeftijd, geneigd te fronsen en sloffen, en zo emotioneel onderontwikkeld dat hij koppigheid met liefde verwarde. 'Zelfs je naam,' had Carrie tegen hem gezegd – geschreeuwd – voordat ze vertrok, 'zelfs je naam is saai!' Hij had haar bij haar schouders vastgehouden tot haar hysterische lachen was omgeslagen in snikken. Hij had later gezegd: 'Ik kan er niets aan doen dat ik zo ben genoemd', maar toen lag ze al te slapen. Twee weken later had ze de meisjes meegenomen, haar kleren, de kleren van de meisjes, de hond, de cavia's, en gek genoeg de popcornmachine, en was ze weer bij haar moeder gaan wonen. Hij had het gevoel dat er sindsdien niemand meer had gelachen in het huis. Niet eens meer lachen dat omsloeg in huilen.

Joe Stern stond zoals beloofd buiten bij zijn witte huis aan het einde van de doodlopende Sandpiper Drive in Cape Cod. Er hing een basketbalkorf bij de oprit en er lag een basketbal aan zijn voeten. Doug merkte op dat de jongen lang was en dat hij aantrekkelijk zou worden als hij zou zijn volgroeid. Hij had dik bruin haar en een serieus, bedachtzaam gezicht, waardoor hij ouder leek dan tien.

Doug voelde hoe de starende blik van de jongen op hem rustte terwijl hij zichzelf uit de auto hees en de sinaasappels uit de kofferbak pakte, waarbij zijn vingers een schil door het net van de sinaasappels aanraakten en hij hun geur opsnoof. Hij had de cadeaubon in een envelop, met een gejat Quickie 98-logo erop, in zijn zak.

'Hallo,' riep hij terwijl hij de oprit op liep. 'Ik ben Doug Fried van Quickie 98.'

De jongen zag er teleurgesteld uit. 'Ik dacht dat u in de Prijsmobiel zou komen.'

'Die had iemand anders vandaag nodig,' zei Doug, en hij zette de zak sinaasappels op de oprit.

De jongen keek terloops naar het fruit en keek toen respectvol naar Doug op. 'Wauw,' zei hij. 'Doet u aan basketbal?'

'Ik ben vreselijk onhandig,' biechtte Doug op. 'Ik heb de

lengte, maar ik ben niet snel genoeg en ik kan niet dribbelen.'

'Maar u kunt vast vreselijk goed dunken.'

Gegeneerd dat hij geen idee had wat de jongen bedoelde, knikte Doug alleen maar. Joe raapte de bal op en gooide hem naar Doug, die hem nog net kon vangen voordat hij tegen zijn buik knalde.

De jongen leek het gelukkig niet op te merken. 'En kunt u hem met één hand optillen? Zo?' vroeg hij, en hij legde zijn vingers over die van Doug.

De bal voelde angstaanjagend als een mensenhoofd toen Doug hem met één hand optilde. Het herinnerde hem aan toen zijn dochters net waren geboren en hij doodsbenauwd was geweest om hen vast te houden, bang dat hij hun pijn zou doen, hun breekbare botjes kapot zou knijpen.

Maar Joe zag er heel tevreden uit. 'Ik kan het ook bijna,' zei hij. 'Mijn vader is heel lang en mijn moeder denkt dat ik ook heel lang word, omdat ik van die grote voeten heb. Ik moest vorig jaar twee keer nieuwe gympen,' voegde hij trots toe, 'en mijn moeder zegt dat ik uit een speciale catalogus moet gaan bestellen als ze nog veel groter worden.'

Doug keek naar de voeten van de jongen, die groot waren, maar nou ook weer niet uitzonderlijk.

'Volgens mij,' zei hij, 'maakte je moeder een grapje.'

'Ja,' zei de jongen met een zucht. 'Dat doet ze altijd.'

'Basketbalt je vader ook?'

'Ja,' zei Joe. 'Maar hij woont nu in Arizona.'

'Daar kun je vast ook heel goed basketballen.'

'Dat zal wel.' De jongen slaakte nog een zucht en boog zich toen voorover om het fruit te pakken. Hij hield de zak tegen zijn borst gedrukt en keek naar Doug. 'Moet ik me identificeren? Ik heb een bibliotheekpasje...'

'Nee, hoor,' zei Doug. 'Ik geloof je.' Hij reikte in zijn zak. 'Deze is ook voor jou,' zei hij, en hij gaf hem de envelop. Joe keek erin, vouwde de envelop op en stak hem in zijn broekzak.

'Niet kwijtraken, hè? Het is een hoop geld.' Hij hoorde het getergde klagen van zijn dochters door zijn hoofd galmen: 'Pa-hap! Maak je niet zo'n zorgen! We doen heus wel voorzichtig!'

Joes ogen glinsterden. 'Ik ga mijn moeders lievelingsparfum kopen,' zei hij. 'Ze gaat elke keer als we in het winkelcentrum zijn naar de parfumerie om een beetje op te doen, maar zo'n piepklein flesje kost tachtig dollar, dus ze koopt het nooit. Het is een verrassing.'

'Wat aardig van je,' zei Doug.

'Ze is ook heel aardig voor mij,' zei Joe. 'Dus u bent diskjockey?'

Doug schudde zijn hoofd. 'Ik heb een administratieve functie.'

'Kent u dr. Larry?'

'Eh, die werkt op andere tijden.'

De jongen vroeg onverschrokken verder. 'En Daffy Dave?'

'Die heb ik wel eens gezien,' zei Doug, verbijsterd dat de leugen zo moeiteloos zijn mond uit glipte.

Joe fronste zijn wenkbrauwen. 'Is hij getrouwd? Want hij maakt altijd grapjes over zijn vrouw, over dat ze niet kan koken en zo, maar volgens mij heeft hij helemaal geen vrouw.'

'Geen idee,' zei Doug onbeholpen. 'Dat heb ik nooit gevraagd.'

'O,' zei de jongen. Hij legde de bal op de grond en begon hem met de neus van zijn schoen heen en weer te rollen. De zak sinaasappels zakte tussen hen in in elkaar.

Doug schraapte zijn keel. 'Nou,' zei hij aarzelend.

Hij schrok van een blaffende hond.

'Harry!' riep Joe. 'Harry!'

Doug keek toe hoe iets wat eruitzag als een verzameling oude, stoffige grijze zwabbers de garage uit kwam rennen en aan zijn schoenen begon te snuffelen.

'Dat is Harry,' zei Joe, die hem aaide. 'Hij is een kruising tussen een bouvier en een poedel. Een boedel.'

Doug knielde en aaide de hond over zijn pluizige kop. De

hond begon enthousiast te kwispelen en wierp zich op zijn rug, zijn achterpoten gespreid en zijn buik bloot.

'Hij vindt u aardig,' zei Joe.

'Ik hem ook,' zei Doug.

'Hij was van mijn vader, maar nu zorg ik voor hem.'

De hond gromde enthousiast en begon met zijn poten te zwaaien. Joe schoot in de lach. 'Het is een lief huisdier, maar als waakhond stelt hij niets voor. Hebt u een hond?'

'Nee,' zei Doug, die het 'niet meer' achterwege liet.

'Hebt u kinderen?'

'Twee meisjes. Een van twaalf en een van veertien.'

Joe leek onder de indruk. 'Grote kinderen,' zei hij. 'Hebben ze op Michaelman gezeten?'

Doug knikte.

'Bent u daar wel eens naar vaderdag geweest?'

Doug knikte nog eens. 'Dan organiseren ze toch een ontbijt?'

Joe knikte chagrijnig. 'Pannenkoeken met aardbeiensiroop. De vaders vertellen eerst over hun werk en dan krijg je pannenkoeken.' Hij knielde naast de hond en pakte zijn basketbal op.

Doug beet op zijn onderlip. Harry rolde om en begon aan de sinaasappels te snuffelen.

'Volgens mij wil hij er een,' zei Doug.

'Hij houdt van menseneten,' zei Joe met een vage glimlach op zijn gezicht. 'Hij denkt dat hij een mens is.'

Doug reikte naar de zak. 'We kunnen kijken of hij ze lekker vindt.'

Joe verplaatste ongemakkelijk zijn gewicht. 'Hij eet alleen uit zijn bak en ik mag niemand in huis laten.'

'O, natuurlijk,' zei Doug, die zich tegelijkertijd teleurgesteld en opgelucht voelde. Dit ernstige kind raakte hem in zijn hart en als hij met hem naar binnen ging, wat zou hij dan zonder erover na te denken tegen hem zeggen, of aanbieden te doen? 'Dat geeft niet. Ik moet ook maar weer eens gaan.'

'Moet u nog andere prijzen bezorgen?'

Doug schudde zijn hoofd. 'Nee, jij bent vandaag mijn enige winnaar.'

Maar zo te zien wilde Joe nog niet dat hij vertrok.

'We kunnen er hier wel een schillen...'

Ze hadden net een sinaasappel uit het net gepeuterd, die ze aan het schillen waren, toen er een auto de oprit op kwam rijden.

'O, nee,' fluisterde Joe. 'Daar is mijn moeder.'

De vrouw die uit de gammele zilverkleurige auto stapte, had Joes bruine haar, maar niets van zijn lengte of ernstige gezicht. Haar gezicht was rond en vol en leek te zijn gemaakt om te lachen, hoewel haar ogen moe stonden. Haar haar viel in warrige krullen, die met een felgekleurd zijden sjaaltje in een paardenstaart zaten gevangen.

'Joey? Wie is dit?'

'Hoe heette u ook alweer?' fluisterde Joe. Doug deed schuldbewust een stap naar voren en de fronsende blik van de vrouw werd dieper. 'Ik ben Doug Fried.'

'En wat doet u hier?' Haar toon was neutraal, maar Doug zag dat ze haar tasje als een schild tegen haar borst klemde.

'Ik werk bij Quickie 98,' zei hij. 'Uw zoon was gisteravond onze gelukkige beller, en ik kwam zijn prijs brengen.'

Ze keek terloops naar de sinaasappels, en toen zorgvuldig naar hem, vast op zoek naar tekenen van gekte of criminaliteit. 'Joe,' zei ze uiteindelijk. 'Wat heb ik gezegd over vreemden?'

'Ik heb hem niet binnengelaten,' protesteerde de jongen. 'Hij staat op de oprit, en Harry is bij me.'

'Ach ja, natuurlijk. De hond zal je wel beschermen,' zei ze, en toen draaide ze zich weer om naar Doug, die stiekem de vorm van haar gezicht in zich op stond te nemen, en haar stevige handen.

'Welke radiozender zei u ook alweer?' vroeg ze op eisende toon.

'Quickie 98,' herhaalde Doug. 'Non-stop hits, 24 uur per dag.'

Ze kon er niet om lachen. 'Mag ik uw identificatie even zien?'

'Ma-ham,' zei Joe, die in een parodie van verontwaardiging zijn armen spreidde. 'Natuurlijk is hij van de radio. Waarom zou hij me anders die sinaasappels komen brengen?'

Doug keek in zijn portemonnee. 'Mijn pasje ligt op mijn werk, maar ik kan wel laten zien wie ik ben,' zei hij, en hij overhandigde haar zijn rijbewijs.

Ze keek met halfsamengeknepen oogleden naar het rijbewijs en toen naar hem. 'Hebt u geen visitekaartje?'

Hij zocht uitgebreid in zijn portemonnee, waarna hij zijn hoofd schudde. 'Dat zal ik ook wel op mijn werk hebben laten liggen.'

Ze keek op het rijbewijs. 'Bent u echt een meter negentig?'

'De laatste keer dat ik ben gemeten wel ja.'

'Hij kan met één hand een basketbal oppakken,' zei Joe.

'Wat een held,' zei ze, en ze hield haar hoofd scheef om Doug in een blik te betrekken die niet echt vriendelijk was, maar tenminste wel minder vijandig dan de blik die ze in haar ogen had gehad toen ze de oprit op was komen rijden. 'Ik ben Shelly Stern.'

'Het spijt me als ik u heb laten schrikken,' zei hij.

Ze schudde haar hoofd. 'Nee, het spijt mij,' zei ze, en ze ging tegen de zijkant van haar auto aan staan. 'Joe heeft pas sinds kort geen oppas meer, en ik...'

'Je bent bezorgd om me,' maakte Joe haar zin af terwijl hij met zijn ogen rolde.

'Betweter,' zei Shelly.

'Ze denkt dat ik het huis in de fik steek,' zei Joe. Hij draaide zich naar zijn moeder om en vroeg als vanzelfsprekend: 'Eten we vanavond pizza?'

'Nee,' zei ze, en ze schudde haar hoofd, waardoor er nog meer krullen uit haar staart schoten.

Joe glimlachte innemend. 'Ik trakteer.' Toen holde hij naar het huis, en Harry rende achter hem aan.

'Hij wil altijd pizza,' zei Shelly. 'Als hij zo doorgaat, verandert hij in een salami.'

'Hij lijkt me een leuke jongen.'

'Dat is hij ook,' stemde ze in. 'Ondanks het feit dat hij weet dat hij geen radiozenders mag bellen. Het spijt me echt dat ik zo achterdochtig was. Ik zal wel te veel televisiekijken.'

'Ik zou ook zijn geschrokken,' zei Doug. 'Ik heb ook kinderen. Dochters. Het geeft niets. Echt niet.'

Haar mond krulde in iets tussen een grijns en een glimlach terwijl ze hem met opgetrokken wenkbrauwen aankeek. 'Dus dit is wat u doet? Door buitenwijken rijden om fruit en welwillendheid te bezorgen?'

Doug knikte. 'Zoiets,' zei hij. Het was lang geleden dat iemand hem had geplaagd en hij wilde vreselijk graag met haar blijven praten. Hij wilde weten wat Joe en zij in het weekend deden, wat ze 's avonds aten en waar ze elke ochtend in haar zilverkleurige auto naartoe reed. Hij wilde zien of hij haar nog een keer aan het lachen kon maken. Maar hij wist dat hij genoeg risico had genomen voor één middag en had geen idee hoe hij de leugen die tussen hen in lag kon uitleggen.

'Ik moet er weer eens vandoor,' zei hij.

'Natuurlijk,' zei ze, en ze trok een gezicht. 'De eerste volwassene die ik in dagen spreek en ik jaag hem weg.'

'Uw eerste...' Doug wist niet zeker of hij haar goed had verstaan.

'Ik ben bibliothecaresse op de kinderafdeling. Ik praat niet veel met volwassenen.' Ze staarde naar de hemel en schudde meewarig ongelovig haar hoofd. 'Volwassen. Ik kan nog steeds niet geloven dat ik dat ben. Toen Joe nog klein was, een jaar of drie, stond hij 's avonds laat boven aan de trap vaak te schreeuwen: "Ik heb een volwassene nodig!" en dan keken mijn man en ik elkaar aan...' Ze haalde glimlachend haar schouders op. 'Met een blik in onze ogen van: "Als we er een zien, sturen we hem naar je toe."' Ze schudde nog een keer haar hoofd. 'Wat is dat lang geleden. En jij? Hoe zijn jouw kinderen?'

'Ik heb twee dochters. Van veertien en twaalf.'

'Meisjes,' zei Shelly, die jaloers klonk. 'Hoe heten ze?'

'Sarah en Alicia,' zei Doug. 'Ze wonen bij hun moeder.' Hij wierp haar nog wat informatie toe, nog iets om te laten zien dat ze van alles gemeen hadden: 'Ze hebben op dezelfde basisschool gezeten als Joe.'

'Dus jij bent naar dat vaderontbijt geweest?' Ze keek hem aan met dezelfde lichtbruine ogen als die van haar zoon. 'Ik vind het belachelijk dat ze dat maar blijven organiseren, met al die vaderloze kinderen. Joe had het er ontzettend moeilijk mee.'

'Voor jou moet het ook moeilijk zijn,' waagde Doug.

Shelly knikte. 'Het is niet mijn favoriete dag van het jaar, nee.'

Doug bleef naar haar kijken, nam haar in zich op, haar gouden oorbellen, de zijden sjaal in haar nek, de manier waarop haar haar het afnemende licht ving. Hij voelde zich opgewonden, duizelig en beschaamd.

'Zeg,' zei ze, en ze glimlachte naar hem, waarna ze haar blik snel naar de sinaasappels op de grond wendde. 'Ik begin het koud te krijgen. Wil je even binnenkomen voor een kop koffie?'

'Luister,' flapte Doug er wanhopig uit. 'Mevrouw Stern.'

'Shelly.'

'Shelly,' herhaalde hij, maar verder kon hij niets uitbrengen.

'Kom,' zei ze. Hij wilde heel graag achter haar aan lopen, zijn handen om iets warms klemmen en genieten van haar aandacht.

'Ik werk niet bij die radiozender,' zei hij. Ze deed twee stappen achteruit, alsof hij haar had geslagen.

'Wat?' fluisterde ze. 'Wat?'

De blik in haar ogen gaf hem het gevoel dat hij in een blok ijs beet. 'Ik ben actuaris,' zei hij.

'Maak je een grapje?'

Doug schudde zijn hoofd. 'Mag ik het uitleggen?' vroeg hij,

en hij hoorde de smekende toon van zijn stem. 'Mijn telefoonnummer verschilt maar één cijfer van dat van de radiozender. Ik lag te slapen toen Joe belde en toen hij vroeg of hij had gewonnen, zei ik zonder erbij na te denken ja.'

Hij durfde haar nu weer aan te kijken. Haar ogen stonden te helder en ze klemde haar tasje weer tegen haar borst.

'Het spijt me,' zei hij. 'Ik begrijp hoe het moet voelen.'

'O nee, dat begrijp je niet,' zei ze. 'Dat begrijp je helemaal niet. Je hebt geen idee hoe het voelt je oprit op te komen rijden en je zoon met een vreemde man te zien praten. Je hebt geen idee.' Haar lippen beefden. Hij zag dat hij haar bang had gemaakt en hij kon maar het beste vertrekken. Maar dat kon hij niet.

'Het spijt me,' zei hij nogmaals.

'Ik doe zo mijn best,' zei ze. 'Ik doe zo mijn best om Joe veiligheid te bieden. Ik maak me zo'n zorgen om hem; ik maak me altijd zorgen, en jij loopt gewoon op hem af, en hij weet niet eens dat hij moet zorgen dat hij erachter komt of je echt bent wie je zegt dat je bent! Je zou iedereen kunnen zijn! Je had hem van alles aan kunnen doen!'

Ze keek hem nog even razend aan, schudde toen haar hoofd en liep naar het huis.

Doug pakte de sinaasappels en liep achter haar aan terwijl hij bedacht dat hij niet iedereen kon zijn, dat hij alleen zichzelf kon zijn. Meer kon hij niet zijn en dat moest genoeg zijn. Hij raakte haar schouder aan. 'Je weet hoe ik heet,' zei hij.

Ze draaide zich weer naar hem om en keek hem recht in zijn ogen, haar kleine handen tot vuisten gebald.

'Je weet dat het me spijt.'

'Spijt,' herhaalde ze, alsof ze het woord voor het eerst hoorde.

'Het was stom. Ik had meteen de waarheid moeten vertellen.'

'Waarom?' vroeg ze. 'Dat wil ik weten. Waarom?'

Doug dacht even na. 'Dat weet ik niet precies. Ik wilde iets goeds doen.'

'Nou,' zei ze terwijl ze hem razend aanstaarde. 'Misschien

kun je dan de volgende keer een donatie aan het kankerfonds doen. Of aan de bibliotheek. We hebben een nieuw dak nodig.'

'Misschien doe ik dat wel,' zei hij met dezelfde intensiteit in zijn stem als zij had gehad. 'Maar dit is wat ik deze keer heb gedaan, en dat kan ik niet ongedaan maken.'

Ze zag eruit alsof ze nog iets wilde gaan zeggen. Toen deed ze plotseling haar mond dicht. Ze keek hem niet aan, maar liep ook niet weg. Doug stond te bedenken wat hij kon zeggen om haar gerust te stellen toen de deur van het huis openging.

'Mam!'

Joe stond in de deuropening. Harry stak zijn kop tussen de benen van de jongen door. Er scheen een streep licht in de vroege avondduisternis. 'We moeten pizza bestellen!' riep de jongen.

'Het spijt me,' zei Doug nog een keer. Hij gaf haar de zak fruit en liep richting zijn auto.

Hij was halverwege het pad toen hij haar achter zich hoorde. 'Wacht,' zei ze.

Hij draaide zich met bonkend hart naar haar om.

'Blijf eens staan,' zei ze terwijl ze hem van top tot teen in zich opnam, hem bestudeerde alsof hij een nieuw meubelstuk was dat ze op vlekken en krassen inspecteerde, alsof ze zich afvroeg of het de deur door paste.

'Sinaasappels,' zei ze. Haar stem klonk zacht.

'Sinaasappels uit Florida,' zei hij.

Shelly beet op haar onderlip. 'Ik wil je geloven.' Haar stem stierf weg. 'Je komt oprecht over en ik wil geloven dat je dat bent. Begrijp je dat?'

Doug was te gespannen om ook maar adem te halen en knikte alleen maar.

Ze bestudeerde een eindeloos lang moment zijn gezicht. 'Kom dan maar,' zei ze. Hij liep met de sinaasappels in zijn handen achter haar aan naar binnen.

Studeren

Jason en Marion Meyers brachten een bezoek aan het derde college in twee dagen en zaten te lunchen in de mensa. Het was er heet en benauwd en het gekwelde gillen van stoelen met metalen poten die over de tegelvloer werden gesleept, weerklonk door de ruimte. Studenten in het rokersgedeelte, aan één kant van de grote ronde ruimte bij elkaar, produceerden een blauwige wolk die zich een weg het rokersgedeelte uit baande en als een mist over alles heen hing.

Marion en Jason, moeder en zoon, aten hetzelfde: bagels, met smeerkaas uit een tube, en veel te dure, veel te zoete zwartebessenlimonade zonder kunstmatige toevoegingen. Ze knabbelden aan hun broodje en keken elkaar met exact dezelfde grijsgroene ogen aan.

Marion nam een slokje limonade en trok een gezicht terwijl ze het blikje aan de kant zette. 'Dit is leuk,' zei ze bemoedigend. 'Mooie campus. Wat vind jij?'

Jason haalde zijn schouders op en gromde ongeïnteresseerd. Jason communiceerde sinds ze de dag ervoor uit hun huis in Rhode Island waren vertrokken voornamelijk met grommen, schouderophalen en lange stiltes. Hij had op geen van de colleges die ze tot nu toe hadden bekeken – Cornell, Bowdoin en Amherst, allemaal even schitterend tussen de herfstbladeren en het met klimop begroeide marmer – meer dan één zin commentaar geleverd. Jason had met een kleine schouderbeweging in zijn tweedjas en onverstaanbaar gemompel de zwemteams, de vereniging van rechtenstudenten, de zangclubs en de studentencorpsen afgewezen. De humor waarmee zijn gesprekken normaal gesproken waren doorspekt, ontbrak volledig. Zijn brede schouders waren opgetrokken en zijn gezicht stond ernstig, zelfs terneergeslagen terwijl hij door het studentenblad zat te bladeren.

Marion bedacht dat dat niet verrassend was. Hal zou dit met Jason gaan doen. Ze hadden het reisje in de zomer samen gepland en hadden landkaarten bekeken, brochures bestudeerd en toelatingsstatistieken in de Barron's-gids opgezocht. Maar Hal had het in augustus druk gekregen. Hij was twee weken de stad uit voor een zaak in Ohio en had de hele maanden september en oktober overgewerkt, wanneer hij thuiskwam als Jason al naar bed was en alweer de deur uit was als zijn zoon wakker werd. Dat hoopte ze tenminste maar dat Jason dacht dat er aan de hand was. Eerst zijn toelatingsgesprekken, zei ze tegen zichzelf. Daarna zou ze hem de waarheid vertellen.

Ze haalde diep adem en zette een opgewekt gezicht. 'Heb ik je mijn theorie over bagels wel eens verteld?'

Jason rolde met zijn ogen. 'Ik kan niet wachten om die te horen,' mompelde hij, maar hij glimlachte toch een heel klein beetje.

'De kwaliteit van een college heeft een directe relatie met die van de bagels. Goede bagels, goede opleiding,' zei Marion. Ze sloot haar ogen, pakte haar bagel en rook eraan met de geoefende concentratie van een wijnkenner. '1990,' zei ze. 'Goed jaar.' Ze nam een hapje en kauwde geconcentreerd. 'Niet slecht,' verklaarde ze, en ze keek naar Jason. Hij zag er ondanks zijn rode wangen, die nog verbrand waren van zijn zomer als strandwacht, heel volwassen uit. Marion schoof haar bord naar haar zoon en keek weg.

'Wat moest pa doen wat zo belangrijk was?' was het enige wat Jason had gezegd sinds ze twee dagen geleden om vijf uur 's ochtends van huis waren vertrokken en in de Mercedes van haar echtgenoot langs de koloniale houten huizen waren gereden.

Marion haalde haar schouders op. 'Ach, je weet hoe hij is met die getuigenverklaringen, hij zal wel tijd tekortkomen...' Haar stem stierf weg. De leugen lag op het tafeltje tussen hen in. Marion zag hem bijna kruipen, haar vals aanstaren. 'Ik weet zeker dat hij je niet wilde teleurstellen,' zei ze zwakjes, en ze voelde zich een klein beetje getroost dat dat tenminste waar was. Ze viste in haar tasje, langs de landkaarten waarop Hal zorgvuldig met fluorescerend groen de route had aangegeven, en pakte vijf dollar. 'Ga eens een yoghurtijsje voor je moeder halen.' Jason bestudeerde haar een stil moment. Toen stond hij in een vloeiende beweging op en liep naar de rij, en hij trok heel wat aandacht terwijl hij op weg was. Lang en slank, met roodbruine krullen die een paar slagen glanzender waren dan die van haar, en hij liep met een lenige gratie. Twee meisjes met grote ringen in hun oren stootten elkaar aan toen hij voorbijliep en het meisje achter de kassa staarde hem aan, trok haar uniform glad en begon aan haar haar te friemelen. Deze bezoekjes betekenen dat hij het huis uit gaat, dacht ze. Binnenkort is hij weg. Haar hart trok pijnlijk samen. Ze sloot haar ogen en liet haar hoofd op haar handen steunen.

'Mam?'

Jason stond voor haar en keek haar bezorgd aan met twee ijsjes in zijn handen.

Ze dwong zichzelf te glimlachen. 'Ik zat even na te denken.'

Hij glimlachte. 'Nou, dat heb je dan vast lang niet gedaan, als het zo veel moeite kost. Ik heb chocolade en aardbei. Wat wil jij?'

'Wat? O, aardbei, graag,' zei Marion. Ze keek toe hoe haar zoon ging zitten en dacht, met een felheid die haar verraste: ik laat niets hem ooit pijn doen. Nooit.

Marion had in Middletown een hotel met zwembad gereserveerd. Jason en zij waren allebei gek op zwemmen, ze begrepen elkaar zowel in als uit het water met een speciale, onuitgesproken vertrouwdheid.

Marion had altijd gezwommen. 'Je bent een waterdier,' had

Hal tijdens hun huwelijksreis gegrapt, toen ze niet had ge-
golft, getennist of in de zon had gelegen, maar uren in het tur-
kooizen water van Bermuda had doorgebracht. Hij was er een
paar keer tot zijn knieën in gelopen en had even op zijn rug
gedobberd voordat hij weer naar het strand was gepeddeld.
Hij was bang voor water. Hij vond het een naar gevoel om zo
klein te zijn in de enorme oceaan, te worden geduwd en ge-
pord door de stroom en de golven, krachten waarover hij geen
controle had.

Toch deed Hal zijn best haar te plezieren. Toen hij zijn
praktijk had opgezet, na de aankoop van het verplichte mini-
landhuis in een buitenwijk en de brandweerrode sportauto,
had hij voor Marions verjaardag een gecombineerd zwem-
bad/bubbelbad laten graven. Ze ging in de zomer vaak voordat ze naar bed ging nog even zwemmen om af te koelen. Dan
kwam Hal er soms bij zitten, op het randje van een ligstoel,
en keek toe hoe ze het warme, verlichte water doorkliefde,
haar rugspieren in aangename harmonie gespannen. Dan
kwam hij later bij haar in het bubbelbad zitten, waar het
water zo ondiep was dat hij zich er op zijn gemak voelde. Dan
lagen zijn katoenen pyjama en haar vochtige badpak samen
verfrommeld op een stoel, hoorden ze de krekels sjirpen en
voelde de lucht, die overdag vochtig en drukkend was, als een
streling op hun huid.

Haar drie oudste kinderen hadden een hekel aan water.
Marion had hun alle drie leren zwemmen, maar dat had veel
moeite gekost. Amy, Josh en Lisa moesten in de ondiepe kant
van het zwembad worden gelokt met de belofte aan een ijsje
of speelgoed, en als ze eenmaal in het water waren, voelden
ze zich er niet op hun gemak, knepen hun neus dicht en tuur-
den angstig naar het diepe water alsof het zou gaan stijgen en
hen zou opslokken. Marion zorgde dat ze tenminste schoolslag beheersten voordat ze hen drogere sporten liet beoefe-
nen, sporten met sticks en ballen, rubberen mondbescher-
mers en mysterieuze buitenspelregels.

Toen kwam Jason, haar kleintje, haar verrassing. Jason was

net zo'n waterrat als zijn moeder. Als pasgeborene was hij het gelukkigst in zijn badje, kirrend en gorgelend als Marion water over zijn dikke lijfje goot. Hij kon toen hij tweeënhalf was al zwemmen, toen hij zich, zonder vleugeltjes of angst, in de diepe kant van het zwembad wierp en als een hondje heen en weer dartelde, vrolijk giechelend terwijl zijn oma aan de kant had staan gillen en Hal, met zijn nette pak nog aan, achter hem aan was gesprongen.

Marion had Jason die zomer, als Hal moest overwerken, wel eens met zich mee het zwembad in genomen. Dan hield ze hem op haar heup en sprong met hem op en neer in het ondiepe water, waar ze allebei enorm om hadden gelachen. Ze gooide hem hoog in de lucht en dan landde hij met een plons, peddelde naar haar toe, zijn ogen open en met uitgestrekte armpjes, smekend om meer.

Marion wist best dat een goede moeder geen lievelingetje mocht hebben. Dus probeerde ze volhardend te negeren dat ze er veel meer van genoot om te kijken als Jason zwom dan wanneer ze naar wat dan ook van haar oudere kinderen keek. Ze zorgde angstvallig dat ze even lang ging kijken naar Josh en zijn lacrosse, Amy en haar koor en Lisa en haar voetbal. Maar ze nam aan dat ze toch wisten dat ze altijd een beetje teleurgesteld was dat ze niet net als zij zwemmers waren.

Het is moeilijk een geheim voor je kinderen te bewaren. Dat was wat Marion bedacht toen ze met haar zoon baantjes aan het trekken was in het piepkleine binnenbad van het Marriott. Ze ploegden een halfuur lang zij aan zij door het bad, gehuld in de cocon van het water en hun eigen stilte.

Ze aten 's avonds bij een Thais restaurant vlak bij hun hotel. Jason bouwde een piramide van zakjes suiker en suikervervanger, en stak die toen met zijn vork overhoop. 'Ben je zenuwachtig voor morgen?' vroeg Marion. Jason haalde zijn schouders op en begon een suikerster te bouwen. Hij werkte zorgvuldig en duwde met het topje van een lange vinger tegen het hoekje van een zakje. 'Het komt wel goed. Je bent een goede spreker,' zei ze droogjes terwijl ze haar best deed haar frustratie te verbergen.

De serveerster nam hun bestelling op. Jason bestelde, zonder van tafel op te kijken, extra pittige beefreepjes. Hij veegde de ster aan de kant en begon aan een gecompliceerde vorm met stapeltjes suikerzakjes in een cirkel.

'Toen Amy haar gesprek aan Penn had, vroegen ze haar wat voor groente ze zou willen zijn,' poogde Marion.

Jason trok zijn bovenlip op. 'Belachelijk.'

'Volgens mij heeft ze gezegd dat ze een aubergine wilde zijn.'

'Waarom?'

'Dat weet ik niet meer.'

'Was je niet mee?'

'Nee,' zei Marion zacht. 'Je vader is met haar gegaan.' Jason begon op zijn onderlip te bijten en had een vaag gekwetste blik in zijn ogen. Ze krabbelde snel terug: 'Maar je hoeft je echt nergens zorgen om te maken, lieverd. Ze vragen waarschijnlijk alleen naar je zwemmen, welke specialisatie je overweegt, waarom je er wilt studeren...'

'Mijn moeder de studieadviseuse,' zei Jason. Het duurde even voor het tot Marion doordrong dat hij haar plaagde.

De serveerster zette hun dampende borden neer. 'Wat is dat?' vroeg ze aan Jason terwijl ze naar de ingewikkelde cirkel wees die hij had gebouwd met de roze en bruine zakjes. Jason glimlachte snel naar Marion en keek toen bloedserieus naar de serveerster op.

'Stonehenge.'

De serveerster glimlachte beleefd en liep snel weg. Marion keek haar zoon aan. 'Stonehenge?'

Jason knikte bescheiden. 'Niet helemaal op schaal, maar wat wil je, met zulk materiaal.'

Marion glimlachte en voelde de opluchting door zich heen stromen als iets zoets wat ze had doorgeslikt. Dat was de Jason die ze kende.

Maar de volgende ochtend was zijn goede humeur als

sneeuw voor de zon verdwenen. Hij zat op weg naar New Jersey te mokken, ramde te hard op de knopjes van de radio en zat het slot van de deur op en neer te klikken tot Marion, die haar hoofd bij de telefoontjes had die ze zou moeten plegen – eerst naar Lisa, daarna naar Amy en dan Josh – uiteindelijk tegen hem snauwde dat hij moest ophouden. Ze reden een kwartier in gespannen stilte verder, totdat Marion een afrit nam.

'Rijd jij maar,' zei ze, en ze begon te glimlachen toen Jason haar verrast aankeek. 'Toe maar. Ik heb een roekeloze bui.'

'Oké,' zei hij kortaf, weigerend zich te laten plezieren. Hij gleed achter het stuur, duwde de stoel naar achteren en voegde in. Marion deed haar ogen dicht.

Jason was normaal gesproken een goede chauffeur, snel en zelfverzekerd. Maar hij was die dag te agressief: hij wisselde te abrupt van baan en kafferde binnensmonds chauffeurs uit die niet snel genoeg voor hem aan de kant gingen. Marion dwong zichzelf geen kritiek op hem te leveren. Ze dutte een beetje weg, maar schrok elke paar minuten wakker en als ze haar ogen dan opendeed, zag ze een enorme vrachtwagen voor zich opdoemen of zwenkte Jason net naar een andere baan.

Ze gaf de poging even te slapen op, ging rechtop zitten en vouwde de landkaart open. Princeton was een piepklein zwart vlekje. Het zag er veel te klein uit, fysiek te onbeduidend om de plek te zijn waar je een gebroken hart kon oplopen. Ze volgde met haar vinger de route naar de tolweg, langs de dunne blauwe lijntjes die als aderen door de staat liepen, in een poging haar bonkende hart rustig te krijgen. Hier, dacht ze. Je bent hier.

De informatiebijeenkomst vond plaats in een met hout betimmerd lokaal met een hoog plafond en ramen met heel veel ruitjes die desondanks een benauwde indruk wekten. De geur van krijt en zenuwzweet deed Marion aan haar eigen studietijd aan Mount Holyoke denken, voordat ze Hal had leren kennen, toen ze dacht dat ze arts of diplomaat zou worden, alles behalve een huisvrouw in een buitenwijk met vier kinderen en een zwembad in de achtertuin. Het verschil was dat het nu de ouders waren die met een geforceerde glimlach en zweethanden rondrenden en testscores en studieadviezen vergeleken, terwijl de kinderen ontspannen stonden te kletsen bij de vruchtenbowl. De man van de toelatingscommissie, een keurige kerel met baard die in een hoek van de ruimte stond, was gemakkelijk te herkennen met zijn zwart-oranje stropdas. Er dromden vijftien ouders om hem heen, snaterend en gebarend, terwijl hij erbij stond als een adellijke landheer die de smeekbeden van zijn lijfeigenen aanhoort.

Marion bedacht dat ze erbij moest gaan staan, aangezien dit Princeton was, Jasons eerste keuze en alma mater van Hal. Ze begon in plaats daarvan met het roerstokje in haar bekertje koffie te spelen en betrapte zichzelf erop dat ze enorme behoefte had aan een sigaret, ondanks het feit dat ze al meer dan twintig jaar daarvoor was gestopt. Haar hoofdpijn was terug, een mat gedreun in haar voorhoofd, als vuisten die ver weg op een deur bonkten. Een joviale jonge man in een Princeton-trui kwam op haar af lopen en gaf haar een grote zwart-oranje sticker met het acroniem TMZ erop.

'Waar staat dat voor?' vroeg ze.

De stralende man gaf direct antwoord. 'Toekomstige Moeder-Zoon,' zei hij.

'Maar ik ben helemaal geen toekomstige moeder!' zei Marion. 'Ik ben zijn moeder al. Ik heb de papieren om het te bewijzen!'

Hij glimlachte toegeeflijk en liep naar de volgende ouder (TVD, wat, nam Marion aan, voor Toekomstige Vader-Dochter stond).

Marion wendde zich tot de moeder rechts van haar, medeleven verwachtend. 'Dat is toch niet te geloven? TMZ!'

De vrouw gaf vanuit haar mondhoek fluisterend antwoord. 'Als ik jou was, zou ik maar niets zeggen,' mompelde ze. 'Als je wilt dat je zoon een kans maakt, zou ik niet moeilijk doen.'

'Dat meen je niet,' zei Marion. 'Je gaat me toch niet vertellen dat ze hem gaan afwijzen omdat zijn moeder die sticker weigert te dragen!' Ze trok de sticker van haar borst, maakte er een propje van en gooide hem in de prullenbak.

De vrouw deed een paar passen achteruit, alsof Marion plotseling besmettelijk was geworden; haar loensende ogen glinsterden. 'Ik zeg alleen maar dat ik geen risico neem.' Ze knikte richting een groepje jongens in een hoek. 'Mijn zoon,' kondigde ze aan op een toon die gewoonlijk is gereserveerd voor staatshoofden.

Marion had geen idee welke jongen ze bedoelde. Ze knikte toch maar.

'Beste van zijn klas,' bood de vrouw aan. 'Hij gaat elke zomer naar een cursus voor hoogbegaafden.' Haar stem ging in een triomfantelijke spiraal omhoog. '1430!'

Marion gaf een knikje waarvan ze maar hoopte dat het overkwam alsof ze enig idee had waar het over ging. 'Dat klinkt goed.'

De vrouw was stil. Het drong tot Marion door dat ze stond te wachten tot ze de relevante informatie over haar zoon zou verstrekken. 'O, dat is Jason,' zei ze, en ze wees naar hem. Jason stond met de stickerjongen te kletsen.

De vrouw knikte. 'Hoe zijn zijn cijfers?'

'Prachtig!' antwoordde ze, te enthousiast. De vrouw stond met opgetrokken wenkbrauwen te wachten, maar Marion wist niet meer wat voor cijfers Jason had. Het enige wat ze nog wist, was dat haar echtgenoot vroeg was opgestaan en een gezond, eiwitrijk ontbijt voor Jason had gemaakt op de ochtend van zijn toets, hem de hand had geschud en hem succes had gewenst.

'Heeft hij extra cursussen gevolgd?'

Marion schudde haar hoofd. 'We hebben wel zo'n boek voor hem gekocht.' Haar hoofdpijn begon te steken. Was het nou een gids om je te helpen voorbereiden op je toets of een met een overzicht van de verschillende colleges? Ze wist het niet meer. Hal was de boekenkoper. 'Maar Jason is een fantastische jongen en een serieuze leerling. En hij is voorzitter van het zwemteam.'

De vrouw maakte een nauwelijks hoorbaar snoevend geluid en liep weg. Marion zuchtte en sjorde discreet haar panty omhoog. Een fantastisch kind zijn was blijkbaar niet meer genoeg. Toen stond Jason ineens naast haar, en hij gaf haar een bekertje bowl. 'Ze gaan zo beginnen. Zullen we gaan zitten?' vroeg hij.

'Ik wil naar huis,' fluisterde ze zo zacht dat hij haar niet kon horen. Toen liep de man van de toelatingscommissie het podium op, en zijn assistent in de collegetrui begon het licht aan en uit te klikken, een trucje dat Marion niet meer had gezien sinds ze zelf nog studeerde. Ouders zochten een zitplaats en het drong ineens in een golf van paniek tot Marion door dat dit het was. Ze zouden nog een uur of drie, maximaal, op de campus doorbrengen. Dan nog een uur of zeven in de auto, exclusief een stop om te eten. En dan zouden ze weer in Providence zijn, en als ze dan nog niet had bedacht hoe ze het moest vertellen...

Jason luisterde geconcentreerd naar het verhaal over het leven aan Princeton. Marion pakte geruisloos een van de landkaarten uit haar tasje en vouwde hem snel op haar schoot open. Ze ging met haar vinger over het groen dat New Jersey was. Langs de tolweg, over de Hudsonrivier, over de Tappan Zeebrug naar Connecticut. Haar vinger gleed steeds langzamer en kwam tot stilstand.

Ze keek naar haar zoon. Hij zag er in zijn sportieve jasje met stropdas uit als willekeurig welke nietszeggende, slimme aankomend student. Al zijn kattenkwaad, al zijn humor, zijn vriendelijkheid, dat hij in groep 7 een week had gehuild omdat hij moest nablijven, zelfs het litteken op zijn kin omdat hij toen hij als strandwacht werkte van zijn stoel was gesprongen en op een schelp was neergekomen... Zijn hele geschiedenis was nu onzichtbaar, uitgewist. Jason was weg, en haar paniek was terug. Ze kreeg het ineens warm, en ze werd zo duizelig dat de grote, muffe ruimte met de rustgevende kleuren crème en bruin leek te gaan draaien. Wat had ze nog over? Ze had tegen Jason gezegd dat ze naar huis wilde, maar daar was niets. Vlieg maar weg, vlieg maar naar een beter oord. Haar huis stond niet in brand, maar haar kinderen waren weg, de oudste drie al lang, en Jason binnenkort ook. Het zwembad was leeg voor de winter, overdekt met een zwaar zwart zeil. Ze voelde tranen achter haar oogleden prikken en beet hard op haar onderlip.

'Mam?' fluisterde Jason. Marion schrok op en schudde haar hoofd.

'Sst,' zei ze. 'Ze gaan het zo over sport hebben.'

De moeder van de hoogbegaafde zoon stond op, somde de cijfers en prestaties van haar kind op en vroeg of die genoeg zouden zijn. Haar zoon zat naast haar, overduidelijk diep ellendig van schaamte. Hij droeg een enorme klassenring met een gigantische blauw-rode steen erin. Marion zag zelfs op afstand dat hij nep was.

'En,' koerde de vrouw met een hoge stem, 'hij was finalist bij de wetenschapswedstrijd van Westinghouse.'

De man van de toelatingscommissie deed zijn best niet te glimlachen. Marion maakte een verstikt geluid en toen ze naar beneden keek, zag ze dat ze de landkaart had verfrommeld. Jason zat te staren.

'Kom, we gaan,' fluisterde hij, en ze knikte terwijl ze zich een weg langs de knieën van geïrriteerde Westinghouse-finalisten baande, het gebouw uit, over een leistenen pad en door een hek naar de parkeermeter op Nassau Street. Er was iets met dat hek, dacht Marion, iets belangrijks, maar ze wist niet meer wat. Mochten studenten er pas doorheen als ze waren afgestudeerd? Of mochten ouders er niet doorheen? Te laat. Ze stond bij het autoportier en haalde de autosleutel uit haar zak. 'Ik rij wel,' bood Jason aan, maar zijn moeder schudde haar hoofd.

'Als je nou eens naar de sporthal gaat om een praatje te maken met de zwemcoach? Dan zie ik je daar over een uur.'

Jason stak zijn handen in zijn zakken. 'Wat is er aan de hand?' vroeg hij. 'Wil je het alsjeblieft vertellen?'

Marion haalde diep adem. 'Je vader,' begon ze, en toen bleef haar stem in haar keel steken. Dit is helemaal verkeerd, dacht ze, en ze begon te hoesten. 'Mam?' vroeg Jason, die haar vruchteloos op haar rug klopte, alsof ze zich in een slok water had verslikt. Ik moet ergens met hem gaan zitten, dacht ze, op een rustige plek, waar ik het kalm kan uitleggen.

Jason zei iets en Marion dwong zichzelf te luisteren. 'Wat is er dan met pa?' vroeg hij. 'Is hij ziek?'

Marions borstkas ontspande een beetje en het lukte haar om in te ademen. 'O, nee,' zei ze. 'O, Jason, er is niemand ziek.' Ze haalde nog een keer bevend adem, blies die langzaam weer uit en zei wat ze zichzelf niet had toegestaan uit te spreken sinds het moment dat Hal het haar had verteld. 'Je vader gaat ergens anders wonen.'

Ze stonden een paar tellen doodstil naar elkaar te kijken, als zwemmers bij de startblokken van een zwembad, zich vastgrijpend aan de ijzeren stang, zich voorbereidend op de draai. Marion hoorde in de verte het staccato van een rondleiding over de campus, het tikken van de hoge hakken op het leistenen pad, het ritme van de vragen en antwoorden.

'Hij gaat verhuizen. Als we terugkomen, is hij weg,' zei ze. Jason kreeg een rood gezicht. Hij balde zijn grote handen tot vuisten.

'Ohio,' zei hij toonloos. 'Al die tijd in Ohio. Heeft hij een vriendin of zo?'

Marion schudde haar hoofd; ze voelde zich uitgeput, vermoeider dan ze zich had gevoeld sinds haar bevallingen, of de slapeloze nachten met haar pasgeborenen. 'Nee, Jason, dat is het niet,' zei ze tegen hem. 'We zijn het samen. Je vader en ik. Het werkt niet.'

Ze pakte zijn handen. Ze zei langzaam zijn naam, om hem te troosten. Ze overwoog hem te vertellen dat niemand wist waarom, zij nog het minst van iedereen, en hoe bang ze was om alleen thuis te zijn, en dat het loslaten van haar zoon het moeilijkste was wat ze ooit had gedaan, nog moeilijker dan het verliezen van haar echtgenoot.

Jason maakte zijn handen uit de hare los. 'Ik weet helemaal niets!' schreeuwde hij. Elk woord perste zich een weg uit zijn keel alsof het door een bankschroef werd tegengehouden. Zijn stem sloeg over. 'Helemaal niets!' Boven in een hoge stenen toren begon een klok te luiden, en moeder en zoon werden opgeslokt door een zee van lichamen toen studenten uit hun lokalen stroomden en roepend en lachend naar buiten spoelden.

Dora aan het strand

'Hoi.' Dora Ginsburg ging langzamer lopen, trok haar koptelefoontje van haar hoofd en keek op naar de twee tienermeisjes die, gekleed in een bikinihesje met korte broek en slippers, voor een eettentje stonden dat met luiken was afgesloten. Het meisje dat dat had gezegd, kwam over de boulevard op Dora af slenteren. Ze was lang en broodmager, en haar ribben prikten tegen de wasachtige witte huid van haar romp. Ze droeg een witte tas van goedkoop imitatieleer onder haar arm, en er hing een ketting om haar hals met de in krullende letters geschreven naam AMBER eraan. Het meisje dat achter haar aan liep was kleiner en breder gebouwd, met brede schouders, zware dijbenen en dezelfde ongezonde kleur.

Zusjes, dacht Dora. Behalve hun gitzwarte haar en vissenbuikwitte huid leken ze in niets op elkaar, maar ze wist toch om de een of andere reden dat het zusjes waren.

'Ja?' vroeg ze terwijl ze op de plaats jogde om haar hartslag hoog te houden. 'Kan ik jullie helpen?'

'Of ze ons kan helpen,' zei het langere meisje, Amber, tegen het kleinere. 'Nou, ik denk dat ze dat wel kan.' Het kleinere meisje mompelde iets wat Dora niet verstond, en schuifelde met haar voeten. Dora zag de kromme lijn van een tatoeage – een hart of de vleugel van een vlinder – boven het stukje stof dat haar rechterborst bedekte uit piepen. Hun kleding, dacht ze, zou zodra de temperatuur zou gaan dalen volledig ontoereikend zijn. Het mocht dan vierentwintig graden zijn in de zon, maar over tien dagen was het echt oktober en het mooie weer moest toch een keer omslaan. Haar eigen kleren: een wijd wit shirt met een lichtblauwe katoenen kuitbroek en orthopedische wandelschoenen met witte rubberzolen, met vijf centimeter kousenboord erboven, waren veel praktischer.

Amber, de lange, stak haar handen in de zakken van haar minuscule korte broek. 'We hebben een probleem,' zei ze met een zwaar New Yorks accent, en ze keek Dora met een scheef gehouden hoofd, kin een beetje vooruitgestoken, aan.

'En dat is?' Ze zouden wel verdwaald zijn, dacht Dora. Ze zouden haar niet overvallen, niet op klaarlichte dag. En als ze dat toch zouden doen, zouden ze er met niets anders vandoor gaan dan een walkman die ze voor zichzelf had gekocht, haar sleutels, het mobieltje waarvan ze nog steeds niet had weten te doorgronden hoe het werkte, en een exemplaar van de *Philadelphia Examiner*, die ze nog steeds kocht, ondanks het feit dat de krant volledig uit gebakken lucht leek te bestaan nu de boekrecensies, het zondagkatern en al de columnisten die ze graag las waren geschrapt. Hem lezen was een beetje als lunchen met een vriendin die lepra had gekregen en minus een paar vingers of het puntje van haar neus in het restaurant arriveerde, en alsof je je dan beleefd moest gedragen en moest doen alsof het je niet opviel.

Amber greep met haar bleke, magere vingers Dora's hand. Dora probeerde hem los te trekken, maar de acrylnagels van het meisje staken in haar vlees en hielden haar stevig vast terwijl ze Dora's hand omdraaide en haar sos-armband bestudeerde. 'Nou, Dora Ginsburg, het zit zo. Mijn zus en ik hebben een praktisch probleempje.' Ze liet Dora's pols los en strekte haar knokige armen boven haar hoofd. 'Met onze accommodatie.'

Dora knikte en keek toen opzij, op zoek naar zonaanbidders en wandelaars op de boulevard, iemand die zou zien wat er aan de hand was. Maar het was helemaal stil, op de krijsende zeemeeuwen en ruisende golven na. Het was kwart over tien 's ochtends. In juli of augustus zou het nu razend druk zijn geweest van Ventnor, waar Dora woonde, tot in Atlantic City, maar de zomer was voorbij. De huisjes van de strandwachten waren met luiken afgesloten, de hotels waren halfleeg en hoewel de casino's nog werden bevolkt door oude dametjes die vijfentwintig dollar aan een buskaartje en tien aan kwartjes uitgaven, hadden de meeste bewoners uit haar flatgebouw al ingepakt en waren ze op weg gegaan naar Arizona of Florida om daar de wintermaanden door te brengen.

'Dus ik moet jullie...' Dora's stem stierf weg. 'De weg wijzen?' vroeg ze hoopvol.

Het meisje met de tatoeage – Dawn, had Dora net gehoord – stond aan de touwtjes aan de zijkanten van het bikinibroekje onder haar korte broek te friemelen. Amber schudde kort haar hoofd. 'Nee. We moeten ergens overnachten.' Haar stem klonk zo doordringend als het krijsen van de zeemeeuwen en haar ogen stonden hard als twee kiezelsteentjes.

'O!' Dora voelde een golf van opluchting door zich heen gaan. 'Het Radisson is hier vlakbij. Gewoon de boulevard volgen. En...'

Amber greep Dora's pols weer vast en trok haar naar een bankje aan de rand van de boulevard. Ze duwde Dora tegen haar schouders tot ze zich op de bank liet zakken en ging toen naast haar zitten, met haar naakte dij tegen een pijp van Dora's blauwe broek. Dawn kwam met tegenzin aanslenteren. Dora liet haar walkman uit haar handen vallen, die onder het bankje stuiterde. 'Zullen we bij jou logeren?' zei Amber. 'Zullen we' – ze greep Dora's pols weer en draaide de armband om – 'naar Brighton Court 3601 komen?'

Dora probeerde opzij te schuiven, maar Amber had een arm om haar schouders en ze hield met de andere hand haar pols nog vast. Dora opende haar mond om te gaan schreeuwen, maar sloot hem weer. Het waaide stevig. Niemand zou haar horen. En wie weet wat die gestoorde meid zou gaan doen als

Dora om hulp ging roepen. In plaats daarvan glimlachte ze dommig en zei: 'Ik heb niet echt ruimte voor logees.'

Amber boog zich voorover en reikte in haar tas, die slijtplekken had. Dora voelde iets tegen haar ribben prikken. 'Voel je dat?' fluisterde het meisje, haar adem heet in Dora's oor. 'Weet je wat dat is?'

Dora kreunde. Dawn deed haar slippers uit en duwde haar gelakte teennagels tegen de grijze planken van de boulevard. Toen boog ze zich voorover, pakte Dora's walkman en bood hem aan Dora aan. Amber griste hem weg.

'Amber...' zei het meisje.

Amber negeerde haar. 'Mijn zus en ik houden je al een tijdje in de gaten. Je woont daar, toch?' Ze wees met haar kin naar het Windrift, een hoog flatgebouw een kleine kilometer verderop, waar Dora een appartement had. 'Leuk,' zei ze. Haar smalle bovenlip krulde weg van haar scheve tanden. 'Met een zwembad en alles erop en eraan. Heel leuk. Je hebt vast wel een slaapbank voor als de kleinkinderen komen logeren.'

Dora kreeg kippenvel op haar armen. Er was die zomer een inbraakgolf geweest... De politie noemde het op het nieuws 'duwbraak'. Dan kwam het slachtoffer thuis, maakte de voordeur open en op dat moment kwam er iemand van achteren, die de deur openduwde, alles meenam wat hij wilde en de rest van het interieur vernielde. Er was een vrouw die tijdens zo'n roof een hartaanval had gekregen, wist Dora nog. Ze was in kritieke toestand naar het ziekenhuis gebracht, hadden ze op het nieuws gezegd. 'Na de reclame tips om zo'n inbraak te voorkomen,' had de opgewekte nieuwslezer beloofd, en wat had Dora gedaan? Ze had de televisie uitgezet. Dat ze nou net op die avond vroeg naar bed was gegaan!

Ze zette haar benen zo neer dat de meisjes niet zouden zien dat haar knieën beefden. 'Ik neem jullie wel mee,' zei ze op wat ze maar hoopte dat een redelijke, verzoenende toon was. 'Neem maar mee wat je wilt hebben. Ik heb een televisie, wat sieraden en wat contant geld. Jullie mogen alles meenemen, als je me maar geen pijn doet.'

'Kom op, Amber,' zei Dawn zacht terwijl ze met haar slippers tegen haar dijbeen zat te tikken. 'Laten we nou maar gewoon naar huis gaan.'

'Heeft iemand jou wat gevraagd, Dawn?' zei Amber. Ze duwde de loop van het pistool harder tegen Dora's zij. Dora snakte naar adem; ze zou er de volgende dag een blauwe plek van hebben. Sinds ze bloedverdunners nam, kreeg ze overal blauwe plekken van.

'Dit kun je niet doen,' flapte ze eruit.

'Natuurlijk wel,' zei Amber met een ijzige grijns op haar gezicht. 'Dat zie je toch?'

Dora had geen zussen. Haar echtgenoot, Sidney, was twee jaar daarvoor overleden. En Sam, haar enige zoon, had haar een week eerder gebeld om mee te delen dat hij stopte met zijn masteropleiding en danser werd bij bar en bat mitswa's.

'Zijn alle dansers daar dan joods?' had Dora eruit geflapt nadat Sam had uitgelegd dat hij zijn geld zou gaan verdienen met dansen voor groepen dertienjarigen in wat Dora wel durfde te wedden dat uitdagende kleding zou zijn. Haar zoon, die niet eens had gedanst op zijn eigen bar mitswa!

'Nee, mam,' had Sam vermoeid gezegd. 'Twee van de dansers zijn zwart. Het kan niemand wat schelen of het atheïsten, hindoes of wat dan ook zijn, zolang we maar zorgen dat iedereen zich vermaakt.'

Dora ging op de bank zitten, de telefoon in haar hand en de afstandsbediening van de televisie op schoot; ze had geen idee wat ze moest zeggen. 'Ik begrijp niet...' begon ze.

'Ik moet je nog iets vertellen,' zei Sam. 'Kerri en ik gaan uit elkaar.' Dora liet zich tegen de kussens zakken, ze voelde zich plotseling duizelig. Ze vroeg zich af hoe haar zoon had beslist in welke volgorde hij zijn nieuwtjes zou vertellen: ik ben gestopt met mijn studie om insinuerend te kunnen dansen op Kool & the Gang en, o ja, mijn vrouw en ik gaan scheiden.

'Sam, nee toch,' zei ze.

Haar zoon zuchtte. 'Het is al gebeurd.' Er viel een stilte. 'Het spijt me, mam.'

'Ik ben zo op Kerri gesteld,' lukte het Dora te zeggen.

Sam zuchtte nog een keer. 'Ja, ik ook.'

Ze hing de telefoon op en begon te huilen, slappe, machteloze tranen stroomden over haar gerimpelde gezicht. Ze had iets verkeerd gedaan in de opvoeding van Sam, op de een of andere manier, maar ze wist niet wanneer, of wat ze dan verkeerd had gedaan, of helemaal niet had gedaan en wel had moeten doen. Het ene moment was ze eenentwintig geweest, duizelig van verliefdheid, en had ze haar jawoord gegeven. En toen was ze ineens drieëndertig en de moeder van een permanent norse jongen van zeven die consequent zijn mond hield, en de echtgenote van een man die zijn eigen geheimen had.

Ze had op een woensdagavond eten staan koken toen de telefoon was gegaan, en ze aan de andere kant van de lijn de stem van een onbekende vrouw had gehoord. De vrouw lachte: een hijgerig, wanhopig, duidelijk niet-geamuseerd geluid. Ze lachte en zei: 'Houd jij hem maar, het kan me niet meer schelen. Blijf jij maar bij hem. Liever jij dan ik.' Dora, met een pan in haar handen waar ze net een beker rijst in had gegooid, had haar horen lachen en ze bedacht dat ze helemaal niet had geweten dat er competitie was. Toen Sidney thuiskwam, gaf hij haar zoals altijd een kus, en die avond ging hij met haar naar bed, zoals altijd op woensdag. Dora zei niets over het telefoontje. Toen niet en de decennia die daarop volgden ook niet, zelfs niet tijdens hun hevigste ruzies, niet eens na haar miskraam, toen de dokter aan haar ziekenhuisbed had gestaan en had gevraagd of ze het geslacht van het verloren kindje wilde weten, en Sidney zonder haar ook maar aan te kijken nee had gezegd, alsof het aan hem was om dat te beslissen.

Sidney was op zijn zestigste gestorven. De diabetes had hem flink te grazen genomen: eerst waren zijn nieren ermee opgehouden en daarna was hij van zijn gezichtsvermogen beroofd, waren zijn tenen afgestorven en toen zijn linkerbeen, tot hij uiteindelijk in een ziekenhuisbed had gelegen en eruitzag als een zak botten onder een deken. Hij had een morfine-infuus in zijn arm gekregen en toen het einde naderde riep hij de naam van een andere vrouw. Wie is Naomi? had een van de verpleegsters gevraagd, en Dora had gelogen. Mijn tweede naam, zei ze. Zo noemt hij me wel eens. De verpleegster had meelevend geknikt. Ze had haar op haar schouders geklopt en had gezegd: arme stakker.

En toen was Sidney dood, en Sam woonde in New York City, en Dora was alleen in het huis in Silver Springs.

Waar moet ik naartoe? had ze zich afgevraagd nadat de mannen van het Leger des Heils dertig jaar van haar leven de deur uit hadden gesleept: de banken en eettafels die ze samen met Sidney had uitgezocht; de schilderijen en kunstwerken die later waren gekomen, toen Sidney erop had gestaan dat ze een binnenhuisarchitect inhuurden.

Waar moet ik naartoe? Ze herinnerde zich haar huwelijksreis naar Atlantic City, al die jaren geleden. Ze hadden in een hotel aan het strand gelogeerd. Ze herinnerde zich het bed met de afgebladderde blauwe verf aan het metalen hoofdeinde, hoe de mensen in de kamer naast hen op de muur hadden gebonkt toen ze op een avond lagen te vrijen en hoe Sidney zijn hand over haar mond had gelegd om haar giechelen te smoren. Ze kon zich nog herinneren hoe het voelde om verbrande wangen te hebben, hoe de gebakken vis met koud bier smaakte, de toffees die ze bij een stalletje op de boulevard hadden gekocht, het zoute water dat over haar knieën spoelde, en het zeewier tussen haar tenen terwijl Sidney haar optilde en de oceaan in droeg, naar een stuk waar de golven braken.

Nadat het huis was verkocht had ze twee appartementen gekocht: een in Clearwater, voor de wintermaanden als het sneeuwde, en een in Ventnor, een paar kilometer van waar ze haar huwelijksreis had doorgebracht, maar veel leuker voor gepensioneerden dan Atlantic City, had de makelaar gezegd. Het was een flat met één slaapkamer in een gebouw met een portier en een parkeergarage, een zwembad waar vijf dagen per week senioren-aquarobics werd georganiseerd, en het appartement had ramen van de vloer tot het plafond die haar een prachtig uitzicht over de oceaan boden. September was haar favoriete maand van het jaar. De lucht was helder, het water warm genoeg om erin te waden, maar de kinderen waren weer naar school, waardoor de boulevard en het strand leeg genoeg waren om er als ze dat wilde uren te wandelen, alleen met haar gedachten en herinneringen.

'We gaan eerst lunchen,' zei Amber. Ze hield haar arm om Dora's schouders en het pistool tegen haar zij gedrukt. Ze instrueerde Dora hen naar het appartementencomplex te brengen, waar haar auto stond. Het tweetal marcheerde over de boulevard met Dawn een paar meter achter hen, die elke paar minuten even bleef staan om tegen de reling te leunen, wanneer haar haar uit haar gezicht werd geblazen en ze dromerig over de zee uitkeek.

Dora's knieën beefden zo hevig dat ze nauwelijks kon lopen. Help! wilde ze tegen de weinige voorbijgangers schreeuwen. Help me! De ellende was dat niemand iets opviel: ze zagen gewoon een oud dametje dat een wandeling maakte, dat genoot van de laatste zon met haar twee getatoeëerde kleindochters in bikini, die er niet ordinairder uitzagen dan de meeste meisjes die ze in de zomer op het strand zag.

Amber keek over haar schouder. 'Dawn, wat wil jij eten?'

'Weet ik niet,' mompelde Dawn. Dora leidde hen naar haar Camry, die in de parkeergarage van het Windrift stond, een lege betonnen ruimte die vol angstaanjagende schaduwen en geluiden leek te zijn. Ze voelde in haar zak en liet de autosleutel twee keer vallen. Amber maakte een minachtend, snoevend geluid en boog zich voorover om hem op te pakken.

'Na jou,' zei ze. Dora ging achter het stuur zitten. Amber ging naast haar zitten, zonder haar gordel om te doen, met één hand in haar tas. Dawn klauterde achterin.

'Waar wil je eten?' vroeg Amber haar zus.

Dora zag in haar achteruitkijkspiegel hoe het meisje haar schouders ophaalde. 'Dat maakt me niet uit,' zei ze.

'Dan wordt het een visrestaurant,' zei Amber. 'Waar ze margarita's hebben.' Ze trok een wenkbrauw naar Dora op. 'Weet jij er een?'

'Leo's, aan de pier?' stelde Dora voor. Ze was er nog nooit geweest, maar ze was er al talloze malen langs gereden. Het zag er een beetje sjofel uit, met lampjes in de vorm van rode pepertjes langs de deur en zulke harde muziek dat Dora's autoramen ervan trilden als ze erlangs reed. En wat nog beter was: het was er altijd stampvol, zelfs buiten het seizoen. Iedereen die daar zat te eten, was er mogelijk getuige van dat ze werd ontvoerd. Misschien waren die meisjes nog wel niet eens oud genoeg om te mogen drinken. Misschien zou de serveerster wel om hun identificatie vragen, en als Amber haar tas dan zou opendoen, zou ze het pistool erin zien glinsteren, zich naar de keuken haasten en de politie bellen.

'Wacht even.' Amber zocht iets in haar tasje. Dora's hart leek even stil te staan, tot Amber er twee lange, gerafelde T-shirts uit haalde, een roze, dat ze naar Dawn op de achterbank gooide, en een paars, dat ze op haar schoot legde, en, ongelooflijk genoeg, een reisgids. 'Leo's op de pier. Ja, daar staat het. Dit "levendige restaurant aan het water is trots op zijn gul geschonken drankjes en ongedwongen sfeer",' las ze voor. '"Plaatselijke bewoners zweren bij de vers gegrilde vis en gestoomde kreeft, en negativo's rollen met hun ogen om de opzichtig geklede serveersters en het kitscherige zeedecor."'

'Wat is een negativo?' vroeg Dawn.

'Iemand die alles stom vindt,' zei Amber kortaf. Ze draaide zich naar Dora om. 'Rijden maar.'

'Willen de dames iets drinken?'

Dawn schudde haar hoofd. 'Ik mag niet drinken,' zei ze.

De serveerster keek Dora met opgetrokken wenkbrauwen aan. 'O, nee, dank je,' zei Dora snel, en ze sloeg haar armen om zichzelf heen. Amber had een tafel op het terras gevraagd en haar zus en zij leken zich prima te voelen, maar Dora verlangde hevig naar een warme trui.

'Drie margarita's, en als jullie niet willen, neem ik ze wel,' zei Amber met een haaiachtige grijns op haar gezicht. 'Ik heb vakantie.' Dora hield haar adem in terwijl ze wachtte op het verzoek om identificatie, maar de serveerster salueerde het drietal met een tikje tegen haar notitieblokje en verdween door de klapdeuren het restaurant in. Dora moest haar keel twee keer schrapen voordat ze iets kon zeggen.

'Ik moet plassen,' fluisterde ze.

'O, natuurlijk, natuurlijk,' zei Amber met een hoofdknik. Ze had haar gerafelde t-shirtjurkje aangetrokken en zag er opvallend opgewekt uit, misschien omdat het haar was gelukt Dora te ontvoeren, of misschien omdat er drank onderweg was. 'Oude mensen moeten constant plassen. Incontinentie,' zei ze zo hard dat Dora zich er ongemakkelijk door voelde. 'Ga je gang.' Dora stond razendsnel op. Ze zou richting de toiletten lopen en dan de keuken in glippen om een kok of serveerster aan te klampen...

'Dawn, jij gaat mee,' beval Amber.

De moed zakte Dora in de schoenen terwijl Dawn haar stoel naar achteren schoof en langzaam opstond.

'Vergeet je tasje niet,' zei Amber met haar blik op het voorwerp in kwestie.

Dawn zuchtte, pakte het tasje en liep achter Dora aan naar een stel deuren waar ZEEMEERMINNEN en ZEEMEERMANNEN op stond.

Dora deed de wc-deur op slot en liet zich op het toilet zakken. Ze kon Dawns bleke kuiten en slippers zien; ze stond bewegingloos bij de wastafels. De stem van het meisje klonk door het dunne houten deurtje.

'Ik vind het heel naar dat dit gebeurt,' zei Dawn.

'Niet zo naar als ik het vind,' mompelde Dora.

Toen ze de deur opende, stond Dawn naar zichzelf te staren in de spiegel. De ronding van haar tatoeage piepte onder de halslijn van haar T-shirtjurkje uit en haar haar glinsterde onder het felle toiletlicht alsof er olie in zat. Haar blik kruiste die van Dora in de spiegel, en toen keek ze weg.

'Kun je niet zorgen dat ze ermee ophoudt?' vroeg Dora. Haar lippen beefden en ze zag zichzelf in de spiegel, gereflecteerd in het meedogenloze licht, bleek, frêle en bang als een muis. Precies het uiterlijk dat je zou verwachten van iemand die veertig jaar bij een man had gewoond die verliefd was op iemand die Naomi heette en wier zoon ging scheiden en voor pubers ging dansen.

Dawn keek naar beneden en liet het haarelastiekje om haar pols knallen. 'Het is maar voor een paar dagen,' zei ze. 'Denk ik.'

Denk je. Dora waste haar handen en het tweetal liep terug naar hun tafeltje, waar Amber zat te wachten en drie limoengroene drankjes in glazen met een rand met zout in de zon warm stonden te worden.

'Geen bedbank?' vroeg Amber terwijl ze chagrijnig Dora's woonkamer in zich opnam: de bank tegenover de ramen, de kleine televisie, de ingelijste trouwfoto van Sam en Kerri, alsof ze verwachtte dat ze met haar razende blik een bedbank tevoorschijn zou kunnen toveren. Amber had Dora na de lunch naar Target laten rijden, waar de zussen een hele kar vulden met wat Amber 'vakantiebenodigdheden' noemde: flessen zonnebrandolie, nagellak en remover, kaas uit een tube en Pringles, nylon onderbroekjes, nachthemden, maandverband, badhanddoeken, een fietsslot, een zilverblauwe draagbare stereo met zes cd's, strohoeden met een brede rand, een reflecterend opblaasbaar luchtbed met bekerhoudertjes in de armleuningen en twee knalroze sweaters met capuchon met de tekst VENTNOR erop. Wat allemaal werd betaald met de creditcard van Dora, die Amber met de behendigheid van een goochelaar uit Dora's portemonnee griste.

'Shit. We hadden toch nog een luchtbed moeten nemen, Dawn.'

'Dat geeft niet,' zei Dawn, die een paar van de tassen op het koffietafeltje zette. 'We kunnen ook op de vloer slapen.' Ze keek Dora hoopvol aan. 'Heb je slaapzakken? Of extra dekens of zo?'

'Ik zal even kijken, maar...'

Er werd op de deur geklopt. Dora's hart sloeg over. Mijn redding, dacht ze. Zelfs als het Jehova's getuigen waren, of de voorzitter van de bewonersvereniging die om haar contributie kwam vragen... Ambers stem snauwde zestig centimeter van de deur vandaan: 'Als je iets zegt, zal het je berouwen.'

Dora deed open. Haar buurvrouw, Florence Nogwat, een van de weinigen die het hele jaar in het Windrift woonden, stond met een glimlach op haar gebruinde gezicht voor haar met een in plastic gewikkeld papieren bord in haar leerachtige handen.

'Je hebt bezoek!' snaterde ze terwijl ze over Dora's schouder de woonkamer in keek, waar de meisjes, nog steeds in hun gerafelde jurkje, op de bank hingen. Dawn had een tijdschrift op schoot. Amber zat met de afstandsbediening in haar handen, die ze zijdelings op de televisie richtte (als een pistool, schoot het onwillekeurig door Dora's hoofd), en zapte zo snel dat de beelden een betekenisloze brij moesten zijn, maar Dora zag dat ze geconcentreerd luisterde naar wat er werd gezegd. 'Ik heb dit weekend gebakken, dus toen ik jullie allemaal uit de lift zag komen, dacht ik bij mezelf, ik dacht: Florence, ik durf te wedden dat die meisjes wel zin hebben in mijn toverrepen!'

'Dank je,' zei Dora. Florence gaf haar het bord. Dora keek haar aan en probeerde haar met haar ogen een bericht door te seinen. Help. Ik heb hulp nodig.

Florence keek alleen maar met halfsamengeknepen ogen over Dora's schouder: 'Dag, meisjes!' kwetterde ze naar Amber en Dawn. 'Je kleindochters?' vroeg ze aan Dora.

'Lang verloren stiefdochters,' teemde Amber.

'Wat is een toverreep?' riep Dawn van de bank.

'O, die zijn heerlijk! Favoriet bij mijn kleinkinderen! Je begint met verkruimelde crackers en boter...'

De telefoon ging. Dora maakte een snelle beweging richting de keuken, maar Amber was haar voor. Ze ontvouwde haar magere lijf van de bank en beende met drie grote stappen naar de keuken, greep de telefoon en nam op. 'Hallo? Nee, sorry, die kan even niet naar de telefoon komen. Met wie spreek ik?'

Dora wist dat het Sam moest zijn. Hij belde altijd aan het einde van de maand, om zijn belminuten op te maken.

'Ik ben een vriendin van je moeder.' Haar stem ging flirterig de hoogte in terwijl Florence verder vertelde hoe ze toverrepen maakte. Dora leunde tegen de muur; haar hart bonkte als dat van een wanhopig gekooid dier. Amber stak de telefoon onder haar kin en wierp zich weer op de bank, met haar benen over de armleuning, en ze gaf Dora een knipoog terwijl ze begon te kletsen. 'Nee... Nee, een nieuwe vriendin. Wat?' Ze begon te giechelen. 'Nee, er wonen hier niet alleen oude dametjes.'

Florence maakte een geluid dat klonk als een leeglopend luchtkussen – *pff!* – en schudde haar ijsblonde haar. Ze had een van haar perfect uitgekiende ensembles aan: lichtroze kuitbroek met roze espadrilles en roze lippenstift. Ze droeg om een van haar polsen een zilveren bedelarmbandje met piepkleine zwart-witfotootjes van haar kleinkinderen. Dora betrapte zichzelf erop dat ze zich afvroeg of Dawn en Amber haar zouden hebben gekozen als ze Florence eerst zouden hebben gezien en ze voelde zich gek genoeg zowel opgelucht als jaloers bij dat idee.

'Waar in New York? Ga je vaak uit?' vroeg Amber aan Sam. Dora keek Amber ongeduldig aan en stak haar hand uit om de telefoon aan te nemen, hoewel ze best wist dat ze die niet zou krijgen. 'Oké. Nou, leuk je gesproken te hebben. Ja, ik zal doorgeven dat je hebt gebeld.' Ze hing op en grijnsde toegeeflijk. 'Ga zitten, Dora. Ontspan. Neem een toverreep. Rust even uit. We gaan zo naar het strand.'

'O, het is perfect strandweer. Het wordt een schitterende zonsondergang. Het is zulk heerlijk weer. En zo warm!' kwetterde Florence.

'Dawn en jij?' vroeg Dora zwakjes.

'En jij ook.' Ze sloeg haar arm om Dora's schouders en kneep in haar bovenarm. 'We gaan nergens zonder jou naartoe.'

Het was twee uur 's nachts toen ze terugkwamen. Amber en Dawn hadden Dora's mobieltje geconfisqueerd, de telefoon in haar slaapkamer onklaar gemaakt en ze hadden na een hevige discussie besloten vier eetkamerstoelen tegen haar slaapkamerdeur te zetten. Ze namen aan dat Dora de deur dan niet open zou krijgen, en dat ze, als het toch lukte, wakker zouden worden van het geluid van de vallende stoelen. 'Slaap lekker!' riep Amber, en Dawn mompelde iets wat op 'sorry' leek. Dora leunde tegen de deur en luisterde hoe het tweetal ruziede over hoe het luchtbed moest worden opgepompt, dat die gekke Florence hun maar al te graag te leen had gegeven, samen met beddengoed, een reiswekker en nog een bord toverrepen.

Ze strompelde naar haar bed op benen die aanvoelden als uitgerekte elastiekjes en liet zich op haar rug vallen. De dag was met meer activiteiten gevuld dan ze normaal gesproken in een hele week had: lunchen, winkelen, zonsondergang op het strand. Toen waren ze teruggegaan naar het appartement, waar de meisjes hadden gedoucht, een angstaanjagende hoeveelheid make-up op hun gezicht hadden gesmeerd en zich in een minirokje met een topje hadden gewurmd, en toen waren ze de deur weer uit gegaan, eerst naar een restaurant waarover Amber in haar gids had gelezen dat het de beste krabkoekjes aan de kust serveerde, toen naar een club in een casino en toen naar nog een andere, waar Dora op een gammele barkruk had gezeten in haar kuitbroek en haar onflatteuze wandelschoenen en ze de muziek tot in haar botten had voelen dreunen.

Nu ze eindelijk alleen was, dwong ze zichzelf rustig adem te halen en na te denken. Het zag er niet naar uit dat de meisjes haar zouden vermoorden... niet nu Florence hen allebei had gezien en Amber met Sam had gepraat aan de telefoon. Maar ze kon toch maar beter haar voorzorgsmaatregelen treffen. Ze klikte het slaapkamerlicht aan en vond papier en pen in het bureautje dat in de kamer stond. Ze vroeg zich af hoe ze moest beginnen. 'Aan wie dit leest,' besloot ze uiteindelijk. 'Ik word door twee tienermeisjes gevangen gehouden in mijn eigen huis. Ze heten Amber en Dawn. Hun achternaam weet ik niet.' Ze schreef elk detail dat ze kon bedenken op: Ambers kettinkje, Dawns tatoeages, hun leeftijd (ze was er ondertussen achter dat Dawn achttien was en haar zus negentien en dat ze allebei een vals identiteitsbewijs hadden). Ze gokte hun lengte en gewicht en schreef op dat ze in Queens woonden, waar Dawn studeerde voor schoonheidsspecialiste en Amber 'van alles' deed. Ze schreef onder 'Als u dit vindt, bel dan alstublieft de politie' haar naam en adres op. Ze schreef het briefje twee keer over, zodat degene die haar lichaam zou vinden het zeker zou zien. In de bovenste lade van haar bureautje lag een envelop waar een gasrekening in had gezeten. Ze deed het tweede briefje erin, verzwaarde de envelop met een oud horloge van Sidney, deed het slaapkamerraam open en gooide hem de nacht in.

'Hoi.'

Dora deed haar ogen open en keek in de richting van het geluid. Ze lag in haar eigen bed, met de dekens tot haar kin opgetrokken. De zon scheen door de gordijnen en ze hoorde de wind en de golven. Alweer een schitterende ochtend in september aan de kust van Jersey. Misschien was het allemaal wel een nachtmerrie geweest.

'Hoi.'

Dora duwde zich op een elleboog overeind en zag Amber in de deuropening staan, met haar aftandse witte tas onder haar arm. Ze had de dag ervoor het aanbod van haar zusje zonnebrand te gebruiken afgeslagen en haar wangen, benen en onderarmen zagen er pijnlijk oranjeroze uit.

'Ja?' fluisterde Dora.

'Ik begrijp het koffieapparaat niet,' fluisterde Amber terug.

Dora had het gevoel dat ze nog steeds in een droom zat gevangen toen ze zichzelf uit bed duwde, naar de keuken liep, bonen in de molen deed en het apparaat aanzette.

'Chic, hoor,' merkte Amber op. Ze stond in een fluorescerend groene nachtpon en op haar blote voeten in de keuken, met haar stijve zwarte haar tegen een wang geplakt, en ze rook naar sigaretten en drank. Dawn lag nog te slapen. De vormeloze bobbel die haar lichaam was, lag op een zij op een luchtbed, onder een dekbed van Florence. 'Heb je melk?' vroeg Amber gapend.

'Schiet je me dood als ik nee zeg?' vroeg Dora op weg naar de koelkast. Amber begon te grijnzen.

'Nee, maar dan ga ik je wel slaan.' Ze leunde achterover tegen het aanrecht en ademde kreunend in terwijl ze zich erop hees. 'Ik ben verbrand.'

'Vervelend voor je.' Dora pakte de koffiepot en bedacht wat er zou gebeuren als ze hem in Ambers gezicht zou gooien en naar de deur zou rennen. Te gevaarlijk, besloot ze, en ze keek het meisje aan, dat er reuze wakker uitzag. Ze schonk twee koppen koffie in.

Amber liet zich van het aanrecht glijden en ging op een van Dora's eetkamerstoelen zitten, huiverend toen de achterkant van haar benen contact maakte met de bekleding. Ze legde haar handen om de blauwe beker. 'Luister,' zei ze. 'Als je wilt weten waarom we hier zijn: dat is voor Dawn.'

Ze keek kort richting Dora's woonkamer, waar haar zusje nog lag te slapen, nam een slok koffie, trok een gezicht en reikte naar de Wedgwood-suikerpot.

'We hadden onze vakantie al heel lang gepland, maar toen moesten we het geld ergens anders voor gebruiken.'

'Waarvoor dan?' vroeg Dora.

'Niet voor drugs, als je dat soms denkt,' zei Amber. Dora

voelde dat ze bloosde, aangezien drugs precies was waaraan ze had gedacht. 'Dawn was zwanger. Van Lester Spano,' zei Amber, die een gezicht trok waarmee ze Dora precies vertelde hoe ze over Lester Spano dacht. 'Ze dacht dat ze zouden gaan trouwen. Ik heb nog tegen haar gezegd: "Dawn, Lester Spano is niet de man met wie je kinderen wilt en met wie je de rest van je leven wilt doorbrengen." Shit, ik zou niet eens met Lester Spano naar de film willen. Maar Dawn... Ze is... Nou ja, je weet wel.' Amber haalde haar schouders op met een je-begrijpt-wel-wat-ik-bedoel-gebaar. 'Romantisch aangelegd of zo.'

Haar New Yorkse accent werd zwaarder naarmate ze verder sprak. 'Dus ze was al babylaarsjes aan het kopen, en ze zat al wantjes te breien – nou vraag ik je – en vervolgens was Lester Spano ineens spoorloos, en zijn mobiele nummer was afgesloten en zijn moeder zei dat ze niet wist waar hij was... Dat zei ze tenminste tegen Dawn, en toen ben ik ernaartoe gegaan en toen heeft ze tegen mij hetzelfde gezegd, dus toen wist ik dat ze niet loog.' Ze haalde nog een keer haar schouders op. 'Vijfhonderd dollar. En dat bedrag is nota bene inkomensgebonden en dan moet je het geschreeuw van een groep idioten die "Moordenaar! Moordenaar!" staat te krijsen erbij op de koop toe nemen. Ze glimlachte vaag. 'Zeker weten dat er niemand tegen Lester Spano heeft staan krijsen.' Nog een glimlach. 'Dus heb ik hun zijn adres gegeven.' Ze draaide de suikerpot in haar handen rond en liet het lepeltje tegen de rand vallen. 'Toen konden we ineens niet meer naar de kust, maar we hadden al buskaartjes gekocht, dus toen dacht ik: waarom niet? Ik dacht dat het Dawn misschien zou opvrolijken om de stad uit te zijn. En ik wist dat ik wel ergens onderdak zou vinden.' Ze nam nog een slok koffie en knikte tevreden. 'Ik weet altijd overal een oplossing voor.'

'Je...' Dora slikte. Ze was dit als een soort grap gaan zien, als een stunt; ze had gedacht dat Amber had gebluft en een weddenschap moest inlossen, en haar domme zusje had overgehaald mee te doen, maar nu...

'Ik zorg voor Dawn,' zei Amber, die strijdlustig haar kin omhoogstak. 'Ze is een beetje...' Haar stem stierf weg terwijl ze de donkere woonkamer in keek.

'Traag van begrip?' probeerde Dora.

'Niet traag,' zei Amber scherp. 'Ze had betere cijfers dan ik. Ze is niet traag, ze is...' Ze haalde haar vingers door haar haar, probeerde het anders te doen, en sloeg haar magere verbrande benen over elkaar. 'Ik weet het niet. Ik weet niet wat ze is.' Ze gaf de poging haar haar goed te doen op en schepte met opgetrokken schouders en haar mond een paar centimeter van de dampende vloeistof vandaan nog meer suiker in haar koffie.

'Misschien is ze depressief,' zei Dora.

'Misschien is dat het,' stemde Amber in. 'Vanwege Lester Spano, die de benzine niet waard is die je nodig hebt om naar hem toe te gaan.' Ze slurpte van haar koffie en zakte in elkaar in haar stoel. 'Maar het werkt niet. Ze is gek op het strand. Ik dacht dat ze nu wel weer vrolijk zou zijn. Maar ze blijft maar over hem praten. Over Lester. Over dat ze altijd had gedacht dat ze met hem op vakantie zou gaan.'

Dora schonk koffie voor zichzelf in en staarde het meisje aan de andere kant van de tafel aan. Zonder make-up en met een ingezakt kapsel zag Amber er liever uit dan op de boulevard. Ze was een tiener, net zoals Sam ooit was geweest, net zoals Dora zelf was geweest, lang geleden, en ze was mooi, onder haar haarlak, de opzichtige sieraden, onder de façade van een gangstermeisje. Ze had fijne gelaatstrekken, een brede mond en wenkbrauwen die zo'n delicate boog vormden dat het wel vleugeltjes leken boven haar zwarte ogen. Nu haar haar over haar schouders hing en ze geen eyeliner droeg, kon ze de lieve kleindochter van iedereen in het Windrift zijn, of een van die meisjes die naar een goede school gingen en hun vakantie niet onder dreiging van een pistool opeisten.

'En je ouders?' opperde ze. 'Kunnen die niet helpen?' Amber maakte een afwijzend geluid. Ze hief in een misprijzend gebaar een slanke hand voor haar ogen en reikte toen in haar tas. Dora's hart sloeg over. Maar in plaats van een pistool haalde Amber haar reisgids weer tevoorschijn en gaapte, keurig met haar hand voor haar mond, terwijl ze met haar andere hand begon te bladeren.

'Daar gaan we naartoe,' zei ze, en ze gooide de gids naar Dora. 'Snacks aan het strand. Er staat dat ze daar ananaspannenkoeken hebben. Dawn is gek op ananas.'

De daaropvolgende drie dagen gingen voorbij in een waas van restaurants, middagen aan het strand en lange avonden in hete, lawaaierige, rokerige en overvolle nachtclubs waarvan de bonkende baslijnen tot de volgende ochtend in Dora's hersenen doordreunden. Ze zat met Amber naast zich, met haar grote witte tas op schoot, aan de bar. 'Ga maar dansen,' zei Amber tegen haar zusje, en dan liep Dawn langzaam naar de dansvloer, sloot haar ogen in het flikkerende licht en bleef op dezelfde plek staan terwijl ze heupwiegde in hetzelfde langzame tempo, of er nu een snelle of langzame beat uit de speakers kwam, of er iemand voor haar stond of niet, alsof ze danste in een droom.

De derde nacht vergaten de meisjes de stoelen voor haar slaapkamerdeur te zetten.

Dora's hartslag hamerde in haar oren terwijl ze op bed lag en de televisie eindelijk werd uitgezet. Ze sloop naar de deur en ging gehurkt met haar oor vlak boven de deurknop zitten luisteren naar het slaperige gesprek van de meisjes, dat uiteindelijk verstomde. Amber snurkte een beetje. De ademhaling van haar zusje was diep en regelmatig. Dora draaide de deurknop millimeter voor millimeter open en liep op haar tenen naar de woonkamer, waar ze naar de meisjes keek, die zij aan zij op hun luchtbed lagen te slapen. Ambers tas lag op het tafeltje naast de bank. Dora pakte hem, gooide hem over haar schouder en sloop de keuken in, waar ze de telefoon pakte.

Wie moest ze eerst bellen? De politie? Moest ze haar zoon bellen?

Dora stond in de duisternis en het drong tot haar door dat

ze, wie ze ook zou bellen, idioot zou klinken. Ja agent, twee meisjes uit New York. Ze hebben me gegijzeld. Waar ze nu zijn? Ze liggen te slapen in mijn woonkamer. Ik moet morgen met hen naar de nieuwste film met George Clooney, want Dawn is dol op George Clooney. ('Hij lijkt op Lester,' had ze tegen haar zus gezegd, waarop Amber had geantwoord: 'Doe niet zo debiel, hoe kom je erbij!') En daarna gaan we een helikoptervlucht over Atlantic City maken. Ik heb er eerlijk gezegd best zin in.

Ze zette de telefoon terug in de lader en verstijfde toen Amber zich omdraaide en iets mompelde in haar slaap. Dora dwong zichzelf langzaam te ademen en tot honderd te tellen voordat ze Ambers tas openritste.

Er zat inderdaad een pistool in, zoals Amber had gezegd. Het was een waterpistool, een goedkoop ding van roze plastic met een kapotte witte trekker, gevuld met water, nam Dora aan, zodat hij door de extra zwaarte overtuigender voelde.

Ze lachte zacht om zichzelf voordat ze het pistool terugdeed in Ambers tas. Ze luisterde hoe de zeewind tegen het raam sloeg, niet de zachte kus van een briesje zoals ze zich had voorgesteld toen ze voor het eerst overwoog in Atlantic City te gaan wonen en ook niet de rustige, vochtige nachtlucht van Clearwater, waar ze haar winters doorbracht. Ze hoorde nachtgeluiden door het raam: verkeer, in de verte het gillen van een ambulance, het water dat het zand op rolde, in de woonkamer de ademhaling van de meisjes. Dora hing de tas terug aan de eetkamerstoel en kroop terug in bed.

'Kom op,' zei Amber, die haar zusje aan haar handen trok.

'Ik wil niet.'

'Kom op!' herhaalde ze. Dawn schudde haar hoofd en sloeg haar armen over elkaar in haar reddingsvest. Dora zag de rand van de tatoeage op Dawns borst. Ze wist nu wat het was: een hart waar ooit LESTER in had gestaan. Dawn had haar de avond ervoor, toen ze aan het strand waren, verteld dat Amber de laserbehandeling zou betalen om hem weg te halen.

'Ik meen het, Dawn!'

Dawn sloot haar ogen en schudde haar hoofd in hetzelfde dromerige ritme waarin ze in die nachtclubs met haar heupen wiegde. De piloot schreeuwde iets wat Dora niet kon verstaan boven het geluid van de rotors van de helikopter boven hun hoofd uit. Amber sprak met dwingende toon tegen haar zusje, haalde toen haar schouders op en begon te schreeuwen.

'Dora! Zeg jij het eens tegen haar!'

Dora keek naar Dawn. 'Het komt wel goed,' zei ze terwijl ze het meisje geconcentreerd aankeek zodat ze zou weten dat Dora het over meer had dan het helikoptervluchtje. 'Het komt allemaal goed.'

Dawn schudde nogmaals haar hoofd en haar zwarte haar bewoog over haar licht gekleurde wangen. Haar lippen bewogen en Dora zag haar zeggen: Ik ben bang.

'Je zit vlak naast ons. Tussen ons in,' zei Dora.

Daar leek Dawn even over na te denken voordat ze toegaf. 'Oké dan,' zei ze. Dora hielp haar met het vastgespen van haar gordel en ze leunde terwijl ze opstegen met haar voorhoofd tegen het raam. Amber moest schreeuwen om boven de rotors van de helikopter uit te komen, maar Dora zag aan de beweging van haar lippen wat ze zei. Dankjewel, zei ze. Graag gedaan, zei Dora geluidloos. En toen Amber over Dawns schoot reikte en haar handen vastpakte, kneep ze terug terwijl ze boven de gebouwen en de boulevard uitstegen, over het zand en het water, de eindeloze blauwe hemel in.

Aantekeningen bij de verhalen

Ik ben een half leven geleden aan deze verhalenbundel begonnen, op mijn achttiende. Ik ben altijd gek geweest op korte verhalen, van Stephen King en Andrew Vachs tot Ann Hood en Amy Bloom tot Ray Radbury en Harlan Ellison, en ik schrijf ze, en publiceer ze hier en daar, al jaren.

De verhalen in deze bundel zijn chronologisch gerangschikt, beginnend bij het jongste personage (Josie Krystal in de eerste zomervakantie tijdens haar studie) en eindigend met het oudste (de weduwe Dora, die gepensioneerd is en aan het strand woont). Ik denk dat elk verhaal een bepaald moment in iemands leven illustreert, en de keuzes die mannen en vrouwen maken over hoe ze liefhebben, en wie, en waarom. Dit wil ik erover vertellen.

'Alleen een toetje' en *'Op vakantie met Nicki' (1990)*
In een prachtig gedicht van Sharon Olds beschrijft de vertelster hoe ze haar ouders ziet tijdens hun afstuderen:

Ik wil naar hen toe lopen en zeggen:
Stop, doe het niet... ze is de verkeerde vrouw,
hij is de verkeerde man, jullie gaan dingen doen
waarvan je je niet kunt voorstellen dat je ze ooit zou doen,
jullie gaan je kinderen vreselijke dingen aandoen,
jullie gaan lijden zoals je je nooit hebt kunnen voorstellen,
jullie gaan wensen dat je dood was.

Ik wil in het late-meilicht naar hen toe lopen
en het zeggen.

Maar dat doet ze niet.

Ik wil leven.
Ik pak ze op als een mannelijke en vrouwelijke
papieren pop en sla ze tegen elkaar
bij de heupen, als stukjes vuursteen, alsof ik
er vonken af wil laten ketsen, ik zeg
doe wat je gaat doen, en ik zal erover praten.

Of, zoals mijn moeder graag zegt: 'Het is allemaal materiaal.'
  Mijn ouders zijn gescheiden toen ik zestien was. Ik ging op
mijn zeventiende naar Princeton, dat zo ongeveer de beste
studierichting creatief schrijven in het hele land had (en
heeft). Ik schreef over de scheiding van mijn ouders, en ik
schreef erover, en schreef erover, en schreef erover. De stan-
daardgrap die ik over mijn studietijd maak is dat alles wat ik
toen schreef hetzelfde thema had: mijn ouders zijn gescheiden en dat deed pijn. Eerste jaar: mijn ouders zijn gescheiden
en dat deed pijn. Tweede jaar: mijn ouders zijn gescheiden en
dat deed echt pijn. Derde jaar: had ik al verteld dat mijn ouders zijn gescheiden? Laatste jaar: nee, ik ben er nog niet
overheen! (Ik denk dat we allemaal dankbaar mogen zijn dat
ik geen masteropleiding ben gaan doen.)
  Ik heb denk ik honderden pagina's over gezinnen en scheiding, dochters en scheiding, vaders en scheiding geschreven... Je kunt je er wel iets bij voorstellen. 'Alleen een toetje'
en 'Op vakantie met Nicki' zijn geschreven tijdens een cursus bij John McPhee, de geduldigste en aardigste docent die
ik ooit heb gehad. Creatief gezien zijn die twee verhalen zo
ongeveer het enige wat het bewaren waard was uit die periode in mijn leven. Ik heb John McPhees opmerkingen over
'Op vakantie met Nicki' nog. 'Poets het op,' schreef hij. 'Publiceer het. Je zusje zal je een proces aandoen. Maar je hebt

een ijzersterke verdediging: je weet hoe je een verhaal moet vertellen.'

'Het bruidsbed' (2006)

Dit verhaal heb ik kortgeleden geschreven, om opnieuw een bezoek te brengen aan mijn gefictionaliseerde gezin en de cyclus over Josie af te maken. Boeken over alleenstaande meiden in de stad die badinerend 'chicklit' worden genoemd, krijgen tegenwoordig een heleboel commentaar op de Assepoester-fantasie die ze zouden omhelzen: de manier waarop de heldinnen in zulke verhalen de pijn en ellende van hun alleenstaande bestaan ondergaan, er ondertussen constant gevatte grappen over maken, totdat de prins op het witte paard verschijnt en hen Wegvoert van dat Alles. Ik heb twee romans geschreven die eindigen met bruiloftsklokken. Maar betekent een huwelijk, en een man die een ring geeft en eeuwige trouw belooft, per definitie een gelukkig einde? Ik denk dat Josie daar anders over denkt. Ik weet zeker dat Nicki er anders over denkt.

'Zwemmen' (1989/2006)

Tijdens mijn studie heb ik in New York een vakantiebaantje gehad. In een van de gratis weekbladen daar stond een fictiewedstrijd, waaraan ik heb meegedaan en die ik heb gewonnen, met een kort verhaal dat 'Zwemmen' heette, over een jonge vrouw die haar studie Engels succesvol afrondt, maar zonder echt een vak geleerd te hebben de arbeidsmarkt op moet. Ze wordt ghostwriter van contactadvertenties en een van haar cliënten wordt verliefd op haar. (Het was een geweldig geruststellende fantasie, een waar ik voortdurend op kon terugvallen toen ik korte tijd later mijn studie Engels succesvol zou hebben afgerond, maar zonder echt een vak te hebben geleerd de arbeidsmarkt op zou moeten.)

'Zoek dat verhaal voor me op!' zei mijn agent.

Maar ik kon het niet meer vinden.

Mijn manier van archiveren is het wegzetten van stapeltjes documenten – ruwe schetsen, belastingopgaven, foto's, diploma's – in plastic tasjes, die opgestapeld op de tweede verdieping van mijn huis staan, achter in de gang in de logeerkamer. Ik heb al mijn tasjes uitgezocht en kon 'Zwemmen' niet vinden. En ik wist ook niet meer in welk gratis New Yorks weekblad het had gestaan. Het enige wat ik nog wist, was hoe het verhaal in grote lijnen ging: het meisje in New York. De advertenties. De titel.

Ik ben het afgelopen jaar helemaal opnieuw begonnen, tijdens een lang weekend in Los Angeles in het mooiste hotel ter wereld: het Regent Beverly Wilshire (of zoals ik – evenals Laura San Giacomo in *Pretty Woman* – het noem, het Reg Bev Wil). Ik heb het in LA gesitueerd omdat ik daar toen was, en ik heb het hier en daar gemoderniseerd (online daten in plaats van advertenties in het plaatselijke sufferdje). 'Zwemmen', of zoals ik het noem, 'Zwemmen, 2de versie', is het resultaat.

Als iemand die dit leest in 1990 in Manhattan woonde en zich het originele verhaal nog herinnert, hoor ik dat graag.

'Goede mannen' (1997)

Toen ik in de twintig was, heb ik veel tijd doorgebracht met nadenken over liefde en huwelijk en wat mensen de aandrang en moed geeft elkaar een hand te geven en in het diepe te springen. (Ik had een behoorlijk verstoord beeld van het instituut huwelijk , zie de aantekeningen bij het eerste verhaal.)

In 'Goede mannen' komen dezelfde personages voor als in mijn eerste roman, *Goed in bed*: Bruce, die lief is maar een beetje lui; Cannie, die geestig is maar nogal een controlfreak; en Nifkin, de kleine, bevende, gevlekte Rat terriër, die natuurlijk in alle opzichten perfect is. Ik heb dit verhaal eerder geschreven dan de roman, in mijn vierkante slaapkamer in mijn appartement in Philadelphia, op de Mac Classic die ik tijdens mijn studie had aangeschaft, in de avonduren toen ik nog voltijd bij *The Philadelphia Inquirer* werkte. Ik kreeg er een heel lief afwijzingsbriefje van *The Atlantic* voor. ('Geachte mevrouw Weiner, hoewel u duidelijk schrijftalent hebt, is dit verhaal niet geschikt voor ons blad.')

'Kopersmarkt' (2005)
Een deel van het promoten van een boek bestaat uit interviews geven, en de interviewers willen heel vaak, misschien omdat schrijven een deprimerend saai gebeuren is om naar te kijken, bij de auteur thuis op bezoek komen. 'We willen je in je element zien,' zeggen ze dan, op een manier die me altijd het gevoel geeft dat ik een duur maar nutteloos, gekortwiekt exotisch vogeltje ben.

Je probeert alles sportief op te vatten en van alles wat over je wordt geschreven de humor in te zien, maar het is moeilijk je niet in je privacy aangetast te voelen. (Want zeg nou zelf: welke vrouw wil beoordeeld worden op de inhoud van haar koelkast en of haar slaapkamer wel schoon is?)

Er is eens een verslaggeefster in mijn kledingkast gedoken, die kleding heeft gevonden waar de prijsjes nog aan zaten, die vervolgens in haar artikel stonden vermeld. Ze was jammer genoeg zo ingenomen met haar ontdekking dat het haar niet was opgevallen dat ik die kleding had geleend voor een fotoreportage. Ik heb mijn moeder er tot op de dag van vandaag niet van weten te overtuigen dat ik nooit – niet in verleden, heden of toekomst – een trui van 2100 dollar zou aanschaffen. En die scène waar Toby die foto van Jess' moeder pakt en snauwt: 'Zo mooi is ze nou ook weer niet... Ik dacht dat het een foto van jou was?' Waar gebeurd... en te goed om niet te gebruiken.

Het is een liefdesverhaal, maar het is een liefdesverhaal over zowel een persoon als een plek, over dromen en herinneringen, en over wat er gebeurt als je die loslaat.

'De man die niet werd gekozen' (2005)
Ik kocht een paar jaar geleden een huwelijkscadeau op www.weddingchannel.com toen ik toevallig de namen van iedereen met wie ik ooit ben uit geweest intypte. (En kijk

me nou niet aan alsof ik gek ben... Je weet dat jij het ook hebt gedaan.)

Ik typte de namen in en, wil je het geloven, bij één hoorde een trouwdatum met inschrijving en alles erop en eraan.

Ik heb die inschrijving uiteraard naar mijn beste vriendin gemaild en we hebben een dolle avond doorgebracht met kritiek leveren op de slechte smaak in servies van hem en zijn verloofde, en dat was dat.

Maar toch niet.

Ik heb lang geleden een verhaal van Stephen King gelezen dat 'Duistere krachten' heette, waarin een man een computer van zijn overleden neefje erft en de Delete-knop gaat gebruiken op manieren die de uitvinders nooit hadden kunnen bevroeden. Ik begon na te denken over de mogelijkheden van online verlanglijstjes. Wat als je zelf dingen kunt toevoegen of verwijderen? Wat als je, laten we zeggen, de naam van de bruid kunt wissen en die van jezelf kunt invoeren? Wat als je op Enter drukt en de volgende ochtend wakker wordt bij je ex in bed?

En zo werd het verhaal geboren.

Het heeft een paar leuke omwegen genomen op weg naar publicatie. Toen ik voor het eerst Marlie beschreef die een Hitachi Toverstafje voor haar ex aanschafte, stuurde mijn agent, die mijn eerste lezer is, het terug met de opmerking: 'Wat is dat?'

Oké, dacht ik. Ze heeft haar hele schoolcarrière op katholieke scholen doorgebracht. Natuurlijk kent ze die vibrator niet. Ik liet hem erin staan, stuurde het verhaal naar mijn redacteur in New York, die het terugstuurde met exact dezelfde opmerking in de marge... Wat het moment was dat het tot me doordrong dat ik een viezerik ben.

Het verhaal is voor het eerst gepubliceerd in *Glamour*, in de herfst van 2005, en werd kort daarna door DreamWorks geselecteerd. Er wordt aan een script gewerkt, en hoewel het nog in het beginstadium is, heb ik begrepen dat Marlie in de film geen moeder zal zijn, omdat het concept van een moeder die semibewust haar kind wegwenst te verontrustend voor het filmpubliek zou zijn. Zoals mijn kind in het echte leven zou zeggen: 'In-te-res-sant.'

'Koffie-uurtje' (2006)
Veel van wat ik heb geschreven beantwoordt op een bepaalde manier de vraag: 'Wat is het ergste wat er kan gebeuren?' Dat komt niet noodzakelijkerwijs voort uit, zoals een criticus gedenkwaardig voorstelde, het feit dat ik een masochiste ben (ik hoop tenminste dat ik dat niet ben). Het komt doordat ik denk dat de interessantste dramatische mogelijkheden in momenten van crisis liggen. Dus haal ik mijn hoofdrolspelers door de wringer door hun te vragen: wat als je ex een column over je seksleven zou schrijven? Wat als je zus je vriendje inpikt? Wat als je baby doodgaat?

Wat mij als moeder zeer bezighoudt, zijn de eisen die ouders aan zichzelf stellen, de manier waarop moeders zichzelf en elkaar beoordelen, het debat tussen werkende en niet-werkende moeders, degenen die in het centrum wonen tegen degenen die naar een buitenwijk verhuizen, degenen die een oppas inhuren tegen degenen die voor een kinderdagverblijf kiezen... enzovoort en zo verder en weer terug. Dit verhaal gaat over de spanning die impliciet bij de keuzes, en de offers, die moderne moeders maken, hoort, en het gaat in op mijn favoriete vraag: wat is het ergste wat je niet hebt gedaan? Ik denk dat ik nooit dichter bij een horrorverhaal zal komen dan dit.

(Interessant punt: het verhaal is bijna gepubliceerd door een vrouwenblad, dat het helemaal prima vond, behalve het eind. De redacteur vroeg of ik het wilde veranderen. Ik besloot van niet. Ik vind dat het, gezien de omstandigheden en de keuzes die de personages maken, eindigt zoals het moet eindigen.)

'Sinaasappels uit Florida' (1994)
Mijn broer Joe viel vroeger altijd in slaap terwijl hij naar de radio lag te luisteren en daar heb ik het idee voor dit verhaal van. Het was ook een interessante uitdaging om een verhaal

vanuit het perspectief van een man te schrijven en het eind van een huwelijk door zijn ogen te beschrijven.

Het heeft in 1994 in *Redbook* gestaan (dat de titel heeft veranderd in 'Someone to Trust' ('Iemand om te vertrouwen'), om redenen die ik nooit zal begrijpen).

'Studeren' (1992)

Mijn moeder heeft mij op weg van mijn toelatingsgesprek aan Princeton, bij benzinestation Vince Lombardi aan de New Jersey-tolweg, verteld dat mijn vader wegging. ('Waar had ik het je dan moeten vertellen?' vroeg ze op eisende toon toen ik haar erop wees dat een benzinestation misschien niet zo'n geschikte plek was voor een dergelijke onthulling.)

Het is het eerste verhaal waar ik ooit geld voor heb gekregen. *Seventeen* heeft het in de herfst van 1992 gepubliceerd. Ik heb er duizend dollar voor gekregen, wat een ongelooflijke hoeveelheid geld was, vooral gezien het feit dat ik toen zestienduizend dollar per jaar verdiende. Ik heb er een IKEA-bank van gekocht.

'Dora aan het strand' (1998)

De eerste versie van dit verhaal dateert van jaren voordat ik mijn tweede roman, *In haar schoenen*, heb geschreven, maar volgens mij bevat het de kern van het idee dat onderdeel van dat verhaal is: een meisje met een teveel aan overmoed en een tekort aan financiële middelen op weg naar een oord waar veel bejaarden wonen om een grootmoeder te ontvoeren zodat ze een plaats heeft om te overnachten.

Het is twee keer bijna gepubliceerd, maar werd door twee verschillende tijdschriften afgewezen. (Volgens mij was de hoofdpersoon te oud en waren de tienermeisjes niet aardig genoeg. En die hele kwestie met die abortus was misschien een beetje té.) Net als *In haar schoenen* is het een verhaal over zussen, een verhaal over geheimen en de helende kracht van liefde.

Woord van dank

Allereerst mijn dank aan mijn geweldige agent Joanna Pulcini, zonder wier doorzettingsvermogen, scherpe redactievaardigheden en gulle hart veel verhalen uit dit boek nog in een plastic tasje in mijn logeerkamer hadden gestaan. Joanna heeft in dienst van de verhalen vele onmogelijke toeren uitgehaald, en ik beloof haar oprecht dat ik mezelf niet meer in huis zal opsluiten. (En ik beloof ook dat ik mijn korte verhalen niet meer in boodschappentassen zal bewaren.)

Ik dank mijn docenten van de middelbare school en college: John McPhee, Joyce Carol Oates, Toni Morrison, J.D. McClatchy en Ann Lauterbach. Ik dank ook de redacteuren die aanvankelijk enkele van deze verhalen hebben gepolijst en gepubliceerd: Adrienne Nicole LeBlanc bij *Seventeen*, Dawn Raffel bij *Redbook*, Sarah Mlynowski bij Red Dress Ink, en Daryl Chen en Cindi Leive bij *Glamour*.

Bedankt, iedereen bij Atria Books, de beste uitgever die een schrijver zich kan wensen: Judith Curr, Carolyn Reidy, Kathleen Schmidt, Gary Urda, Lisa Keim, Kim Curtin, Jeanne Lee, Christine Duplessis, Craig Dean, Nancy Inglis, Nancy Clements, Linda Dingler en Davina Mock. Bedankt, Suzanne Baboneau bij Simon & Schuster UK voor de fenomenale steun, en Regina Starace voor het prachtige jasje.

Mijn redactrice, Greer Hendricks, is met haar slimmigheden, vaardigheden en eindeloze geduld haar gewicht in robijnen meer dan waard, en haar assistente, Hannah Morrill, is een juweel. Mijn uitgever, Marcy Engelman, is een superster. Ik ben haar en haar team zeer dankbaar: Dana Gidney, Jordana Tal en Samantha Cohen. Ook bedank ik Jessica Fee, voor het geweldige werk dat ze doet door mijn toespraken te regelen.

Bedankt, iedereen bij DreamWorks en Parkes/MacDonald Productions, dat jullie zijn gevallen voor 'De man die niet werd gekozen' (en gelukkig hebben jullie het online verlanglijstje ongewijzigd gelaten). Bedankt, Andrea Cipriani Mecchi voor je vriendschap en dat je me zo mooi maakt; de eeuwig serene Algene Wong, en Tracy Miller, die zulk goed werk heeft geleverd onder grote tijdsdruk.

Bedankt, iedereen die mijn schrijfleven mogelijk maakt en mijn echte leven zo leuk: Jamie Seibert, Mary Hoeffel en Terri Gottlieb, die voor Lucy zorgen, en mijn onvermoeibare en goedgeluimde assistente Meghan Burnett, die op een dag een reuzin in de uitgeverswereld zal zijn en veel te druk om mijn telefoontjes aan te nemen.

Jake Weiner is niet alleen mijn broer, hij is ook mijn filmagent (en een verdomd goede). Mijn zus Molly, broer Joe, moeder Fran, oma Faye Frumin, oom Freddy en tante Ruth, en schoonzus April Blair zijn allemaal geweldige mensen met wie ik graag naar een afspraakje met de rode loper ga. Liefs aan mijn beste vrienden voor altijd: Susan Abrams Krevsky, Sharon Fenick en Alan Promer, Phil DeGennaro en Clare Epstein, Alexa en Craig Hymowitz, Craig en Elizabeth LaBan, Debbie Bilder en Lee Serota, Olivia Grace Weiner, Renay Weiner, de familie Gurvitz, Todd Bonin en Sara Leeder, Warren Bonin, Ebbie Bonin, en al mijn vrienden en kennissen – bedankt voor jullie liefde, steun en materiaal. En nog het allerbelangrijkst: duizend kusjes voor Lucy, omdat je je zonnige, grappige en brutale zelf bent, en voor Adam... de man die ik heb gekozen.

Inhoud